ÉDIT

Pierrette Dotrice

Oser...
L'Amour dans tous ses états!

Données de catalogage avant publication (Canada)

Dotrice, Pierrette, 1960-
 Oser... L'Amour dans tous ses états!
 Comprend des références bibliographiques

  ISBN 2-89225-387-X

1. Amour. 2. Relations entre hommes et femmes. 3. Amours. 4. Couples. 5. Écrivains – Entretiens. I. Titre.

BF575.L8D67 1999   152.4'1   C99-941516-6

© Tous droits réservés,
  Pierrette Dotrice, 1999

Tous droits de reproduction, de traduction et d'adaptation réservés pour tous les pays :
Les éditions Un monde différent ltée, 1999

Dépôts légaux : 4e trimestre 1999
Bibliothèque nationale du Québec
Bibliothèque nationale du Canada
Bibliothèque nationale de France

Première édition : Novembre 1999

Illustration de la couverture et dessins intérieurs : JEAN-CLAUDE MAROL

ISBN 2-89225-387-X

Nous reconnaissons l'aide financière du gouvernement du Canada par l'entremise du Programme d'Aide au Développement de l'Industrie de l'Édition pour nos activités d'édition (PADIÉ).

Imprimé au Canada

Les éditions Un monde différent ltée
3925, Grande-Allée
Saint-Hubert (Québec)
Canada J4T 2V8
(450) 656-2660
Site internet : http ://www.umd.ca
Courriel : info@umd.ca

L'alliance entre
Une ...
Une coréussite ? Oui, mais...

Comment s'apprivoiser ?
Avec le livre-magazine OSER...
L'Amour dans tous ses états !

Souvenons-nous du
Petit Prince de Saint-Exupéry,
qui voyageait de planète en planète
à la recherche d'un ami...
Sur la planète Terre, il rencontra un renard.

« *Veux-tu devenir mon ami ? lui dit-il.*
  Le Renard répondit :
  – Aujourd'hui, je ne suis pour toi qu'un renard, semblable à cent mille renards, mais si tu m'apprivoises, je serai pour toi unique au monde, et tu seras pour moi unique au monde...
  – Que faut-il faire ? s'enquit le Petit Prince.
  – Se donner des rendez-vous, répondit le Renard, et s'asseoir chaque fois un peu plus près. S'apprivoiser, c'est créer des liens. Tu sais, c'est le temps que l'on donne à ses amis qui les rend si importants, et uniques... L'essentiel est invisible pour les yeux. »
  Dans notre culture binaire, la passion s'oppose à la raison, l'esprit à la matière, le féminin au masculin, la créativité à la logique, la sensibilité à la rigueur, l'émotion au contrôle... Or, tant que la femme n'apprendra pas le langage de l'homme (et vice-versa), tant que l'émotion s'opposera au contrôle, la passion à la raison... aucune évolution sociale ne sera possible.
  Pour la première fois dans l'histoire, nous assistons à l'ébauche d'un partenariat entre le féminin et le masculin. C'est une entreprise très difficile, qui mérite un média original. Un livre-magazine qui aide les hommes et les femmes à s'apprivoiser, lentement, comme le Petit Prince et le Renard. C'est alors et seulement que nous pourrons bâtir, dans la réalité, de belles histoires, fondées sur la confiance, l'amitié et l'amour.
  Cela demande beaucoup de courage, de vérité, de persévérance, de tolérance et d'humour. Mais c'est motivant, parce que l'amour, précisément, est la recherche fondamentale de chaque homme et femme : amour de soi, amour de l'autre, amour des enfants, amour de l'action, amour de la Vie ; c'est l'amour qui nous rajeunit ! Alors, pour la première fois dans l'histoire, réinventons, ensemble, le quotidien...

PIERRETTE

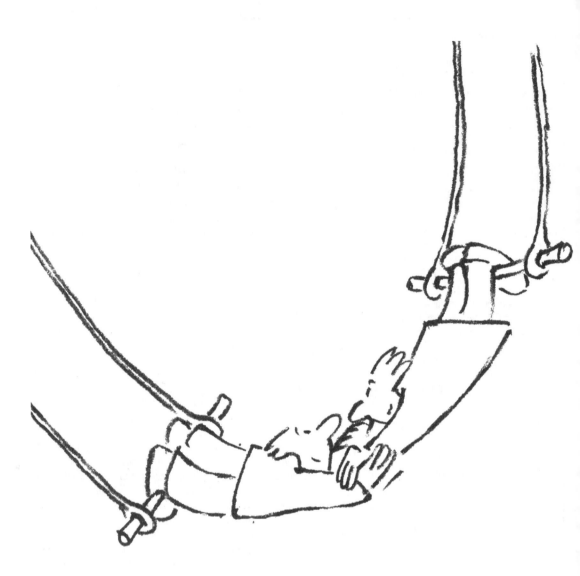

Les entretiens de cet ouvrage ont été réalisés par Pierrette Dotrice, à l'exception de ceux de Julos Beaucarne, effectué par Pascale Fettweis, et de Guy Corneau, produit par Annabelle Mimouni pour le magazine Guide ressources.

REMERCIEMENTS

*À **toi, petite maman**, venue pour Oser la Vie, et partie du mal d'aimer ;*

*à **Michel Ferron, éditeur d'OSER**, qui, le premier, a répondu à mon avis de recherche pour éditeur audacieux et créatif ;*

*à **ma famille**, que j'adore, et qui a compris, après maints pugilats, que je ne puis trahir ma raison d'être ;*

*à **mes amis** : Michel Beduin, Didier Delnatte, Arian Laenens, Pascale Fettweis, Philippe Jadin, Corinne Le Fèbre, Jean-Valéry Desse, Astrid Fallon, Anne-Marie Thonus, Pascal Rivière, Jean-Claude Verhelst, Cyvard Mariette, Sylvie et Marco Rueff, Nicole de Saint-Georges, Damien Guilmot, Chantale Bourdon, Louis-Philippe Dombard, Marie-Madeleine Arnold, Antonio Garcia, Jacques Soyeur, Jacques Coerten, Francesco Dello et Maître Jean-Pierre Leroy, qui m'ont encouragée, accompagnée et, parfois, ressuscitée lors des multiples rebondissements des magazines Passerelles et OSER la Vie;*

*aux **auteurs** : **Catherine Aubier, Julos Beaucarne, Catherine Bensaid, William Berton, Guy Corneau, Arnaud Desjardins, Alix Girod de l'Ain, Chantal Hurteau Mignon, Maud Kristen, Gérard Leleu, François Notter, Colette Portelance, Claire Reid, Paule Salomon, Jacques Salomé, Perla Servan-Schreiber, Claudia Rainville, Carole Sédillot, Josette Stanké, Marie-Odile Steinmann, Tchalaï Unger, Xavier Leclercq, Eva Arkady, Christine Lorand, Dominique Vincent...** qui m'ont fait l'honneur d'une collaboration enthousiaste ; avec une reconnaissance éternelle et douce pour **Jean-Claude Marol**, chevalier jongleur et frondeur, dont le royal secours à la dame fut tout proche ;*

*aux **Éditions Stock, Anne Carrière**, et **La Table Ronde** et aux nombreux autres éditeurs, qui, spontanément, ont participé à l'aventure ;*

*à **Jacques Laurin, directeur des Éditions de l'Homme**, qui, de Montréal, en janvier 97, m'a inspiré l'idée du livre-magazine masculin et féminin, et à **Marie Papillon**, auteure de Mille et une stratégies amoureuses (Éditions de l'Homme), qui m'a faite chrysalide ;*

*à **Jean-Louis Servan-Schreiber, directeur de Psychologies**, qui m'a reçue et conseillée ;*

*aux **lecteurs de Passerelles**, admirables supporters, que j'ai parfois négligés dans les moments moroses ;*

*aux **hommes et aux femmes** qui se transforment pour **Un monde différent** ;*

*à **tous ceux** qui m'ont épaulée, ravie, fâchée, trompée, guidée, bernée, rescapée, enchantée, assagie, et qui m'ont appris, dans la joie et les larmes, cette fabuleuse leçon : **Oser la Vie**.*

Pierrette

SOMMAIRE

26 auteurs à succès...

Vingt-six auteurs à succès vont nous dire aujourd'hui l'Amour, à leur façon.

À notre grande joie, **L'Amour dans tous ses états!** *propose une chose... et son contraire. Car le paradoxe, c'est la Vie. Et les réponses sont en soi.*

Sortir de la dépendance, c'est capital. Y revenir consciemment c'est vital. Vous aimez trop ? l'enfer vous guette. À moins qu'ayant vécu la séparation, vous reveniez à la fusion.

Shocking! diront certains ; et comment! Bravo! tonneront d'autres ; à juste titre.

Car chacun a raison, dans sa perspective, et vit ce qui est juste pour lui. Tant mieux si, parfois, nous touchons le fond : il faut mourir pour renaître. Tandis que la conscience, elle, grandit...

Voilà le baromètre : vivre en conscience, c'est accepter l'alternance, le changement quand il y a souffrance. C'est «défusionner», se séparer, pour «refusionner». C'est sublimer la dualité dans une nouvelle unité : le trois, pluraliste et conciliateur qui provient d'une expansion, et non plus d'une régression.

Apprenons, chers lecteurs, à jongler avec les opposés. Berçons notre enfant intérieur et sachons aussi nous faire bercer. Trouvons le bonheur en nous... et attendons-le de l'extérieur. Soyons égoïstes... et dévouons-nous aux autres. Restons sages... et passionnés. En somme, vivons zen... mais pas zinzin.

Je nous souhaite, en l'an 2000, d'avoir l'audace de nos désirs. Et d'évoluer avec plaisir. À notre rythme, dans notre ordre, en tolérance et en interdépendance.

Promenez-vous gaiement dans ce livre-magazine ; probablement y trouverez-vous Votre réponse, qui ne sera pas celle de l'autre. Surtout, ne lui en veuillez pas... Vivez l'Amour, dans tous ses états !

Avez-vous remarqué comme le marché est devenu prolixe en ouvrages traitant de l'amour et de ses problèmes ? Comme chacun de nous peut trouver - ô bonheur - LE livre parfaitement adapté à son cas ? Comme nous n'avons plus aucune excuse d'être encore une femme qui aime trop, un homme qui a peur d'aimer, un phobique de l'engagement, un Peter Pan, une Cendrillon, une victime du paradoxe de la passion, un cœur en écharpe ou un célibataire grincheux ? Comme nous sommes priés de ne plus confondre amour avec obsession, possession, fusion, codépendance, sadomasochisme, combat de coqs, sacrifice ou séparatisme ?

À ce jour, j'ai lu moult essais et best-sellers sur la dynamique amoureuse. J'ai interrogé les spécialistes de l'amour, dans tous ses états. J'ai rencontré nombre d'auteurs et d'ambassadeurs propageant les vertus de l'Amour – universel ou non – en de multiples lieux de la planète.

Ma conclusion? DÉCULPABILISONS! Et, surtout, vivons ce qui nous est donné à vivre... car l'initiation vient, justement, de ce qui est vécu à fond.

À quoi bon s'accrocher à l'absolu quand on est au stade de la fusion? À l'amour universel quand on vit l'étape trois (coups et blessures) de Paule Salomon? À la femme solaire quand on patauge dans le lunaire? Aux préceptes de Jacques Salomé quand on apprend l'abc du bien communiquer?

À toujours regarder obstinément vers le haut, on tombe dans les bouches d'égout. À lorgner vers le bas, me direz-vous, c'est le pot de fleurs qui nous guette. Reste la voie médiane : voir devant soi, et se concentrer sur le prochain pas. En toute conscience, et dans la perspective d'approcher, à son propre rythme, d'un mieux-être... à défaut de tirer sur la comète et de viser la perfection, inhumaine comme le dit son nom.

Voilà la conclusion que je retire de ces lectures boulimiques, de ces rencontres pléthoriques, de ces débats énergiques, qui ne m'empêchèrent pas, loin s'en faut, de foncer dans mes pièges favoris. Courage mon popotin, ma tête avance... Autrement dit, la tête comprend, le corps vit; et met bien du temps à s'extraire d'automatismes et programmations à long terme. Comme supposait un être sensé : «Ce n'est pas en tirant sur les fleurs qu'on les fait pousser...»

Ainsi... Vivons donc, au gré de nos passions, en retenant nos leçons. Reconnaissons notre rôle dans nos relations, condition pour nous libérer de patterns stériles et moribonds. Surtout, soyons spectateurs de nous-mêmes, et voyons, avec humour et autodérision, la marge qui nous sépare encore, nous, êtres de chair, d'un esprit que nous plaçons parfois trop haut.

Idéalistes nous sommes, humains nous resterons... sachant que, de l'amour :
* il y a autant de définitions que de personnes
* il y a autant de dynamiques que de relations
* on ne saura jamais tout! Car au-delà des mécanismes, plane cet état évanescent et subtil, insaisissable et réfractaire à toute analyse, que les mots ne peuvent plus mettre en boîte.

Chers lecteurs, puissiez-vous traiter cette matière en fonction de votre évolution... et distinguer, par vous-mêmes, ce qui peut vous aider. Après tout, chacun reste son maître à ressentir et à penser!

PIERRETTE

CES AMOURS MYSTÉRIEUSES...

Qu'est donc l'Amour, cet inconnu
Aux cent visages, aux mille vertus?

Pourquoi l'Amour nous échappe-t-il
Nous maltraite-t-il, nous grandit-il?

L'Amour, dit-on, est ainsi fait
Qu'en vain on tente de l'expliquer.

L'Amour se crée, se flaire, se chante,
L'Amour se joue, se rit, se danse,
L'Amour nous souffle de lâcher prise,
De vivre enfin tous ses registres.

Éros, Phylia ou Agapè
Merci de tant nous enseigner...

CATHERINE BENSAID

Histoires d'amours, histoire d'aimer

PHOTO : COLLECTION DE L'AUTEURE

« **A**ime-toi, la vie t'aimera », nous disait joliment Catherine Bensaid, dans un livre qui a remporté un immense succès. Car l'auteure a ce talent : transmettre, par des phrases superbes, ces dynamiques qui nous frappent au cœur ; toucher, par les mots justes, ces états de nous qui sortent, tels des diables de leur boîte, piégés par l'observation adroite. Dans *Histoires d'amours, histoire d'aimer*, Catherine Bensaid nous emmène, tels les chevaux de bois montant et descendant, sur le manège enchanté de nos illusions amoureuses. Une quête qui tourne en rond... comme le délire de nos obsessions. Comment faire, alors, pour que magie ne rime plus avec tragédie ?

P : Catherine, parlez-nous de vous, d'*Histoires d'amours, histoire d'aimer*...

C.B. : Je suis psychiatre-psychothérapeute. Mon premier livre : *Aime-toi, la vie t'aimera* est sorti en 1992. Mon second : *Histoires d'amours, histoire d'aimer*, a vu le jour en 1996. Il raconte des histoires d'amours, telles que chacun de nous peut se les raconter, tout en les vivant. Ces histoires se succèdent tout au long du livre selon les différentes étapes d'une rencontre amoureuse : des premiers instants de bonheur absolu aux doutes et aux désillusions, lesquels peuvent aboutir à une rupture ou à une histoire réelle. Les deux partenaires poursuivent alors ensemble le jeu qu'ils avaient commencé. Mon livre tente de montrer à quel point, parallèlement à l'histoire vécue, il y a l'histoire telle qu'on a envie de la vivre, souvent bien différente de ce qu'elle peut être dans la réalité. Car une histoire, c'est la rencontre de deux histoires, de deux passés, de deux rêves, de deux imaginaires. La désillusion naît, justement, du désir de voir l'autre différent de ce qu'il est, et de projeter sur lui des espoirs et attentes auxquels il ne peut répondre. En outre, si chacun, pour mieux plaire à l'être aimé, cherche à montrer un autre visage que le sien, il s'agit alors d'un jeu de cache-cache dangereux à la longue.

P : Vous dites : « Le début est magique, la fin peut être tragique »...

C.B. : Au début de l'histoire, on croit que notre vie va être un rêve... La fin est souvent tragique et douloureuse, car on a perdu à la fois l'autre et ses illusions. C'est souvent le cas dans les amours impossibles... Pourquoi ne peut-on voir ce qui est impossible ? Croit-on, au fond, qu'un bonheur puisse être possible pour autrui, et pas pour nous ?

P : L'amour a besoin de disponibilité...

C.B. : En effet. On peut être certain d'être disponible... tout en ne l'étant pas ; on croit être à la recherche d'un autre qui soit disponible, mais on reste attiré par qui ne l'est pas. On n'est soi-même pas disponible, en raison d'un amour passé toujours présent dans notre tête, d'un amour parental idéalisé, qui peut donner un goût d'impossible ou d'interdit à une histoire possible, ou parce que l'on a trop peur d'être face à un échec, convaincu de ne pouvoir être aimé.

P : Qu'est-ce qui nous attire chez l'autre ?

Les livres « coups de cœur » de Catherine Bensaïd

Lettres à un jeune poète,
Rainer Maria Rilke,
Éditions Grasset

Femmes qui courent avec les loups,
Clarissa Pinkola Estès,
Éditions Grasset

Voix, A. Ponchia, Éditions G.L.M.

C.B. : Ce qui nous attire bien souvent chez l'autre, c'est non seulement ce qu'il nous apporte, mais aussi ce qu'il pourrait nous apporter. Et nous risquons parfois d'attendre bien longtemps ce qui ne vient jamais ! Ainsi, nous restons là, animés par le désir que l'autre change, que notre vie évolue, alors que c'est à nous de changer. À nous de comprendre ce qui a motivé notre choix actuel, nos choix antérieurs, de définir ce qui est pour nous essentiel et ce qui ne l'est pas, de décider ensuite si notre compagne ou notre compagnon est susceptible ou non de nous rendre heureux.

P : L'amour devient un rêve...

C.B. : Nous endurons des situations de déplaisir, incapables de partir car nous ne voulons pas perdre ce qui pourrait être mieux, un jour, plus tard. Le deuil est parfois plus difficile à faire de ce que nous n'avons pas eu... que de ce que nous avons eu ! Parfois, aussi, nous ne supportons pas de perdre ce que nous avons eu un temps. Nous attendons indéfiniment que reviennent les instants de bonheur... Parce que nous sommes dans le rêve et non plus dans la réalité. Il nous faut renoncer... non pas à nos rêves, mais à certains rêves. Ceux de voir notre vie correspondre à un idéal qui, parce qu'aucune relation n'est idéale, n'est pas adaptable à la réalité. Ceux qui, parce que nous les confrontons sans cesse avec notre réalité, nous empêchent de l'accepter telle qu'elle est et, par conséquent, nous interdisent de vivre ce qui nous rendrait effectivement heureux.

P : Comment définissez-vous la passion amoureuse ?

C.B. : La passion est une souffrance, une maladie. Nous ne sommes plus dans l'extase et le bonheur absolu de l'état amoureux, nous sommes devenus dépendants d'une drogue qui ne nous procure plus la jouissance que nous avons pu ressentir dans le passé, ou qui ne nous a même jamais procuré celle que nous en espérions. Nous ne ressentons plus que le vide, le manque, l'absence. Mais nous restons accrochés à celui, celui seul pensons-nous, qui peut venir combler ce vide, ce manque, cette absence. L'autre n'est pas un autre que nous aimons, mais celui seul « capable de nous guérir d'un mal d'aimer ». Si la passion n'est plus que douleur, nous devons nous efforcer de casser ce lien, qui n'est pas un lien à l'autre, mais un lien à notre propre souffrance, à notre passé, à des comportements qui nous empêchent d'être heureux, avec nous-mêmes déjà, avant de l'être avec autrui.

P : Peut-on concilier magie et quotidien ?

C.B. : C'est très difficile... mais pourquoi ne pas essayer, autant que possible, de faire de notre vie amoureuse une création ? Sans jamais perdre de vue ce que nous sommes, et ce que nous désirons vivre. Sans jamais non plus nier ce qu'est l'autre et ce qu'il veut vivre. En restant deux participants d'un jeu qui n'est jamais figé ni répétitif, en n'oubliant pas que nous sommes deux individus avec des intérêts et espaces à la fois communs et distincts, en prenant garde de ne pas nous enfermer dans une répartition des rôles qui ne laisse plus aucune liberté d'action. Une histoire a ses cycles et ses rythmes : elle peut mourir un temps et renaître à nouveau, plus forte, plus belle, grâce au désir réciproque qu'elle puisse se poursuivre, et grâce à la capacité de dire et d'entendre, de part et d'autre, ce que chacun veut et ne veut pas vivre.

P : Quand survient la fin d'une histoire ?

C.B. : Parfois le jeu ne peut plus se poursuivre : l'histoire s'arrête parce qu'elle doit s'arrêter. Chacun évolue différemment, et ce qui convenait un temps ne convient plus. Il est bien préférable de mettre fin à une histoire qui, au lieu d'épanouir l'un et l'autre, remplit d'amertume, de regrets et de blessures impossibles à cicatriser.

P : L'amour propose-t-il aussi d'aider l'autre ?

C.B. : Nous ne pouvons aider l'autre que si lui-même ouvre son cœur et désire changer. Nous ne pouvons décider pour l'autre de ce qui est bon pour lui. Même si nous croyons comprendre sa souffrance, peut-être ne désire-t-il pas, ou n'est-il pas prêt à guérir. En réalité, c'est nous que nous voulons soigner en soignant son mal d'aimer... car nous voulons tout simplement qu'en nous aimant, il nous guérisse de notre propre mal d'aimer ! Cependant, nous pouvons essayer, à travers l'autre, de changer. Par des prises de conscience successives des comportements que nous induisons chez l'autre, bien malgré nous, et qui nous rendent souvent malheureux. Afin que nous puissions réellement aller vers un partenaire, au-delà de nos peurs et de nos défenses, et être à l'écoute de ce dont il a besoin. Alors nous pourrons nous rendre capables d'attentions pour ce qu'il est, et non plus pour ce que nous imaginons qu'il est ! Et surtout, nous pourrons lui dire, nous aussi, ce dont nous avons besoin.

P : L'amour ressemble furieusement à une recherche de soi...

C.B. : Dans le contexte que je viens de décrire, l'amour est en effet une recherche de soi. Par confrontation permanente avec l'autre, nous sommes obligés de nous interroger sans cesse sur autrui et sur nous-mêmes, et par conséquent d'innover d'autres comportements, d'élargir notre champ de conscience, et d'ouvrir notre cœur si nous nous sentons enfin dans une relation de

Où écrire, où téléphoner ?

Éditions Robert Laffont
Attachée de presse : Catherine Bourgey
24, avenue Marceau
75831 Paris Cedex 08
Tél.: (1) 53.67.14.00
Fax: (1) 53.67.14.14

confiance réciproque. L'amour est, paradoxalement, abnégation et exigence, abnégation face à des rêves inaccessibles, exigence face à une réalité qui doit être le plus près possible de ce que nous voulons qu'elle soit.

P : Le temps est notre allié...

C.B. : À nous de prendre le temps de nous rencontrer avant de rencontrer l'autre, de comprendre qui pourrait réellement nous rendre heureux. Souvent, nous craignons d'aimer, comme si, dans l'amour que nous portons à l'autre ou qu'il nous porte, nous risquions de tout perdre. Nous devenons dépendants de nos propres attentes ou des siennes, malheureux à l'idée qu'il ne puisse nous satisfaire, que nous ne puissions le satisfaire. Nous ne sommes pas libérés de certaines douleurs liées à la demande de nos

parents, celle à laquelle nous n'avons su répondre, ou encore celle que nous avons manifestée à leur égard et à laquelle eux n'ont su répondre.

En un mot, il faut du temps pour croire à l'amour, pour accepter que nous pouvons aimer, et être aimés. De la même personne. Car si l'autre peut nous permettre d'y croire... il faut cependant y croire déjà suffisamment soi-même pour lui permettre d'être là !

À lire

Histoires d'amours, histoire d'aimer, Catherine Bensaid, Éditions Robert Laffont
Aime-toi, la vie t'aimera,
Catherine Bensaid, Éditions Robert Laffont
C'est la vie, de la douleur du deuil aux chemins de la renaissance,
Catherine Bensaid, Éditions Robert Laffont (à paraître)

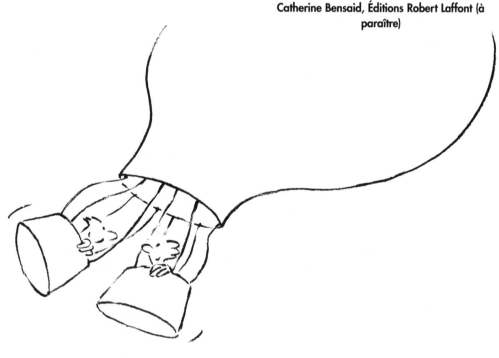

ÉROS ET AGAPÈ:
un mariage impossible?

Amour-raison...
ou amour-passion?
Débat ouvert depuis
des millénaires...

Les Grecs de l'Antiquité, futés, distinguaient déjà Éros (amour érotique ou passionnel) et Agapè (amour sage et raisonnable). Depuis, les deux camps ont leurs groupies, et défendent mordicus une vérité qui, de par sa virulence, cesse de l'être... car la vérité, la coquine, a une fâcheuse propension à se dérober lorsqu'on privilégie un pôle au détriment de l'autre. L'impalpable étant, par essence, insaisissable...

Voyons cela de plus près.

Pour le fan club Éros, l'amour est un cocktail Molotov, un TGV vers les étoiles... nécessairement accompagné d'extase, de fascination, de tension, de drame, de mystère et de désir cannibale. Je souffre, donc je suis; je m'oublie en toi, je me fonds en toi, je meurs en toi. Tu es mon passeport vers l'infini... et la non-vie, car plus rien n'existe en-dehors de toi et de ta toute-puissance sur moi. Enchantement rime avec tourment... et éloignement. Car l'amour est proportionnel à l'obsession, et curieusement s'effiloche quand l'autre se rapproche.

Quant aux fanas d'Agapè, bien souvent, ce sont des rescapés d'Éros, qui sont tombés sur un os... et maintiennent en laisse, sous couvert de sagesse, un tigre intérieur niant tristement son ardeur. Les valeurs remplacent la chaleur, et le cocktail – faute de peps – perd de sa saveur. Sécurité, volonté, stabilité, devoir, engagement... exit le désir, le plaisir, les surprises. Je suis moi, tu es toi, on fait le tour de soi. Bonne nuit, mon amour, je t'aimerai toujours... d'amitié tendre et dévouée!

Morale de l'histoire : l'amour se fait la malle... car Éros et Agapè ont chacun leur charme, mais il leur manque les données contraires pour faire de nous d'heureux partenaires.

Alors? Trouver une synergie? En théorie, ça paraît simple, mais le hic, c'est la pratique! Car comment allier passion et raison, ivresse et sagesse, romantisme et réalisme, mystère et quotidien? Comment l'homme peut-il être sécurisant et distant, intime et sublime, vulnérable et invincible? Quelle femme peut se targuer d'être stable et désirable, présente et captivante, réelle et chimérique? J'attends l'impossible de toi, m'enlise dans l'espoir ou me soumets, résigné, à ce qui est...

Casse-tête chinois, dédale infernal !

Dans les magazines, on cherche le joint. Les recettes abondent : un piment par-ci, un piment par-là... faites ceci, évitez cela... Puis le soufflé retombe, et c'est l'hécatombe : je fais ce que je dois, j'ai abdiqué de moi ; et ça ne marche pas !

Pourquoi ? Élémentaire, mon cher Cupidon ! En forçant sur la séduction, on oublie l'essentiel : l'évolution personnelle...

Plus l'être grandit, plus il séduit, et se passe de stratégies, car il fluctue naturellement entre Éros et Agapè. La peur de toi s'éclipse à mesure que croît l'amour de moi. Mon désir ne t'englobe plus, mais te dépasse, et s'inscrit dans la passion et la certitude de me réaliser, avec ou sans toi...

Mon moi s'épure, devient cristal, brille de toutes ses facettes, joue de la multitude de lui-même... s'émerveillant de ta complétude (*), qui lui répond en écho.

L'amour, volatil, semble naître d'une valse subtile d'éléments contraires et complémentaires, qui tantôt s'harmonisent, tantôt s'éloignent pour mieux s'accorder par la suite. Sécurité rime alors avec volupté, confiance avec conscience, présence avec distance, raison avec passion... car j'aime l'autre à partir de mes plénitudes (*), et non plus de mes manques. Et je nourris le « nous » sans aliéner le « je ».

Éros, Agapè... et si l'amour entre les deux oscillait ?

PIERRETTE

(*) *Pourrons-nous devenir un jour – par nous-mêmes – complets ? Ce précepte est à prendre avec des pincettes.*

À lire

De l'amour passion au plein amour, Jacques Guerrier et Serge Provost, Éditions internationales Alain Stanké
En amour, l'avenir vient de loin, Jacques Salomé, Éditions Albin Michel
L'Art d'aimer, Erich Fromm, Éditions Epi
L'Amour en questions, Frère Jean, Éditions Le Fennec
L'Amour, clé du bien-être, Dr Roger Fix, Éditions Âge du Verseau
Psychologie de l'amour, Paul C. Jagot, Éditions Dangles
De l'Amour, Dr Hubert Benoît, Éditions Le Courrier du Livre
Je t'aime, moi aussi, Dr Bernard Muldworf, Éditions de l'Archipel
Le Choc amoureux, Francesco Alberoni, Éditions Pocket

CES AMOURS QUI SE CHERCHENT...

Âme sœur,
ne vois-tu rien venir ?

Des stratégies aux « recettes »
Voici l'heure de la conquête...
Chasseresses elles naissent,
Chasseurs ils restent,
Ne nous en déplaise !

Au commencement fut le jeu
L'Amour s'en vint, peu à peu
Tout l'art étant, l'esprit aidant
De s'amuser gagnant/gagnant.

CHANTAL HURTEAU MIGNON
Cherche âme sœur

PHOTO : JUDITH LAOUÉ

P : Chantal, quelques mots de vous...

C.H.M. : Je me rappelle avoir répondu à mon père qui me posait, quand j'étais petite, la fatidique question : «Que veux-tu faire plus tard?» «Eh bien, je veux être une femme!» Projet le plus complet, le plus ambitieux pour moi, parce qu'il englobait la vie entière : professionnelle, mais aussi personnelle et affective. Quel orgueil! Aujourd'hui, à l'approche de la cinquantaine, j'essaie toujours de réaliser au mieux ce projet. Je suis actuellement psychologue, thérapeute, astrologue, et je mène une recherche en psychologie dans le cadre de ma thèse de doctorat. Écriture et enseignement sont les prolongements de ces activités. Il me semble que mon rôle consiste à donner la liberté... En tout cas, j'aimerais qu'il en soit ainsi. C'est pourquoi, par exemple, tout en exerçant l'astrologie, j'essaie d'éveiller chez les personnes qui y croient le doute qui permet de rester critique et libre de toute soumission. De même, en thérapie, je m'attache à ne pas créer de dépendance. Je ne mélange jamais ces deux disciplines, afin que, justement, soit respectée la liberté fondamentale des personnes... si ce n'est dans un nouveau domaine que j'explore – avec leur assentiment – qui est l'astroanalyse, c'est-à-dire une thérapie brève fondée sur l'évolution du thème de naissance, dont l'objet est de rendre le consultant plus conscient et plus «maître» de son devenir. Par ailleurs, je tente toujours de devenir meilleure mère, meilleure épouse, meilleure fille, meilleure amie, meilleure sœur... c'est-à-dire de bonifier toutes les relations affectives qui me relient aux autres et au monde. C'est, en outre, l'objet du livre que je prépare en ce moment.

A ssez de ne parler qu'avec le chat et de ne sortir qu'avec le chien? Indigestion des dîners en tête à tête avec la télé, et des dialogues avec le miroir de la salle de bains? Ras-le-bol de l'infinie liberté du célibataire attardé? Marre d'attendre qu'un crapaud tombe soudain dans votre soupière et se transforme en prince charmant? Comme Chantal Hurteau Mignon vous comprend! Psychologue-thérapeute, responsable de formations, astrologue, elle a mis au point, avec Christophe Jaouën, une démarche ingénieuse pour en finir avec une solitude qui n'en finit pas. Cela donne un livre-phare *Cherche âme sœur* (Éditions Dangles), à consulter d'urgence quand il y en a marre. Le credo de Chantal n'est pas «quand on veut, on peut», mais «il faut d'abord pouvoir...»

P : Comment vous est venue l'idée d'écrire avec Christophe Jaouën ?

C.H.M. : Pour simplifier, je dirai que le livre *Cherche âme sœur* a été conçu comme un enfant. C'est une image bien sûr. C'est l'homme qui a eu l'idée, et qui a assuré le support logistique et moral du temps de fabrication. Moi, j'ai travaillé à la gestation, dans son secret et dans la continuité. Aurait-il été plus cohérent d'avoir un point de vue unisexe sur l'âme sœur ? Je ne pense pas... À l'époque où fut rédigé le livre, Christophe et moi étions l'un et l'autre très typiques de deux catégories de célibataires : lui était le jeune homme attardé, esseulé et privilégié, suivant les normes de la société traditionnelle qui impose d'assurer sa vie professionnelle, et moi j'étais la femme mature éclopée du divorce. Les différences d'âge, de sexe, de mode de vie, d'expériences ont certainement contribué à enrichir notre réflexion, ce qui fait que le livre s'adresse directement à chaque lecteur, un peu comme on parle en particulier au cours d'un entretien thérapeutique.

P : Pensez-vous que l'homme et la femme soient polygames ?

C.H.M. : Je ne crois pas... mais, néanmoins, dans la réalité, ils le sont ! Je pense vraiment que les gens sont polygames tant qu'ils n'ont pas trouvé cet autre qui apporte à la fois le ciment et le piment, qui est l'ami et l'amant, qui évoque Éros et Agapè, comme vous le dites si joliment. C'est pourquoi il est important de se préoccuper d'être «complet « soi-même – autant que possible – et bien centré sur sa vie, ses convictions, ses désirs, pour ne pas se tromper de sentiment et ainsi, mystérieusement, attirer cet autre qui nous convient...

P : Ami et amant en une seule personne...

C.H.M. : Si les partenaires ne sont pas à la fois amis et amants, ils deviendront forcément polygames ! Pas mal de gens vivent cette amputation pour des raisons diverses : souvent économiques, parfois par paresse. Beaucoup d'autres vivent l'hypocrisie de l'adultère ordinaire, comme dans la pire des bourgeoisies du siècle dernier... Pourquoi se priver du merveilleux ? Il existe. Il est juste un peu plus caché, un peu plus risqué. Mais quand on l'a trouvé, on ne l'échangerait pas contre deux partenaires ordinaires ! Alors, on devient monogame convaincu... et fier de l'être !

P : Pour être deux, il convient d'abord d'être soi...

C.H.M. : Être soi me paraît important. Si cela semble évident, je me rends compte que, dans la pratique, les personnes les plus atteintes par la solitude pensent justement à l'envers : «J'irai mieux lorsque j'aurai rencontré quelqu'un ! » Ces personnes refusent ainsi d'avancer. Bien sûr, elles «iront encore mieux» quand elles auront rencontré quelqu'un. Mais ce «quelqu'un» ne peut être attiré par un candidat mal en point, mal dans sa peau, dans son boulot ! Ce manque de

Les livres « coups de cœur » de Chantal Hurteau Mignon

L'Art d'aimer,
Ovide
De l'amour,
Henri Beyle, dit Stendhal
Beaucoup de bruit pour rien,
William Shakespeare
La Double Inconstance,
Pierre Carlet de Chamblain de Marivaux

lucidité par rapport à soi-même entraîne des rencontres qui peuvent être catastrophiques, parce qu'elles perpétuent des schémas anciens qui font souffrir... ou pas de rencontres du tout, ce qui fait souffrir aussi. Bien sûr, il est aussi néfaste de trop s'occuper de soi que d'éluder complètement le problème. Dans la quête imbécile de soi, il y a l'autre manière, paradoxale, de ne pas tenir compte du désir du partenaire, de ne pas vouloir évoluer, de refuser de se remettre en question.

P : Aujourd'hui, il faut trouver un partenaire à tout prix !

C.H.M. : À tout prix est vraiment le terme... beaucoup de gens l'ont compris, qui exploitent ce marché de la misère affective par des messageries, des clubs de rencontre, des agences matrimoniales, des voyances, des pratiques magiques, et autres promesses de bonheur. Voilà de fins renards qui font leurs choux gras de ce manque de lucidité général, car tant que l'inconscient résiste, aucune rencontre n'est possible ! Et, plus on met en œuvre la «volonté», plus on y met cette sorte de «prix-là», plus l'inconscient se renforce... Or, la difficulté vient du fait que l'inconscient n'est pas visible et qu'ainsi, on le nourrit dans son aspect défensif qui devient, lui, de plus en plus coriace. En revanche, une fois que l'on a repéré ses défenses intérieures et bien compris ses mécanismes, ses motivations, ses besoins fondamentaux, on peut – on doit même – multiplier les chances de

**Où écrire,
où téléphoner ?**

Chantal Hurteau Mignon
110, rue Michel Ange
75016 Paris
Tél.: (1) 40.71.65.40

rencontres et ne pas négliger les médias que sont les messageries ou les agences. Le vrai prix à payer réside dans la bonne définition de soi ; je reconnais que c'est une démarche difficile, pas encore admise parce que trop proche d'une initiative erronément dictée par la «pathologie» ou l'«anormalité». Dommage !

P : Quel est le rôle de la solitude ?

C.H.M. : La solitude ne doit pas être considérée comme une maladie, ou comme un «état social» anormal, dévalorisant, faisant que l'autre devient automatiquement le remède ou la bouée de sauvetage ! On se jette dans la vie de couple avec tous nos creux, avec tous nos manques... La relation est alors appauvrie, et devient un pis-aller. Ce qui me paraît intéressant, en revanche, c'est d'acquérir une vraie expérience de la solitude, de goûter ce que l'on est, de savoir ce que l'on éprouve, de comprendre son propre rythme, d'apprendre l'autonomie. La solitude se mue alors en une leçon existentielle. Elle n'est plus une calamité : on peut l'envisager sans crainte, car elle favorise une nouvelle relation à l'autre, allégée de ses peurs...

P : Y a-t-il un «art de la conquête» ?

C.H.M. : Sans aucun doute ! Mais, là encore, j'insisterais sur le substrat de la relation entre deux personnes. Si je n'utilise que l'art, je risque de ne retenir que l'apparence, de n'être reconnu que pour ce que j'ai montré. Mon art devient par contre vraiment opérant s'il coïncide avec mon moi le plus profond, s'il met en valeur ce que je souhaite exprimer, s'il invite à me donner ce que je désire vraiment. En un mot, cet art sublime le moi, donc il doit être sincère. Et là où l'art devient de l'amour, c'est quand il fait jaillir ce que l'autre souhaite exprimer, qu'il m'invite à lui donner ce qu'il désire vraiment, qu'il le fait devenir, lui aussi, sincère. L'art, ici, ressemble à de l'écoute. Tout simplement.

P : On dit que le fait d'avoir une idée précise du partenaire souhaité accélère sa venue...

C.H.M. : Voilà un point subtil ; la réponse est oui et non ! Si, dans la vie courante, nous pouvons déterminer ce que nous voulons, il nous est difficile de cerner aussi précisément la personne qui nous conviendrait. Un peu par superstition, un peu par gêne... on se dit aussi qu'à force d'être trop précis, on ne voit jamais se concrétiser le rêve ; d'autant que la description ne tiendrait compte, probablement, que des qualités et non des défauts ! Je n'imagine pas l'homme de ma vie grisonnant et bedonnant, triste et au chômage, radin et maladif ! Pourtant, dans la réalité, l'homme extraordinaire que j'aime possède bien des défauts... que j'accepte parce qu'ils n'ont pas d'impact sur moi, sur mes valeurs fondamentales. Mon homme sera bedonnant... mais en aucun cas d'extrême droite. Il sera triste... mais en aucun cas mercenaire. Il sera au chômage... mais en aucun cas, il ne sera menteur. Vous saisissez ? Je crois qu'il est important de dresser une hiérarchie de valeurs fondamentales à ne pas enfreindre. Évidemment, savoir cerner ses désirs essentiels demande une bonne connaissance de soi et des autres ! On revient, encore une fois, à la case départ. Si les réflexions sont encore floues, s'il reste trop de croyances issues d'expériences passées ou du carcan de l'éducation et de l'environnement, on se trompe forcément sur l'idée du partenaire idéal... dans ce cas, mieux vaut ne pas avoir d'idées du tout, et se laisser surprendre par les rencontres provoquées par notre inconscient qui sait mieux que nous ! Le fait de devenir conscient accélère sans doute les événements...

P : Qu'apportent, en définitive, les conseillers matrimoniaux ?

C.H.M. : Lorsqu'on est engagé dans une démarche d'évolution personnelle, ce peut être très bien d'y recourir. Les conseillers nous écoutent, nous observent, nous apprennent beaucoup de choses sur nous-mêmes, nous proposent de rencontrer des personnes qui sont dans la même recherche... c'est rassurant, et en même temps effrayant ! Si les personnes qu'on vous « destine « sont si décevantes... n'est-ce pas, là déjà, le signe que vous vous voyez comme quelqu'un d'exceptionnel ? On ne sort jamais indemne de cette confrontation, mais si l'agence est sérieuse – à vérifier absolument – les conseillers vous écoutent à nouveau et réajustent vos désirs à la réalité. En résumé : si l'on n'est pas au clair avec soi, cette démarche est inutile, voire traumatisante. Même remarque pour les clubs... où l'on se débrouille tout seul avec ses déceptions !

P : Qu'est-ce que «l'âme sœur» ?

C.H.M. : Le terme est un peu vieillot, et étrangement tendre dans un monde assez barbare... mais je ne sais comment exprimer autrement que par ces mots désuets une relation qui ressemble à ce lien reliant deux sœurs ! D'ailleurs, je m'étonne que, dans notre langue, le concept de «sororité» qui est, vous en conviendrez, bien différent du concept de «fraternité», soit encore si peu connu. C'est étrange, mais ce lien de sororité me semble à revendiquer, à mettre de l'avant, et favoriserait certainement la disparition des barbarismes en cette époque troublée par la redéfinition des rôles masculin/féminin ! Évidemment, l'âme n'exclut point l'entente charnelle ; au contraire, elle la sublime ! Enfin, les «âmes sœurs» ne sont pas jumelles ! C'est-à-dire qu'elles se rapprochent comme des gouttes d'eau par ce qu'elles ont de semblable, et se «complémentarisent» par leurs différences. Je suis sûre qu'il faut inventer ensemble, ensuite, l'amour qui convient parfaitement à ces deux âmes qui ne sont plus en peine...

P : Pourquoi l'attente désespérée d'un partenaire agit-elle comme un repoussoir ?

C.H.M. : Ce qui attire l'autre, c'est la vie, c'est-à-dire tout ce qu'il pressent en nous d'énergie, d'intensité, de complétude. Tandis que le vide existentiel, qui est l'attente désespérée, fait fuir. C'est sûr ! Cela se sent toujours, même si l'on triche un peu, même si l'on affiche une mine trafiquée, une façade ravalée. Les messages subtils passent toujours entre les êtres... l'essentiel est dans l'invisible !

P : Dans votre livre, vous suggérez de «refaire la trame du héros»...

C.H.M. : Effectivement, c'est une méthode que j'utilise en entretien direct, adaptée ici pour le livre. J'ai remarqué que l'on pouvait faire évoluer des comportements inadéquats et préjudiciables pour des relations affectives, en «retissant» notre histoire et en transposant, après les avoir comparés, les comportements «réussite» sur les comportements «échec». Très souvent, les individus sont excessivement binaires : rationnels et performants dans leurs démarches professionnelles, et résolument irrationnels dans leur vie sentimentale. Dans ce domaine, tout est laissé au hasard, à l'improvisation. C'est amusant, et romantique ! Mais porteur d'échec... En travaillant cela avec mes consultants, nous arrivons à dédramatiser des situations, à trouver des astuces pour que les

démarches soient porteuses. Le romantisme s'ajoute après, bien entendu ! Ici comme ailleurs, à nous de faire jouer les contraires, d'alterner rationnel et irrationnel, méthode et lâcher prise !

P : Qu'appelez-vous « déclencher le plan échec » ?

C.H.M. : C'est tout mettre en œuvre pour que ce qui risque de s'ébaucher capote à coup sûr ! Voici encore l'une des ruses de l'inconscient, dont les manœuvres de sabotage nous laissent pantois... Parfois même, le plan échec opère avant que quoi que ce soit puisse s'ébaucher ! L'âme déclenche souvent ce mécanisme, lié à la peur inconsciente : peur de souffrir, peur d'être heureux, peur de ne pas être à la hauteur ! Alors, l'être entier se met en position de refus et, même s'il pose les gestes, s'il prononce les paroles montrant qu'il veut aimer, l'inconscient fait obstruction. C'est le problème de l'ambivalence affective... Analyser nos blocages, comprendre comment ils se manifestent nous permet d'avancer beaucoup, si bien qu'ensuite, nous pouvons déclencher des plans échecs salvateurs ! Il y a blocage parce qu'il y a méconnaissance. Ceci dit, parfois, la réussite vient du fait qu'une histoire amoureuse échoue !

P : La séduction est-elle affaire de premier regard ?

C.H.M. : C'est par le regard que nous avons, le plus souvent, un premier contact avec l'autre. L'individu ressent automatiquement des impressions, des jugements en voyant l'autre pour la première fois. Alors, pour gagner du temps et de l'énergie, autant afficher une apparence qui nous ressemble... Les autres se tromperont moins sur nous ! Outre ces impressions, il y a ce « quelque chose » en plus : la grâce, l'esthétique, la séduction, en un mot l'attention ; pour soi, comme cadeau à soi, à l'autre et à la vie. La séduction, ce n'est pas ressembler à une gravure de mode, mais se ressembler à soi, c'est l'art de jouer sa petite musique, en finesse et en légèreté.

P : Quelle est, en résumé, la méthode que vous proposez pour trouver l'âme sœur ?

C.H.M. : Dans le livre, nous donnons des indications pour mieux comprendre nos processus au sein des relations. Nous savons aussi qu'il n'est pas toujours possible de faire avec objectivité le point sur sa personnalité, son histoire, ses blocages, ses facilités, ses atouts, ses orientations essentielles ; c'est pourquoi nous avons tenté d'offrir un éventail de possibilités pour y parvenir, avec l'aide de professionnels. Les voies sont tantôt ludiques, tantôt sérieuses, tantôt brèves, tantôt longues, tantôt corporelles, tantôt mentales... Chacun peut y reconnaître ses propres besoins, la technique d'approche qui lui ressemble, et une invite à tenter des choses qu'il n'aurait jamais osé faire avant. Poser un pas différent, c'est déjà amorcer un changement...

P : Vous dites : « Rencontrer l'âme sœur, c'est banal... »

C.H.M. : Cette provocation m'est inspirée parce que je constate chez mes patients et ailleurs les méfaits de l'imagerie naïve et fantasmatique colportée au sujet de l'amour et de la rencontre. Il me semble que nous pouvons trouver le merveilleux dans la simplicité, l'évidence, le quotidien, le détail... Si je peux faire une comparaison filmique, je dirais que l'amour réside peut-être plus dans la beauté de « Microcosmos » que dans la force de « Jurassic Park » ! Une femme rencontre un homme : c'est banal dans le sens où, lorsque tout est réuni pour que le fruit soit enfin mûr, l'événement s'inscrit dans l'ordinaire, le quotidien, avec simplicité... J'aime à penser que l'amour est une « petite chose », contrairement à l'idée souvent admise qu'il ressemble à la démesure, à la passion, aux démonstrations tonitruantes. L'amour, pour moi, est dans la litote plus que dans l'emphase. Peut-être est-ce dans cette déformation de nos attentes que se niche l'insatisfaction, d'où émane le sentiment douloureux de la solitude. En conclusion, l'amour est-il vraiment là où nous le cherchons ?

À lire

Cherche âme sœur,
**Chantal Hurteau Mignon
et Christophe Jaouën,
Éditions Dangles**
*L'Émergence du magique dans la pensée,
la pensée de secours,*
**Chantal Hurteau Mignon,
Éditions L'Harmattan**

ALIX GIROD DE L'AIN
Comment se faire épouser?

PHOTO : COLLECTION DE L'AUTEURE

P : Alix, présentez-vous à nos lecteurs...

A.G.d.l.A. : En deux mots, je suis toujours mariée au même monsieur que celui évoqué dans le livre... Je travaille actuellement sur le sujet *Les Couples qui durent*, un ouvrage à paraître chez Anne Carrière.

P : Comment vous est venue l'idée de rédiger un livre aussi original et... tellement désopilant ?

A.G.d.l.A. : L'idée m'est venue d'écrire ce premier recueil car j'étais très agacée par tous ces gens n'osant avouer leur rêve de se marier ; j'ai trouvé subversif, donc amusant, de les prendre à rebrousse-poil en proposant une méthode faussement réac.

P : Pensez-vous que le mariage revient en force ?

A.G.d.l.A. : Je ne crois pas que le mariage revienne en force, mais je pense qu'il correspond toujours au désir de beaucoup de gens (80 % des couples français sont mariés, tout de même !). Je trouve très positif que le concubinage soit devenu monnaie courante, car il permet de choisir ou pas de se marier, en connaissance de cause. Paradoxalement, la cohabitation me paraît renforcer l'engagement du mariage, puisque ce dernier n'est plus un passage obligé.

P : Savez-vous que l'on prévoit déjà des « mariages à l'essai », à durée variable ? Que pensez-vous de cette innovation ?

A.G.d.l.A. : Mariages à l'essai... bof ! C'est plus joli de se lancer pour de bon. Et puis, il me semble que le concubinage est suffisant pour « essayer » la vie à deux.

Alix Girod de l'Ain, auteure de l'ouvrage *Comment se faire épouser ?* (Éditions Anne Carrière) est mariée et même pire que cela : marieuse invétérée... L'aplomb de cette conseillère hors pair se double d'un humour haut en couleur, et sa plume allègre – parfois grinçante, toujours percutante – nous emmène dans un voyage enchanté, celui que font les hommes et les femmes pour se rencontrer. Depuis les temps les plus reculés, l'homme et la femme usent de stratégies, guerrières ou gentilles, ne faisant en cela qu'imiter les « zoziaux » en amour sur un arbre perchés. « Aime-toi, la vie t'aimera », dit Catherine Bensaid ; « Arme-toi, l'amour viendra », chante Alix Girod de l'Ain, faisant finalement de ce loyal combat, la plus charmante des danses nuptiales...

P : Estimez-vous que «le mariage, c'est la santé»?

A.G.d.l.A. : Absolument! Voyez les statistiques citées dans mon livre, démontrant que les couples mariés vivent plus vieux et en meilleur état que les autres.

P : Vous écrivez : «On ne va pas à la mairie pour s'aimer, on y va parce que l'on s'aime...» nuance! Le mariage est-il, pour vous, un projet de vie?

A.G.d.l.A. : Le mariage est un projet de vie, bien sûr. C'est aussi un «pari de vie», c'est prendre des risques, c'est donc vivre, tout simplement!

P : Vous vous dites «l'amie de Cupidon en devenir...»; les stratégies amoureuses n'ont plus de secrets pour vous?

A.G.d.l.A. : Grâce à Dieu, je ne connais pas toutes les ficelles, et je ne suis pas voyante! Il reste des couples dont le chemin m'étonne. Mais j'ai pas mal réfléchi à la question, ainsi je me situe plutôt comme «observatrice éclairée».

P : Pensez-vous, comme Jacques Salomé, qu'il faille trois entités pour faire un couple : l'autre, moi... et la relation?

A.G.d.l.A. : Je suis d'accord avec Jacques Salomé. Deux individus ne suffisent pas à faire un couple; le regard qu'ils posent l'un sur l'autre est capital. L'idée qu'on se fait de l'amour donne la signification, la direction.

P : Recevez-vous des consultants? Comment traitez-vous leur ambivalence, c'est-à-dire le fait qu'ils veuillent absolument trouver un partenaire, mais s'y refusent avec toute la force de leur inconscient?

A.G.d.l.A. : Je ne reçois pas de consultants; je ne suis pas marieuse professionnelle. En revanche, j'organise des rencontres entre mes copains célibataires, et j'ai la chance d'en avoir beaucoup! Je pense que, lorsque les gens sont hostiles au mariage, il faut avant tout comprendre si c'est l'institution en elle-même qui les chiffonne, ou la personne avec laquelle ils vivent; mon livre traite plutôt des blocages de «forme». Les autres sont plus délicats, et relèvent du «cas par cas».

P : Avez-vous pour mission de restituer au mariage sa vraie valeur, sa valeur d'amour, devenue si rare aujourd'hui?

A.G.d.l.A. : D'abord, je crois pour ma part que la majorité des mariages sont des mariages d'amour, du moins au départ. Ce que les gens font de leur relation après quelques années, c'est un autre problème!

P : Les hommes font-ils autant appel à vos services?

A.G.d.l.A. : Je présente des couples d'amis hétérosexuels! J'ai donc autant d'hommes que de femmes en «portefeuille».

P : Quelle est la part du jeu en amour?

A.G.d.l.A. : Le jeu est capital en amour, comme le rire. Il n'y a rien de pire que l'ennui dans un couple; c'est un tue-l'amour, bien plus nocif encore que le temps!

Les livres «coups de cœur» d'Alix Girod de l'Ain

Belle du Seigneur,
Albert Cohen
Le Lys dans la vallée,
Honoré de Balzac
L'Écume des jours,
Boris Vian

P : Jouer ensemble... ou jouer l'un contre l'autre ?

A.G.d.l.A. : Je pense qu'avant le mariage, les gens «jouent l'un contre l'autre», mais qu'ensuite, ils doivent apprendre à «jouer ensemble». Si les rapports de force vieillissent très mal, la complicité est indispensable à la durée d'un couple.

P : Quelle importance attribuez-vous à la séduction ?

A.G.d.l.A. : Amour et séduction sont indissociables ; continuer à aimer, c'est continuer à séduire, et réciproquement.

P : Croyez-vous que les recettes et stratégies puissent venir à bout d'un malaise profond ?

A.G.d.l.A. : S'il s'agit d'un problème de fond, il est bien évident que les recettes ne suffisent pas ! Et cela vaut mieux. En outre, il faut éviter de se marier à tout prix ; à l'instar de sainte Thérèse, je pense qu'il y a parfois plus de larmes versées sur des vœux exaucés que sur ceux qui ne le sont pas.

P : Que pensez-vous du paradoxe de la passion ? Croyez-vous à l'alternance du jeu amoureux ?

A.G.d.l.A. : La passion n'est pas vraiment paradoxale à mes yeux. Elle est un moment d'une histoire, et, parfois, il est souhaitable d'arriver à une relation plus sereine. En revanche, je suis d'accord pour parler d'alternance : l'amour n'a rien de linéaire ni d'unidirectionnel. Ce qui lui donne son prix, c'est qu'il n'est ni monotone, ni monocorde. Celui qui «aime le plus fort» n'est pas toujours le même. Le couple est une aventure passionnante !

P : Le sentiment amoureux est-il, pour vous, aussi important que l'amour proprement dit ?

A.G.d.l.A. : Si Agapè succède à Éros dans le temps, on constate qu'il y a souvent des «retours de flamme», une résurgence du sentiment amoureux après des années de vie commune. Un exemple : un couple en danger peut se ressourcer de façon inattendue...

P : Dans votre livre, vous vous insurgez contre une «cinglée qui organise des stages pour épouser un homme riche...»

A.G.d.l.A. : La cinglée américaine en question a eu les honneurs du magazine *Marie-Claire* en 1995. Elle a elle-même épousé un homme riche, est totalement toquée et réac ! Son message, en gros : «Prenez leur fric, ils n'attendent que ça», un peu comme les auteurs de *The Rules*, mais en pire.

P : Croyez-vous à la force de rédemption ? Par exemple, un quinquagénaire allergique au mariage peut-il soudain, au contact d'une rencontre exceptionnelle, revenir à plus de spontanéité ?

A.G.d.l.A. : Mon pronostic concernant les hommes de cinquante ans jamais mariés n'est pas très bon en général... Mais il y a quelques contre-exemples : ainsi, Pierre Lescure, patron de Canal Plus, s'est marié à cinquante ans. En tout état de cause, il faut une fille aussi maligne que déterminée pour en venir à bout ; la stratégie rapide est la meilleure.

P : Imagineriez-vous donner la réplique à un macho repenti dont la plume égale la vôtre en piquant et favoriserait, par le «jeu gagnant/gagnant» l'éclosion de nouveaux rapports hommes/femmes ?

A.G.d.l.A. : Je trouve très amusante cette idée de dialogue... tenez-moi au courant !

Avec l'aimable autorisation des Éditions Anne Carrière, nous reproduisons ici quelques extraits de *Comment se faire épouser?*, **dont l'enjeu est magistral : Alix Girod de l'Ain nous fait l'irrésistible démonstration qu'en amour, la «recette» n'est pas toujours bête... et, telle la cerise sur le gâteau, ajoute du piment à la noblesse des sentiments.**

D'abord, qu'est-ce qu'un homme? Un homme est un être humain (parfois), pourvu d'attributs sexuels mâles (souvent), dont il est très fier (toujours). Il s'intéresse principalement aux voitures (dites bagnoles ou caisses), au sport (dit : foot ou F1), et à d'autres hommes (dits mes potes). Il éprouve une méfiance naturelle envers les femmes, les joailliers et les cosmétiques. Il ne dit jamais de mal des gens qu'il ne connaît pas. L'homme estime que la réussite professionnelle est un gage de bonheur. Il utilise le téléphone six minutes par jour. Curieusement, il pense souvent qu'on veut lui mettre le grappin dessus, sans doute pour lui piquer sa bagnole, ses tee-shirts du PSG ou ses potes. On le reconnaît infailliblement à ce qu'il bat des mains quand on lui propose de voir un long métrage interprété par des robots et d'ingurgiter ensuite un triple "deck bacon cheeseburger".

(...) Pour vous, mesdames, j'ai débusqué un homme qui a bien voulu parler d'amour. Croyez-moi, il a fallu de longues heures de traque pour le pousser dans ses retranchements, mais son discours est révélateur : «Un homme qui tombe amoureux est comme une fourmi sur un pneu. Au début, il croit savoir sur quoi il marche, puis il se rend compte que c'est un terrain inhabituel. Quand il comprend enfin que c'est l'amour, trop tard, la voiture démarre et il se fait écraser.» Voilà. La preuve est faite que l'amour n'est pas l'élément naturel de l'homme. L'homme déteste l'amour et les bonnes femmes énervantes qui y pensent toute la journée. L'homme est très mal à l'aise avec vos copines. Il préférera mille fois les échanges virils, bourrades amicales et boutades rigolardes de ses congénères dans les vestiaires des stades! Mesdames, c'est votre chance : le mariage est depuis quelques décennies une histoire d'amour, et, là, vous avez l'avantage d'une parfaite maîtrise du terrain...

(...) Qu'est-ce qu'une femme? Une femme est un être humain qui ne pense qu'à l'amour. Quand elle vient au monde, elle mobilise son énergie pour obtenir des boucles qui plairont à son papa. Dès que l'affection de son père lui est acquise, elle se détourne de lui pour se préoccuper des garçons. C'est là un centre d'intérêt qu'elle conservera toute sa vie. La femme se rencontre principalement dans les magasins en période de soldes. Elle se procure des choses pour plaire aux hommes. Ces derniers s'en battent l'œil. Jeune, la femme se préoccupe de savoir qui sera l'homme de sa vie. Âgée, elle se demande pourquoi elle s'est trompée. La femme ne fait confiance qu'à sa meilleure amie et à son coiffeur. (...) Quand elle change d'homme de sa vie, elle sanglote un petit peu et se remonte le moral en allant dépenser de l'argent, même hors période de soldes. Lorsqu'une femme arrête son choix sur quelqu'un et décide de se marier, le monsieur garde toutefois une petite chance d'y échapper sauf, bien sûr, s'il s'agit d'une lectrice de *Comment se faire épouser?* (...) Elle aime les enfants.

Dès que son mari lui en fait un, elle en veut un autre. Si son mari refuse, elle va voir d'autres hommes avec son Wonderbra. Les femmes sont vaniteuses, inconstantes et globalement capricieuses.

Pour vous, messieurs, j'ai rencontré cent vingt-deux femmes qui ont accepté de me parler d'amour. Leurs récits se recoupent : «L'amour, c'est comme un pneu sur lequel se promène une fourmi ; si la fourmi ne pige pas à temps, on redémarre en trombe. » La preuve est faite que les femmes et les hommes ne sont pas, au départ, destinés à vivre heureux ensemble.

Mais alors, le mariage? Ne nous le cachons pas : si le Créateur, en son infinie sagesse, n'avait dicté un impératif de reproduction à notre espèce, il y a fort à parier que les femmes et les hommes vivraient chacun de leur côté, limitant leurs rapports à une urbanité courtoise. Mais au tout début du monde est apparue une arme redoutable : le bébé.

Le bébé est presque un être humain : il a la caractéristique d'être un objet de convoitise lorsque l'on n'en possède pas encore, et d'incompréhension lorsque l'on finit par s'en procurer un. En cela, il ressemble fort au PowerBook 520 de chez Macintosh :

Où écrire?
Alix Girod de l'Ain
160, rue Montmartre
75002 Paris

un air avenant, mais une complexité d'utilisation très perturbante. L'ordinateur portable offre toutefois un avantage très net : la commande «activer les bulles d'aide». Retournez un bébé dans tous les sens : nulle part vous ne trouverez une quelconque touche de mode d'emploi. Mais le bébé est un finaud et, très vite, il compensera ce handicap par toute une panoplie de démonstrations dites gazous, risettes destinées à soulager l'inévitable tension nerveuse de ses géniteurs (le PowerBook, lui, ne sait faire que «plonk» quand il est rassasié de disquettes).

La genèse du mariage remonte donc à des temps fort anciens, lorsque les humains ont commencé à avoir envie de bébés : dès qu'ils prirent conscience de la difficulté de maniement du produit de leurs ébats, ils décidèrent d'unir leurs forces et inventèrent le couple. Le mariage proprement dit n'arriva que plus tard, lorsqu'ils eurent besoin de resserrer leurs liens pour trouver la force de refuser une mobylette à leur bébé devenu ce cauchemar de l'espèce humaine : l'ado. Quand l'enfant finit par s'éloigner sur son deux-roues, les parents se regardèrent longuement et comprirent que, même leur mission éducative achevée, ils conservaient le désir de vivre ensemble. Ils venaient de découvrir un sentiment superflu et nécessaire, volatil et grave : l'amour.

Nous avons dépassé ces temps reculés : le sentiment amoureux est désormais le point de départ de la vie du couple moderne. Le sentiment amoureux se manifeste par un «zoum zoum» dans le ventre à l'approche de l'être aimé. Il dure 317 jours et 2 heures et peut également s'exprimer par une moiteur des paumes chez l'homme et une perte de poids spectaculaire chez la femme. Sa courte durée le rend supportable. Il est parfois relayé par un très beau sentiment, en principe immortel : l'amour conjugal. C'est lui qui permet aux hommes et aux femmes de passer de longues années la main dans la main, malgré les handicaps inhérents à leurs conditions respectives. Comme tout un chacun l'a sans doute déjà remarqué, à l'instar de saint Paul, l'amour conjugal n'est ni exclusif ni jaloux, il prend patience et ne se gonfle pas d'orgueil, il ne juge ni ne condamne jamais ; en un mot, il confine au divin. En tout cas, c'est le but vers lequel il faut tendre !

(...) Quelques mots sur la stratégie lente et la stratégie rapide...

(...) La stratégie lente est une méthode tout en finesse, en délicatesse et en rondeur pour se faire épouser. Elle peut s'appliquer à des individus très divers ; toutefois, il existe systématiquement entre eux un trait commun : il s'agit d'un gros gibier dont il faut avant tout endormir la confiance. Vous devrez bannir toute attaque frontale : un cochon sauvage acculé est horriblement dangereux, alors que tout le monde sait qu'un peu de patience et de doigté peuvent en faire un animal domestique placide.

(...) Le but ultime de la stratégie lente n'est pas du tout de faire condescendre l'autre à vous épouser de guerre lasse, ce serait trivial et indigne de vous ; mais plutôt de l'amener tout doucement à vous considérer comme la seule personne au monde avec qui il ait envie de partager son existence. C'est lui (ou elle) qui doit vous épouser, en fait. Telle est la première donnée à assimiler.

(...) La stratégie rapide, dite la corrida, peut s'appliquer à nombre d'individus très différents. En fait, je ne la déconseille que dans deux cas : trop jeune d'âge (l'un des deux – au moins – doit approcher des trente ans) et cible extrêmement coriace, viscéralement hostile au mariage. Ceux-là, nous l'avons vu, doivent être lentement amadoués, voire désintoxiqués, avant de passer à l'attaque. Voici donc venu le moment de la corrida : toute la beauté, la violence et la fatalité de l'existence condensées en un temps record. Notre stratégie suivra la même logique, empruntera les mêmes codes. Je promets de vous épargner les plaisanteries douteuses sur les trophées usuels du matador : ni oreilles ni queues ne viendront nous distraire de notre noble tâche. Plus qu'à un sport, vous vous livrerez à une véritable chorégraphie amoureuse, en moins tragique toutefois puisque nous gracierons la bête, sans aller jusqu'à lui rendre sa liberté... Il vous faudra de l'audace, du courage et de la foi. Olé ! (...) Selon toute vraisemblance, la cible ignore votre grand projet, comme le taureau trottinant dans l'arène méconnaît son avenir de daube à la provençale. C'est déjà un point encourageant, car l'effet de surprise est d'une grande aide, nous le verrons. Pendant trois mois, vous ne devrez pas prononcer les mots «mariage», «projets d'avenir», «l'année prochaine», «quand on sera vieux». Chaque fois que vous dérogerez à la règle, mettez cinquante francs dans une tirelire, ça dégrise. Vous devrez toujours donner une impression de provisoire, d'incertitude, d'autonomie, de liberté.

(...) Vous pensez sans doute que je cautionne la vieille technique du «faites-les chier, ils ne vous en aimeront que plus»? C'est plus compliqué. À ce stade, vous devez estimer que je suis une sacrée chipie. Vous avez raison, je suis chipie, mais pas garce. Il ne sert à rien de faire souffrir inutilement un être pacifique. Mais quand il le faut vraiment, quand la beauté de l'enjeu dépasse de loin nos misérables petites contingences humaines, quand le rapprochement de deux êtres confine au divin par la pureté de leurs sentiments et l'envergure de leurs perspectives d'avenir, j'estime alors qu'on a le droit de se donner les moyens de son ambition, quitte à enquiquiner son monde.

En conclusion...

(...) À l'image de monsieur Jourdain, prosateur qui s'ignorait, je pense qu'hommes ou femmes, nous nous «faisons épouser» depuis des siècles, sans même le savoir. Il n'y a pas à en rougir : aimer et croire que l'on va continuer à aimer est tantôt le plus beau des mirages, tantôt le seul vrai miracle...

(...) À l'inverse, je ne vous jouerai pas du violon en vous faisant miroiter une longue et paisible félicité conjugale sans aucun accroc. Ce que je peux vous dire simplement, c'est que l'expérience est belle et étonnante, riche et grave, tantôt gaie, tantôt difficile, toujours à recommencer. Il faut y croire, il faut la vouloir, et c'est votre cas si je me fie à vos saines lectures! Ne vous y trompez pas : quoi qu'en disent les cyniques, le mariage a tout à voir avec l'amour. Et c'est une aventure qui en vaut la peine.

©, Comment se faire épouser?, Alix Girod de l'Ain, Éditions Anne Carrière.

À lire

Comment se faire épouser?,
Alix Girod de l'Ain, Éditions Anne Carrière

XAVIER LECLERCQ
Parcours érotique d'un macho non repenti

PHOTO : COLLECTION DE L'AUTEUR

Faisant écho à Alix Girod de l'Ain, voici un pseudo-macho pour le moins redoutable, puisqu'il est l'auteur de l'excellent ouvrage : *Acheteur-vendeur : une relation érotique?* paru aux Éditions... Xavier Leclercq. On n'est jamais mieux servi que par soi-même, pense cet effronté businessman, qui a osé – le premier – établir une passerelle entre l'acte commercial et la stratégie amoureuse. De bonne guerre, le résultat est savoureux, et transcende chez l'auteur une passion première : en rendant l'authenticité à la transaction commerciale, Xavier Leclercq restitue à Don Juan sa capacité d'aimer. Stratège averti, notre homme a imaginé un nouveau compromis : la stratégie est bénéfique... puisqu'elle profite aux deux parties ! Loin de son premier livre : *La Française, mode d'emploi*, Xavier Leclercq est, en définitive, un macho récupérable... Mesdames, à vous de jouer !

P : Xavier, que souhaites-tu dévoiler à ton sujet ?

X.L. : On m'a dit récemment que j'étais un « redoutable écouteur ». Mais le mot « redoutable » me paraît si malveillant ! Je cherche plutôt le bonheur : celui des autres, et le mien, bien entendu. En tant que consultant, j'apprends aux autres à gagner de l'argent... sur base des mêmes attitudes profondes que le soin apporté aux âmes. Dans la relation d'affaires, comme dans la relation hommes-femmes, l'art de « conclure de bons deals » repose sur l'attitude opportune. J'entends par « attitude opportune » la capacité de faire preuve d'adresse, de gentillesse avec la vie. Les gens qui se raidissent, les féministes – à l'époque – par exemple, ne sont pas copains avec la vie !

P : Es-tu un macho ? L'as-tu été ?

X.L. : Je ne pense pas. La vraie femme est tellement magnifique à mes yeux – et j'en connais de vraies – que j'éprouve une compassion profonde pour les féministes. Quelle tristesse de voir certaines se plaindre de leur condition, et renoncer par là même à leur privilège d'être femme... J'en suis réellement attristé.

P : Comment définis-tu « la vraie femme » ?

X.L. : La vraie femme suinte de bonheur, de joie, de gourmandise, d'intelligence ! Une femme qui n'a pas été castrée par sa mère... Une femme qui, par son acharnement à « faire carrière » n'a pas mis en échec sa vie de cœur... Pourquoi vouloir « l'emporter sur les hommes » ? C'est une idée d'adolescent râleur, si étrangère à la femme ! La féministe s'invente un ennemi qui est l'homme... pauvre gosse ! Si, vraiment, elle avait quelque chose de chaud dans le ventre... elle ne chercherait pas quelque chose d'absent sous ce ventre ! La vraie femme n'a pas besoin de l'aide du féminisme pour être.

P : Pourquoi as-tu écrit *La Française, mode d'emploi*, voici dix ans ?

X.L. : D'abord, l'éditeur m'a imposé le titre ! Personnellement, je souhaitais *Ta bourgeoise, mode d'emploi*, puisque je m'attaquais uniquement aux femmes castrées et castratrices !

P : Tu y fais une belle galerie de portraits !

X.L. : Je brosse ces portraits avec humour et tendresse : elle est trop jolie ? C'est pas gênant... Elle est trop moche ? Gardez-la... Elle est menteuse ? Ça peut être drôle... Elle a pris un amant ? Bienvenue à bord...

Les livres « coups de cœur » de Xavier Leclercq

La Douane de mer,
Jean d'Ormesson, Éditions Folio
Flamand des vagues,
Jean Van Dorp
Par-delà le bien et le mal,
Friedrich Nietzsche

Elle est dépensière ? Vous serez riche... Elle veut divorcer ? Elle a bien raison... Vous l'aimez ? Ça se soigne ! J'ai rédigé ce livre par tendresse amusée... mon objectif était de montrer que de tout défaut il y avait moyen de s'arranger, de rire, voire de jouir !

P : Quelle est ta philosophie de la séduction ?

X.L. : La séduction suggère deux aspects : l'un actif, l'autre passif. Il y a l'art de séduire... et le fait d'être séduit. Pour moi, la séduction active est la somme des moyens conscients et inconscients permettant de faire vaciller le jugement, les défenses et les pudeurs de quelqu'un. Elle peut être lucide, un peu perverse. Au passif : je suis séduit, parce que quelque chose en moi est touché et vacille, tout en me donnant un dynamisme. La séduction peut me sortir – et ce, pour mon plus grand bien – d'un état, et me faire devenir moi-même : aimant. L'homme – ou la femme – arrêté(e) n'a pas d'intérêt. En revanche, si l'homme arrêté est séduit, en amour, il tend vers un autre état, il devient, involontairement, mobilisateur. Ce qui explique que beaucoup de femmes se branchent sur des hommes déjà branchés !

P : Quel serait pour toi le remède à la guerre des sexes ?

X.L. : La guerre des sexes n'existe pas. Ou plutôt, elle s'est résumée à un mouvement imbécile, étendu sur quelques années, notamment par des femmes non-femmes. Pour moi, les hommes et les femmes ont autant de chances au départ et sont naturellement riches de qualités spécifiques. Le remède pour les rapprocher ? le sexe est le plus fondamental. Il y a aussi l'amour, l'esprit ; pour autant que les partenaires soient vraiment Homme et Femme, c'est bon.

P : Préfères-tu le jeu gagnant/gagnant… ou gagnant/perdant en amour ?

X.L. : Les deux existent. Le plaisir qu'on a de séduire, de déséquilibrer l'autre ne peut être nié… il est plus fréquent chez les femmes, notamment chez les très jeunes filles, qui testent et « retestent » volontiers leur pouvoir de séduction. Mais ce jeu-là n'est pas le plus intéressant. Je ne suis pas un tombeur… car le plus grand plaisir est de tomber ensemble dans la pente ! On a la sensation délicieuse d'accélération dans la glisse, et ensuite le bonheur d'aider l'autre ! Les femmes avec qui j'ai eu une relation sont devenues plus douces, plus heureuses, plus contentes, en définitive, d'être des femmes ! Ceci dit, je ne me prends pas pour un « maître » (cela se fait à mon insu…).

P : Quel est ton plus grand regret ?

X.L. : Celui de ne pas avoir embrassé plus maman avant qu'elle ne parte… Globalement, je regrette de ne pas avoir fait plus de bien à plus de femmes ; de ne pas avoir aimé mieux, et plus tôt !

P : Ton plus grand souhait ?

X.L. : Continuer à faire du bien… à une seule femme ! « Chérir » une femme !

P : Quelles femmes te haïssent ?

X.L. : Les malheureuses congénitales, les tordues, les aigries, les pisse-vinaigre. Elles cherchent à vérifier, tout simplement, que l'homme ne les aime pas… à conforter leur conviction consciente ou inconsciente ! Beaucoup de femmes prennent encore comme une insulte qu'on soit heureux en amour, dans sa sexualité… parce qu'elles-mêmes ne le sont pas ! Dans ce cas, je tente d'être le plus

neutre et asexué possible, pour ne pas insulter leur misère. Même la frigide peut être bonne, souvent victime involontaire d'une mère frigide (regardez autour de vous : c'est souvent héréditaire) !

P : Que demandes-tu à une femme ?

X.L. : Je lui demande d'être heureuse, d'être douée pour le bonheur, d'être sensuelle, intelligente, gourmande ! Parfois, il suffit de peu de choses pour « éveiller » une femme. Poser sa tête sur ses genoux, attendre un peu…

P : Qu'évoquent pour toi Éros et Agapè ?

X.L. : Je pense que l'homme qui a introduit cette distinction est un grand criminel ! Éros est, pour moi, l'une des composantes d'Agapè. Le mot grec Agapè signifie « union, amitié, banquet, communion » ; il n'y a aucun antagonisme avec Éros, ou le désir sexuel, qui est un moteur du banquet comme le vin, le chant, l'amitié ! Les Grecs n'ont jamais opposé ces deux termes ! La déformation est apparue au siècle dernier, sous la plume d'écrivains tels que Joseph Folliet ;

Où écrire, où téléphoner ?

Xavier Leclercq
9, Place de la Vieille Halle au Blé
1000 Bruxelles
Tél.: 32.2.513.43.50

des femmes y ont rajouté d'épais chapitres ! La preuve de mon affirmation ? L'homme qui trompe son épouse le fait souvent pour développer ailleurs une Agapè plus complète, et non une relation strictement sexuelle (qu'il a encore à la maison). Il trouve une vraie femme… qui le repose de sa bourgeoise, des scènes de ménage. Le sexe – complice – prend naturellement le relais ! Éros n'est pas égoïste : quoi de plus généreux qu'un sexe qui se dresse et qui crache sa semence ? L'élan d'amour est généreux !

P : Et l'amour-passion ?

X.L. : La passion est souffrance... souffrance de la séparation, que l'on craint, qui scandalise l'homme et fait douter de Dieu... La passion est pourtant partie intégrante de l'amour, du «mal d'amour». Peut-être qu'elle est la clé de toute la souffrance humaine. L'amour devrait être agréable, puisqu'il est source de plaisir, de bonheur sexuel. Pourquoi la souffrance vient-elle s'y mêler ? Je ne sais pas. Mais, quelle que soit la fatalité, l'homme est courageux et bête... puisqu'il recommence ! De même, les femmes qui ont beaucoup pleuré sont gaies à consoler ! En définitive, l'homme est attiré par la femme parce qu'il en vient... il y a comme un désir de retour, qui ne se fait pas sans souffrance.

P : Que penses-tu des groupes d'hommes de Guy Corneau ?

X.L. : L'initiative est gentille... Peut-être que ces hommes ont peur des femmes, et que l'homosexualité est latente. Mais pourquoi pas ? Sans doute ces hommes, rassurés par ce premier contact, iront-ils plus facilement vers la femme...

P : As-tu, toi, peur des femmes ?

X.L. : Je n'ai pas peur des femmes... mais je tremble toujours devant l'amour, que je vois comme quelque chose d'immense, de sacré. Il suscite en moi beaucoup d'émotion.

P : Aimes-tu les femmes fatales ?

X.L. : Les femmes fatales sont charmantes ; c'est un style, comme le style «art déco», «art nouveau»... La femme qui se conforme à ce style devient objet... pour un temps. Ça ne l'empêche pas de rigoler quand on la chatouille ! La femme fatale se prend pour son style. C'est un petit enfantillage qui ne résiste pas à la relation vraie. C'est comme pour le macho ; la femme gentille et supérieure ne dénonce pas le rôle ; elle laisse jouer le macho jusqu'à ce qu'il n'ait plus besoin de son rôle ! Si la femme attend gentiment, rayonne une douce chaleur, l'homme cesse rapidement le jeu «macho» ; faisons de même avec la « femme fatale».

P : Que penses-tu des femmes forteresses ?

X.L. : Je ne ressens aucun défi à faire tomber la forteresse ! Si ça lui plaît... J'imagine un dragon, une tour pas très tentante... Je crois surtout que se déclare forteresse une femme que personne n'assiège ! Laissons leur alibi aux forteresses... laissons-les dormir au bord de leurs douves délétères !

P : Les femmes peuvent-elles faire le premier pas ?

X.L. : Pourquoi pas ? En revanche, je plains de tout mon cœur celles qui tiennent à faire le premier pas ! Ceci dit, l'homme est infiniment plus timide que la femme ; il commence à faire la cour quand, inconsciemment, il perçoit des signaux encourageants...

P : Crains-tu le bonheur ?

X.L. : Quel bonheur que le bonheur ! Quand une histoire marche bien, je m'intéresse d'ailleurs plus au bonheur de l'autre qu'au mien ! Mais on apprend par tâtonnements... Enfant, on sourit... on constate que maman sourit aussi et développe une attitude opportune. Si on a la chance, plus tard, de tomber sur une femme bonne, on acquiert l'instinct de s'occuper du bonheur de l'autre!

P : Ton message aux lectrices ?

X.L. : Elles sont sans doute plus près du bonheur qu'elles ne le pensent! Le bonheur est tout naturel : il suffit de l'accepter pour le recevoir! «Soyez heureux, c'est là qu'est le bonheur», disait ma grand-mère. Il suffit de sourire, d'être gentil. «Regarde-moi et souris!»

P : Pourquoi as-tu accepté cette interview ?

X.L. : Parce que tu es un petit animal séduisant; mieux, intéressant... Parce que je t'aime bien!

À lire

Acheteur-vendeur: une relation érotique?
Xavier Leclercq,
Éditions Xavier Leclercq

TROUVER
L'ÂME SŒUR

La
Saint-Valentin

Un peu d'histoire...

**Savez-vous que certains historiens ont retrouvé la trace de...
pas moins de treize Valentin,
dont le tiercé gagnant – les plus historiquement légitimes – rassemble
un prêtre de la Rome antique, un évêque de Terni et un autre évêque
de Rhétie? De quoi s'emmêler les puceaux...
et s'amuser un peu d'une charade amoureuse qui brouille les pistes
en tournant indéfiniment sur elle-même.**

Mon premier (Valentin) était donc un prêtre romain, expert en médecines secrètes. Plutôt marginal pour l'époque, il s'attira les foudres de Claude II le Gothique, car il claironnait à qui voulait l'entendre sa foi en un seul Dieu Créateur... balayant ainsi l'armada des « dieux impurs » vénérés par les Romains crédules.

Claude s'empressa d'écarter le dangereux agitateur en le plaçant sous la garde du préfet Calpurnius ; quelque temps plus tard, il le promut « boy à tout faire » d'un officier de son armée, dont la fille était atteinte de cécité. Valentin, qui aimait les défis, s'appliqua alors à rendre la vue à la jeune Romaine... et y réussit si bien que celle-ci, non contente de voir à nouveau le soleil, se servit de ce nouvel outil de séduction pour éblouir chaque Latino qui passait à sa portée... et qui, frappé en plein cœur, vacillait illico.

Fasciné, le père de la jeune miraculée se convertit spontanément au christianisme, suivi d'emblée par sa famille et par nombre de ses contemporains. Claude II, enragé d'apprendre la nouvelle, fit battre Valentin comme plâtre et ordonna qu'on lui coupe la tête un 14 février (vers l'an 270). Sa tombe constitua la première pierre d'un cimetière chrétien qui devint, par la suite, un important lieu de dévotion des fidèles, à tel point que les papes Honorius 1er et Théodore y érigèrent une basilique au VIIe siècle.

Mon second (Valentin) était évêque de Terni en Ombrie. À l'instar de Valentin Ier, il fut vertement tancé par Claude II (vers l'an 273) pour avoir guéri le fils du philosophe païen Craton – qui, dans son allégresse, eut la bonne idée de se convertir lui aussi au christianisme, bientôt imité par une foule de sympathisants. Les autorités romaines, se sentant menacées par les miracles, les guérisons spontanées et les conversions subites, ordonnèrent que la tête de Valentin fut tranchée pour la sécurité du peuple. Cette fin tragique est toutefois démentie par d'autres sources, selon lesquelles Valentin, pressentant son trépas prochain, aurait pris le maquis pour s'installer définitivement en Cornouailles, où il conceptualisa – à son insu – l'ancêtre du planning familial : il guidait là de jeunes cœurs en peine, éperdus d'interrogations. L'affluence fut telle que Valentin organisa une « bénédiction collective » le 14 février, sans doute parce que cette époque de l'année laissait miroiter la venue du printemps et de toutes ses promesses.

Mon troisième (Valentin) était évêque de Rhétie : pigeon voyageur et guérisseur à ses heures, il prêchait bien haut la foi chrétienne en soignant des épileptiques. Les paysans, de leurs champs, l'invoquaient pieusement dans leur interminable lutte contre les mulots. Valentin III fut, lui aussi, exécuté sans façon à Mais (dans le Tyrol italien) pour obstination héroïque dans la foi chrétienne : son bras reliquaire repose aujourd'hui à New York, avec d'autres pièces précieuses de la cathédrale de Bâle.

Nota bene : les dix autres Valentin font l'objet de moult controverses, contresens et contradictions. L'un d'eux aurait été évêque de Tongres en Belgique, et serait mort martyrisé sous Dioclétien. Ses reliques subsisteraient dans l'Église Sainte-Marie de Tongres, et le 7 juin serait le jour de sa fête.

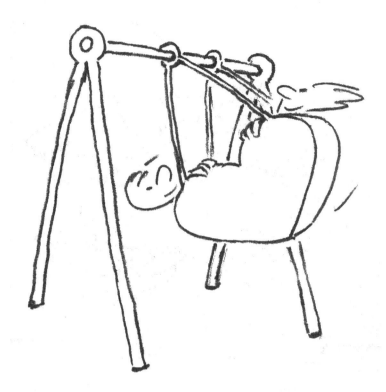

Mon tout – Valentin au singulier ou au pluriel – devint, comme on le sait, le symbole de l'amour dans de nombreux pays. Valentino pour les Italiens, Valentine chez les Anglais, Felten pour les Allemands, il remporte son franc succès depuis des siècles... et provoque joies, peines, coups de foudre et coups de théâtre amoureux.

Dans nos Ardennes, le 14 février – jour où, dit-on, le matin gagne une heure de clarté – était autrefois fameux, puisque la première fille que croisait un garçon devenait automatiquement sa belle, et se retrouvait, sur-le-champ, à l'autel. Sans préliminaires ni formation aux «sept stades du couple» de Paule Salomon. Tant pis pour l'accord des peaux, des couleurs, des humeurs et des odeurs... C'était un peu la loterie nationale de l'époque, qui favorisait plutôt les affamés de tout poil sur le marché du cœur. Quant aux autres... valait mieux calculer son coup en allant chercher la galette matinale, et faire bonne figure si on tombait sur un cavalier ou une cavalière à la mine renfrognée!

Qu'en est-il aujourd'hui?

En cette époque trouble de réconciliation chaotique anima-animus, la Saint-Valentin est devenue l'occasion d'une frénétique chasse à l'homme ou à la femme, et fait l'objet d'une overdose de stratégies amoureuses adaptées à l'un ou l'autre camp... terme belliqueux témoignant encore d'une guerre des sexes qui, espérons-le, touche à sa fin.

PIERRETTE

RECETTES INFAILLIBLES

pour devenir une
femme fatale
ou un
séducteur hors pair

Recettes pour devenir une femme fatale

C'est l'ère du «body» en cuir, du soutien-gorge intergalactique,
du raffinement sadomaso,
du «piercing», des accessoires pour chiens,
des froufrous, des mannequins-vedettes
qui s'articulent autour d'hommes objets prêts à consommer,
dorés sur tronche et arrosés de champagne...
Toi aussi tu veux séduire, attraper ton Rambo
et en faire une proie succulente?
Voici quelques conseils adaptés à ton cas.

Bénis la chirurgie esthétique !

Avoir le nez signé par un grand chirurgien fait toujours chic... Si ton cas est plus grave, tu peux avoir recours au «lifting». On te reconnaîtra à ton air de grande allégresse, car il te manquera matériellement la peau pour prendre un air fâché ; de gré ou de force, tu resteras joyeuse pendant quelques années.

Sois une bête de sexe

Si tu as des blocages sexuels, tu peux lire les «recettes» qui abondent à ce sujet : tu apprendras à masser ton homme comme un jambon mariné, à cibler les zones G les plus inédites, à simuler l'orgasme par des convulsions savantes... Sois certaine qu'on se filera ton adresse.

Copie Cindy Crawford

Pour ressembler à Cindy Crawford, tu dois nécessairement te procurer son livre. Consacre chaque jour trois heures à ta gymnastique, puisqu'à défaut de cultiver ton esprit, il te faut un corps impeccable et lisse comme une méduse. Évite de manger, car la mode est aux anorexiques... prends garde seulement à ne pas passer par le trou de ta baignoire.

Arbore des seins d'enfer

Pour fasciner les hommes, il te faut des seins explosifs... Mais sache que tu cours le danger d'une explosion et que tu pourrais te retrouver dans une mare de silicone.

Entoure-toi de signes extérieurs de richesse

Ceux-ci prouvent que tu as «réussi» et que tu fais partie des «gens bien» ; le couronnement serait que tu puisses t'exhiber dans un magazine, dans un intérieur parfait, auprès d'un «playbête» de luxe, tous deux parfaitement habillés et affichant le parfait sourire de la réussite. La consécration...

Ces recettes feront de toi une femme fatale confirmée qui croque les hommes comme des Smarties avant de les balancer après quelques heures de bons et loyaux sévices. Tu t'assureras ainsi un avenir dépourvu d'amour et une solitude sans fin, de loin préférable aux sentiments qui pourraient faire couler ton rimmel et te rendre ton humanité. Pour le cas où tu deviendrais sentimentale, voici un dernier tuyau :

Vénère les salauds

Méprise les hommes qui te donnent de l'affection ; adule plutôt ceux qui te fuient ou qui te maltraitent, car tu obtiens d'eux le traitement que tu mérites. Retiens ceci :

Je ne m'estime pas
Je ne peux estimer quelqu'un qui m'estime
Je ne peux estimer que quelqu'un qui ne m'estime pas
Tu vois, c'est facile...

Recettes pour devenir un séducteur hors pair

À moins de rejoindre la cohorte des nouveaux guerriers,
sorte de club sélect
où le mâle règne dans toute son unicité,
et savoure une victoire aussi exaltante
qu'imaginaire, il te reste à vaincre le camp féminin
dans un splendide mouvement
à la baïonnette, comme on ne les enseigne plus, hélas,
que dans les écoles de guerre
qui organisent parades, défilés, démonstrations armées
ou concerts de musique militaire.
Voici donc quelques conseils adressés aux membres
des forces masculines qui,
comme toi, piaffent d'impatience pour défendre vaillamment
leurs prérogatives de machos en voie d'extinction.

Reçois ta proie sur ton terrain

Ceci t'assure un avantage moral et psychologique, car ton repère est un lieu sacré dont les murs sont encore imprégnés de tes victoires antérieures ; seule une combattante hors pair pourra échapper à tes embuscades et quitter les lieux sans blessure grave.

Opte pour le « tout, tout de suite »

Passe une annonce expéditive du genre : «Homme marié, libre à midi, cherche femme experte, forte poitrine souhaitée.» Ta boulimie sexuelle, à défaut de t'apporter la qualité, te permettra – au plus – un bon moment d'égarement.

Cultive ton look de beau ténébreux

Pour faire craquer une femme, tu dois la regarder évasivement pendant un certain laps de temps... Prends seulement garde que tes yeux ne deviennent trop vagues, car elle pourrait deviner le vide vertigineux de tes pensées et t'en vouloir pour la supercherie.

Cherche la femme idéale

Avoir un type de femme et t'y cramponner assurera ton salut ; en cherchant l'Unique tu es à peu près sûr de ne jamais la trouver, ce qui renforce tes convictions inconscientes (l'amour est une utopie). En revanche, tu peux faire de multiples haltes sur la route de l'Absolu et collectionner les cœurs brisés, juste pour le prestige.

Bichonne ta Porsche

Tu n'es pas dupe : la femme – surtout si elle est en Chanel – préfère un vieux riche en Porsche à un jeune pauvre dans le métro. Posséder une belle voiture et y emmener de ravissantes idiotes est éminemment rentable, et remplace – du moins pendant un temps – les avantages d'une tête bien faite.

Prends modèle sur Terminator

Copie les grands amputés du cinéma (Rambo ou Terminator), qui ont réussi à ligaturer leurs émotions et vivent sur une moitié d'eux-mêmes : à défaut de te suspendre à un hélicoptère ou de fusiller tes congénères, tu peux te lancer rageusement dans l'idéologie, la politique, le sport, l'intellect, la domination du cosmos et la maîtrise de ton propre refoulement.

Pour les lecteurs qui ont décidé de sauter en case six (le couple évolué de Paule Salomon), nous proposons, tout au long de ce livre-magazine, quelques lectures révélatrices qui leur permettront de s'ouvrir à l'amour, en solitaire ou en couple ; car pour bien convoler, il faut parfois faire cavalier seul, comme apprendre à chanter en solo permet, plus tard, de superbes duos.

PIERRETTE

Précisons que ces propos détonants n'engagent que son auteure, ex-femme fatale repentie, et recyclée dans la tentative de « réconciliation » des animus et anima de ses semblables.

À lire

Mille et une stratégies amoureuses, Marie Papillon, Éditions de l'Homme
Les femmes qu'ils aiment, les femmes qu'ils quittent,
DR Connell Cowan & Dr Melvin Kinder, Éditions Marabout
Le Manuel de la playgirl, Gianni Monduzzi, Éditions En-Rire
Le Féminin et la séduction, Daniel Sibony, Éditions Le Livre de Poche
Biologie des passions, Jean-Didier Vincent, Éditions Points
Le Choc amoureux, Francesco Alberoni, Éditions Pocket

RÉSERVÉ AUX FEMMES

Comment attraper un homme en dix leçons?

Mesdames, l'heure a sonné.

**Oubliez, dès maintenant, toutes les « carabistouilles »
que les féministes ont racontées.
Un homme ne s'« attrape » pas au lasso, à coups de crosse,
encore moins à coups de gueule.
Un homme ne se déguste ni mariné, ni réchauffé, ni à la cuiller.
Un homme ne s'accommode pas d'un filet à papillons,
ni d'une toile d'araignées.**

Non, mesdames : dites-vous qu'un homme est un être humain, digne comme nous d'amour et de respect. Et qu'il mérite un trophée gagnant quand il arrive à passer entre les mailles des filets à Peter Pan, et autres phobiques de l'engagement.

Mesdames, comprenez-moi : comme nous, aujourd'hui, l'homme est égaré.
Comme nous, il s'est perdu pour mieux se trouver.
Il écrit des poésies alors que nous devenons matérialistes.
Il apprend à parler, alors que nous nous mettons à bouger.
Il accepte le lâcher prise, alors que nous contrôlons sans répit.
Il découvre les oiseaux, alors que nous retrouvons notre raison d'être.
Il invente l'art des caresses, alors que nous trimons comme des ogresses.

Si l'homme reste, avant tout, un homme, il explore, comme nous, son ombre. L'homme est une espèce en développement.
La femme aussi : si elle cesse d'être harcelante.

Alors, laissons là nos filets à papillons, et voyons une autre façon de conquérir cet être fascinant, qui, si nous savons nous y prendre, nous révélera à nous-mêmes, et que nous mènerons, à notre tour, sur les chevaux montant et descendant des carrousels d'antan. Car l'homme, finalement, ne demande qu'à jouer avec nous ; mais autrement.

Premier principe : l'homme, comme la femme, se conquiert avec élégance

La technique du capitaine Crochet s'avère inefficace en amour.

Peter Pan en témoigne toujours. Sachons, mesdames, que l'homme a peur de nous. Quoi de plus normal : nous exigeons, puis nous reprochons. Nous chantons la liberté, et nous voulons harponner. Si Wendy veut materner, la fée Clochette est là pour la fête : et l'homme, c'est connu, aime aussi les galipettes. Oubliez un peu Wendy, il y aura moins de Peter Pan.

Deuxième principe : délaissez l'argument « stages-conférences-ateliers »

Vous menez votre homme à un « stage de développement personnel ».

Pour qu'il « évolue » et cesse de vous casser les pieds. Traduisez : vous menez votre homme à un stage de développement personnel parce que, Vous, surtout, avez besoin de guérir Vos patterns usagés. Si l'homme vous casse les pieds, prenez-en un autre ; vous verrez la métamorphose.

Troisième principe : oubliez, un peu, les auteurs « New Age »

Comme vous, comme moi, comme votre homme, les auteurs « New Age » sont des espèces en voie de développement. Eux aussi ont leurs gros travers et leurs petites manies. Sachez-le : les auteurs sont, souvent, insupportables ; et, les premiers, ils doivent apprendre ce qu'ils écrivent.

Quatrième principe : exit le sacrifice

La « femme qui aime trop » cache bien son jeu : elle gâte l'homme pour mieux le dévorer, en sauce, en croûte ou en pâté. De là ces hommes « empâtés », vissés devant la télé et prêts, toujours, à tromper leur femme. C'est l'histoire du voleur volé, ou de Dracula vampirisé...

Cinquième principe : virez la Belle au bois dormant

Vous l'attendez sous une cloche à fromage ? Peut-être, un jour, verrez-vous votre prince charmant arriver clopin-clopant sur son cheval grisonnant.

Prince Charmant n'a jamais existé, et l'on n'en a jamais autant parlé.

Oubliez donc les contes des parents, qui nous font, bien souvent, prendre Barbe-Bleue pour Prince Charmant...

Sixième principe : l'habit ne fait pas la maîtresse

Les médias disent que pour être séduisante, il faut :
• être une playgirl ;
• se fringuer super top ;
• traquer les rides au télescope.

Oubliant allègrement ce détail d'importance : ce qu'on est dedans détermine ce qui est dehors, et ce qui est dehors ne peut camoufler ce qui est dedans.

Septième principe : stoppez la concurrence

Rambo ne vous pardonne pas : de lui damer le pion sur son territoire. Pour singer Rambo, allons donc jusqu'au bout : prenons des hormones, musclons-nous, arborons des poils partout... absurde, n'est-il pas ? Comme nous, Rambo n'aime pas les contrefaçons ; laissez-lui voir qu'il a un cœur, il partagera vos émotions.

Huitième principe : cessez de combler les trous

Rambo ne parle pas ? C'est sans doute que vous parlez trop. Selon les vases communicants, quand l'un cause, l'autre pas... Sachez que l'homme fermé est aussi disposé que vous, et qu'il suffit de l'ouvrir comme un paquet cadeau : avec précaution. En attendant une éducation équilibrée des filles et des garçons.

Neuvième principe : gardez vos suggestions pour vous

On n'enseigne jamais mieux à l'autre ce qu'on doit apprendre soi-même.
Inutile de bombarder Rambo de conseils : qui entrent par une oreille...
Rambo cherche, en nous, la femme, la complice et la maîtresse. En échange, il est notre homme, ami et amant. Mon conseil : vous êtes plus que ce que vous dites ; agissez, et chiche... que Rambo vous imite !

Dixième principe : apprenez à communiquer

Quand vous poussez sur le ventre de nounours, il se met à beugler ; pour l'homme, c'est pareil. Biologiquement parlant, il a ses boutons, ses codes, ses zones érogènes. Il apprendra l'intelligence émotionnelle si vous respectez son mode d'emploi, et ses frontières.

RÉSERVÉ AUX HOMMES

Comment attraper une femme en dix leçons?

Messieurs, l'heure de la réconciliation a sonné.
Sachez que nous, les femmes, nous aimons les hommes.
Autrement qu'en pâtés, empotés ou à la broche.

Avec joie, nous expions nos fautes : nous ne serons plus des petites filles, des mamans, des Saintes Vierges, des sorcières, des nunuches au lit ou des bêtes de sexe, des Jeanne-qui-pleure ou qui-rit, des sangsues, des têtes en l'air ou des têtes trop pleines, des cendrillons, des coquettes, des gnangnans, des policières ou des carpettes. Non, messieurs, mieux que ça : nous serons tout à la fois.

Soyez sûrs que nous sommes aussi perturbées que vous.
Nous sommes en peine de vous faire peur.
Nous sommes en mal d'ouvrir nos cœurs.
Nous sommes en rage de tous ces heurts.

Mesurez, pour tous, l'ampleur du désastre : dès que l'amour se profile, déjà il s'enfuit. Vibrons-nous à l'unisson? En cœur, nous tournons les talons. Comme dans ces tragédies, où le héros, fou de désir, saisit l'héroïne... et meurt soudain d'une embolie. Version actuelle, ça donne : «La complicité s'installe ; à peine installés sur le sofa il – ou elle – détale.»

Sachez, messieurs, que, comme vous, la femme évoluée n'a que faire :

- **d'une assurance vie ;**
- **des serments éternels ;**
- **des enfants à la pelle ;**
- **d'une âme prisonnière ;**
- **d'un amour non sincère ;**
- **d'un engagement superficiel.**

Ensemble, donc, il nous reste à revoir le b.a.-ba d'une éducation meurtrière, et à inventer le couple du troisième millénaire. En acceptant les frigidités et impuissances, signes – heureux ! – du refus de l'inconscience.

Voici quelques petits secrets qui nous aideront, nous les femmes, à mieux vous satisfaire...

- **Rassurez-nous... nous vous rassurerons.**
- **Dites-nous vos peurs... nous vous dirons les nôtres.**
- **Respectez nos moments ; nous respecterons les vôtres.**
- **Apprenez-nous votre langue ; nous vous apprendrons la nôtre.**
- **Ayez besoin de nous ; nous aurons besoin de vous.**
- **Donnez-nous de la tendresse ; nous vous donnerons du sexe.**
- **Soyez intimes ; nous serons plus distantes.**
- **Entendez nos besoins ; nous entendrons les vôtres.**
- **Écoutez-nous plus ; nous serons moins bavardes.**
- **Soyez explicites ; nous serons moins implicites...**

Et ainsi de suite...

Secret des secrets :
favorisons, ensemble, l'alternance : l'équilibre est dans la mouvance !

PIERRETTE

Aime-moi...
ou les dangers du trop séduire

Le séducteur sait par cœur
Les pauses qui le mettent en «valeur»
De «valeur marchande» il s'agit
Car, à l'intérieur, il se renie.

La séductrice connaît d'instinct
Les gestes qui captivent le séducteur
Insatiable, elle cherche en vain
Le père qui l'aimera pour son cœur.

Le séducteur, la séductrice
S'attirent comme des aimants
Amants, ils sont un temps
Se quittent, toujours plus tristes.

L'image les emprisonne
La glace les martyrise
Le séducteur, la séductrice
Se meurent de leurs symptômes.

En dupes, ils s'accordent
Sur un marché impossible

Désespérés ils sabordent
Un bonheur inaccessible.
Le séducteur, la séductrice
Sont vides d'amour, seuls ou à deux
Une bosse parfois comble un creux
L'illusion, un temps, les grise.

Quête vaine et mortelle
Faim douloureuse, fin prochaine
Souffrance tenace et rebelle,
La vie s'échappe de leurs veines.
Le séducteur, la séductrice
Cherchent au mauvais endroit
S'agrippent au masque qui les brise
Ensemble, signent leur trépas.

La mort est leur chance
Mourir à l'image, aux errances
À la façade, aux mirages
Aux vœux d'amour immédiat.

Miroirs de l'âme, reflets du cœur
Les yeux jamais ne sont trompeurs
Chez le séducteur, la séductrice
Ils révèlent tristesse infinie.

La séduction devient malsaine
Quand elle remplit nos vies
Quand elle dirige la scène
De nos présents meurtris.

La beauté est artifice
Quand dedans elle n'existe
Quand dehors elle compense
Par séduction à outrance.

Être beau dehors et bien dedans
C'est être, simplement, séduisant
C'est trouver en soi la lumière
Celle qui authentiquement va plaire.

C'est marier moi profond et apparence
Arborer ce qui sied à notre essence
Conjuguer charme au naturel
Découvrir, au fond, l'étincelle.
Être séduisant, c'est naître à soi
C'est oser la vie, tenter l'audace
C'est accoucher d'une raison d'être
Et vivre d'amour, non du paraître.

Cette raison d'être qui donne la force
D'exister, enfin, à l'endroit
De lâcher prise, de suivre l'étoile
De traverser l'ombre qui déforce.

Vous qui, aussi, avez séduit
Avec rage, peur et désespoir
Osez la traversée, vivez la nuit
Pour voir le phare, ôtez les fards.

Ouvrez votre cœur, osez les larmes
Sentez ce corps qui vous parle
Vivez l'émotion qui vous délivre
Hurlez de mal, laissez-vous vivre.

Vous séducteurs, vous séductrices
Que quêtez-vous dans le miroir?
Permettez que je vous dise...
Jamais vous n'y trouverez votre âme.

PIERRETTE

CES AMOURS
AU QUOTIDIEN...

On s'aime... un peu...
Beaucoup... passionnément ;
Hélas, l'Amour boit la tasse
Du quotidien il se lasse !

Que dire et que faire
Pour éviter les misères ?

Communiquer, en cœur
S'autoriser, en douceur
S'écouter soi, écouter l'autre
Vivre le trois, non la symbiose :
Qui inclut toi, moi, la relation
Et nous remet au diapason.

JACQUES SALOMÉ
Heureux les couples qui communiquent!

PHOTO : COLLECTION DE L'AUTEUR

Psychosociologue, longtemps responsable d'un Centre en formation en relations humaines, ex-chargé de cours à l'Université de Lille III, auteur de nombreux ouvrages sur la communication intime, Jacques Salomé n'est aujourd'hui un inconnu pour personne... Il nous propose une réflexion pour des rapports humains plus vivants, plus créatifs et surtout plus respectueux de la dynamique de chacun des protagonistes dans un couple.

P : Le couple représente plus que la somme de ses constituants...

J.S. : Tout à fait : il y a l'autre, moi... et la relation. Vivre en couple signifie être capable de passer du un au trois. Et la question que l'on ne se pose pas assez est celle-ci : « Ce que je fais, ce que je vis avec ou en-dehors de l'autre est-il bon pour notre relation ? » Car de nombreux couples se perdent dans une relation médiocre, terroriste, avec non pas un désir vers l'autre, mais un désir « sur » l'autre. Trop fréquemment, il est proposé à son partenaire une relation infantilisante... avec des retombées négatives sur la sexualité et sur toute la vie affective.

P : Quels sont les couples incompatibles ?

J.S. : Ceux que je côtoie le plus fréquemment... puisque, dans le couple, sévissent plusieurs malentendus. On confond, d'une part, rencontre et relation, et il y a trop souvent une collusion entre sentiments et relations ! Le désir, l'attirance ou les affinités président à la rencontre dans l'intensité, le bien-être de l'instant ; la rencontre touche au ressenti immédiat. La relation, elle, relève d'un tout autre enjeu : elle s'inscrit dans la durée, elle repose sur la capacité à s'engager et donc à être délié pour s'allier, elle nécessite la capacité de gérer les déceptions, les frustrations inévitables, elle doit être nourrie par la qualité des échanges, dans le temps. La vie d'un couple s'appuie sur une double intimité : intimité commune et partagée, intimité personnelle et réservée des partenaires.

52   Oser... L'Amour dans tous ses états! • Ces amours au quotidien...

Si l'intimité commune domine, par passivité ou possessivité, par inquiétudes ou collusion des intérêts, il n'y a pas d'espace pour l'intimité personnelle. Si l'intimité individuelle domine, chacun vit séparé, même s'il vit sous le même toit. Cela risque d'être frustrant, car la pire des solitudes est la solitude à deux! La compatibilité, pour moi, réside dans la capacité de vivre ensemble cette double intimité. La vie de couple est une succession d'adaptations, d'ajustements, car on se rencontre sur des images, sur des apparences, et on doit vivre avec des personnes réelles, chargées d'une histoire, habitées de contradictions et porteuses d'attentes, de croyances très différentes qui vont se révéler parfois antagonistes ou conflictuelles.

P : Qu'appelle-t-on «relations pépinières»?

J.S. : Il s'agit là de relations transitoires, où l'un se sert de l'autre pour grandir... Celui qui aime «nourrit» l'autre, le rassure, lui permet de croître, de s'épanouir. Et celui-là, enfin lancé dans la vie, pourra quitter... celui qui l'a aimé. Et l'aimant ainsi escroqué souffrira beaucoup, en attendant de trouver un autre partenaire qu'il prendra en charge... pour recommencer! Dans les relations pépinières, l'un dit : «J'ai besoin de m'occuper de toi», et l'autre : « J'aime que tu m'aimes; je suis content de consommer l'amour que tu as pour moi, je suis bien avec toi tant que tu es utile à mon développement.» Évidemment, aucun des deux n'est conscient de ce discours. L'amour de consommation est celui que l'on rencontre le plus fréquemment. Il faut beaucoup de travail sur soi pour dépasser ce que j'appelle l'immaturité de l'amour : amour de besoin, de peur, de manque, de réparation...

P : Les opposés sont-ils toujours complémentaires?

J.S. : Il y a trois dynamiques possibles. Les couples complémentaires, qui se positionnent tels le tenon et la mortaise – l'un a ce que l'autre n'a pas, et ils se complètent ainsi – trouvent une unité satisfaisante pour l'un et pour l'autre. Les couples antagonistes, qui restent toujours en désaccord, se nourrissent de leurs différends. Les couples fusionnels ou symbiotiques recherchent la «semblance».

P : Les réconciliations sur l'oreiller sont-elles porteuses?

J.S. : Ce sont de fausses réconciliations... très temporaires, car le plaisir ainsi partagé laisse de l'amertume. De plus, il faut être attentif à ce type de réconciliation. Beaucoup de femmes «paient» en sexualité leur besoin de tendresse. Alors que l'homme est plus centré sur le désir – le sien et celui de l'autre – avec, à l'arrière-plan, sa crainte de ne pas être assez viril. La femme propose en premier une communication affective et sensuelle, l'abandon sexuel venant après. L'homme se situe plus dans la conquête et le toujours plus, la femme dans le maintien et l'approfondissement de ce qu'elle a. L'homme plus rapidement propose (ou tente d'imposer) un rapport sexuel, fondé sur la recherche du bien-être, du plaisir. De là découlent beaucoup de malentendus, alors que la femme recherche avant tout la solidité, la sécurité affective. Mais je ne donne pas là de modèle universel, seulement quelques types, quelques dominantes.

P : Pourquoi renonce-t-on difficilement à une relation malsaine?

J.S. : Parce qu'on en retire des bénéfices secondaires, comme celui, par exemple, d'être la victime. Il y a ainsi le plaisir de la plainte, l'érotisation de la souffrance, l'image de soi qu'on «présente» au monde. «N'est-ce pas que je suis une femme formidable... puisque je continue à vivre avec un alcoolique? Même s'il me frappe, je sais qu'il m'aime...» ou «Voyez comme je suis un mari exemplaire, de vivre avec une femme déprimée. À chacune de ses tentatives de suicide, elle sait qu'elle peut compter sur moi!» Et puis, il y a aussi toutes les croyances, les injonctions faites à soi-mêmes, toutes les preuves qu'on veut donner. «Moi, je ne ferai pas comme mes parents : je ne divorcerai jamais.»

P : Quand survient la séparation?

J.S. : Beaucoup d'enjeux participent à une séparation. Le premier, quand votre seuil de tolérance est atteint et que vous ne vous respectez plus; quand vous ne supportez plus ce que vous êtes devenu au fil des ans dans cette relation. Et puis aussi quand l'un des partenaires évolue... et que l'autre s'oppose à cette évolution, le besoin d'exister, de sauver sa peau, devient vital! Dans la plupart des cas, ce n'est pas l'autre que l'on désire quitter... mais la relation, qui est trop aliénante ou frustrante. C'est toujours une épreuve de se quitter, autant pour celui qui quitte, que pour celui qui est quitté!

P : D'où la détresse de «ceux qui quittent»?

J.S. : Toute séparation réveille des blessures anciennes, réactive des situations inachevées de notre histoire, remet à jour des violences enfouies. Celui qui quitte sans avoir entendu cela, fait souvent une dépression, ou un passage à vide. Il peut aussi éprouver une grande nostalgie de son partenaire, s'il continue de l'aimer, et s'il ne prend pas soin de ses propres sentiments. Car on peut quitter celui ou celle que l'on aime quand la relation est invivable, que notre seuil de tolérance est atteint, et... continuer de l'aimer!

P : Être fidèle à l'autre peut être une abdication de soi...

J.S. : Sûrement si, en restant fidèle à l'autre, je ne suis plus fidèle à moi-même! La fidélité est la cohabitation harmonieuse de deux fidélités : celle à moi-même, et celle à mon partenaire. Si une faille s'ouvre, un décalage commence entre ces deux fidélités; la fidélité est en danger. Quand mes attentes ne s'emboîtent plus dans les apports de mon partenaire, quand ses apports ne correspondent plus à ma réceptivité, quand je ne me sens pas reconnu dans mes valeurs ou ma sensibilité, quand mon partenaire réveille trop mes zones d'intolérance, et surtout quand la relation se dévitalise, quand il y a plus de frustration que de bien-être, alors la séparation devient inéluctable... Trois repères peuvent aider dans ce domaine. Une meilleure définition de mes attentes, de mes apports et de mes zones d'intolérance, et également de ceux de l'autre..

P : Les jeux de pouvoir seraient-ils une tentative inconsciente de «s'annexer l'autre», pour faire l'économie d'une évolution?

J.S. : Très souvent... Ceci dit, toute relation proche et intime suscite des rapports de force, qui restent sains s'ils s'inscrivent dans une alternance. Quand il y a une réciprocité possible, la relation reste vivante. L'influence peut s'exercer par contrainte réelle, ou à partir de fantasmes; l'un peut se mettre dans la dépendance de l'autre en lui attribuant le pouvoir de lui faire du mal, et renoncer à sa propre responsabilisation dans la relation. Une relation est équilibrée quand il y a alternance des positions d'influence ; une relation est mortifère quand l'un des partenaires détient ou exerce le pouvoir en s'appuyant sur la vulnérabilité, la générosité des sentiments de l'autre, ou sur la culpabilisation. «Si tu m'aimais, tu accepterais que j'aie une autre relation !» «Regarde comme tu me fais de la peine en ne voulant pas accueillir ma mère tous les dimanches, elle qui est si seule !» De même, il doit y avoir alternance entre les rôles (celui du mari, de père, d'amant, de confident, de femme, de mère, de maman, de

Les livres « coups de cœur » de Jacques Salomé

Le Traité des caresses,
Gérard Leleu, Éditions J'ai Lu
Belle du Seigneur,
Albert Cohen, Éditions Gallimard
Passion,
Christiane Singer, Éditions Albin Michel
Une vie bouleversée,
Etty Hilleman, Éditions Le Seuil
La plus que vive,
Christian Bobin, Éditions Gallimard

petite fille). Toutes ces positions relationnelles doivent pouvoir coexister dans un couple.

P : Il semble que les temps soient particulièrement durs pour les hommes...

J.S. : Il y a beaucoup de détresse, non dite, refoulée chez l'homme d'aujourd'hui. Car le «faire», qui lui servait d'alibi, se dérobe sous ses pas, tandis que la femme, elle, est de plus en plus dans l'«être». Cette souffrance latente chez l'homme se traduit de manière croissante par des troubles sexuels (inappétence, impuissance, éjaculation précoce) qui restent cachés, enfermés dans leur silence.

P : Ce qui explique, en partie, la crainte de l'engagement ?

J.S. : Les hommes qui ont peur d'aimer... ou plutôt d'être aimés, ont souvent, dans leur enfance, été couvés par une mère «aimante». En effet, si maman a été trop proche de moi, papa risque de devenir menaçant. J'ai donc inscrit cette équation : «Être aimé = être en danger !» D'où, plus tard, ma crainte d'un partenaire qui réveille cette très grande peur : s'il m'aime, je me sens insécurisé. Cela semble paradoxal, mais c'est plus fréquent qu'on ne l'imagine. Pareil pour les femmes qui vivent sous une emprise importante du père. La peur de s'engager est souvent liée, chez l'homme, à la peur de la dépendance, à la crainte de perdre sa liberté, et, chez la femme, à la crainte de trahir le père ou un engagement antérieur qui reste présent.

P : Ces partenaires sont, paradoxalement, souvent jaloux...

J.S. : La jalousie est un phénomène complexe lié à la possessivité, à une homosexualité latente ; ou bien, elle est l'expression d'une angoisse profonde, qui enferme dans le «tout ou rien». Le jaloux est parfois quelqu'un qui a très peur d'être aimé... Il va donc «saboter» l'amour de l'autre. Aimer un jaloux dans la durée devient, pour certains partenaires, une épreuve redoutable.

P : Notre évolution nécessite-t-elle, comme dit Paule Salomon, beaucoup de figurants ?

J.S. : Paule Salomon a beaucoup travaillé sur le couple intérieur, sur la cohabitation du masculin et du féminin en nous. Un couple est

constitué de beaucoup de «couples intérieurs» qui doivent apprendre à cohabiter ensemble. Il est possible de parler de figurants
dans le sens où «ma femme intérieure» doit
apprendre aussi à vivre avec la femme extérieure de ma partenaire, et avec son «homme
intérieur». Et réciproquement pour elle... Cela
fait beaucoup de monde dans le même lit!

**P : La durée d'un amour dépend-elle
d'une bonne communication?**

J.S. : Toute la littérature universelle et
l'expérience humaine le démontrent : nous
n'avons aucune prise sur la durée de l'amour.
Car nul ne sait, à l'avance, la durée de vie
d'un amour! Une des douleurs d'amour la
plus éprouvante, c'est quand nous découvrons
que nous n'aimons plus l'autre, que nous
sommes absents d'amour, que nous sommes
dans le désamour. Il est vraisemblable qu'une
communication de qualité a pour finalité de
nourrir, de stimuler, de vivifier la relation
amoureuse. Mais, quelle que soit la qualité
de la communication, elle est indépendante
de la durée de vie de l'amour. Et cela reste un
mystère pour moi. Un des symptômes sera
l'absence de désir : quand le désir disparaît
de façon continue, il ne revient généralement
pas! Ce qui génèrera beaucoup de frustrations.

**P : Aimer à partir de notre plénitude et
non de nos manques... n'est-ce pas
irréaliste?**

J.S. : Aimer à partir de notre plénitude veut
dire, pour moi, être capable déjà de s'aimer
soi-même avec un amour de bienveillance, de
respect, qui donne consistance, cohérence,
confiance. Si je ne m'aime pas, j'aurai du mal
à être dans le don d'amour, je serai dans le
besoin, sinon dans l'exigence d'être aimé.
Nous risquons au cours de cet entretien de

ne pas être sur la même longueur d'onde...
vous parlez d'union, et je parle de relation!
Je peux aimer à la folie, et proposer une
relation destructive. Si j'ai des manques, ce
n'est pas à l'autre de les combler : penser
l'inverse serait un leurre. «Je ne t'ai pas
épousé pour combler tes besoins, mais pour
inventer ensemble une vie à deux.» Durant
des années, je ne savais pas aimer, mais je
voulais l'être à tout prix! Sans entendre que
mon besoin et mon exigence faisaient fuir
l'autre!

**P : Pour vous, peut-on allier Éros et
Agapè?**

J.S. : Pour moi, toute relation amoureuse
comporte une dimension sexuelle, dans laquelle Éros est présent. Un couple où les
partenaires ne font pas l'amour n'est plus un
couple, mais un compagnonnage, une cohabitation économique, une amitié amoureuse
dans laquelle Agapè peut dominer. Allier
sagesse et passion revient à tenter d'idéaliser ce que devrait être un couple. Moi, je
parle d'amour dans la réalité d'un quotidien à
créer, et non de ce que devrait être l'amour.
Il n'y a pas de modèle à proposer. Le mot
«amour» est d'ailleurs le mot le plus ambigu
de la langue française. Si j'aime pour l'amour
que l'autre a pour moi, je suis dans un amour
de besoin... et surtout de consommation
quand je l'attire dans mes filets pour le mettre
au service de mes désirs. Mes «je t'aime»,
dans ce cas, sont des demandes déguisées et,
dans la durée, je risque de proposer une

Où écrire?

Jacques Salomé
Le Regard Fertile
B.P. 8 - Route de Croult
84220 Roussillon
Fax: (4) 90.05.74.59

relation qui va se révéler aliénante. Je ne travaille pas sur l'idéalisation de l'amour ou la pérennité du désir... sur lesquels je n'ai aucun pouvoir. J'œuvre pour que chacun des partenaires aie la possibilité de se respecter et de s'épanouir ensemble. Cela signifie agrandir la «vivance» de leur vie commune.

P : Pourtant, on peut apprendre à ranimer le désir...

J.S. : Le désir est une énergie, un mouvement, une formidable sève pour dynamiser la vie. Tant qu'il existe, on peut le réveiller, mais quand il est dévitalisé, nous sommes démunis et désespérés. Quand l'amour est en perte de vitesse, nous pouvons tenter d'améliorer la communication, mais nous ne pouvons pas être le thérapeute de notre partenaire. Je ne me dis pas : «Je réussirai là où les autres ont échoué». Je ne me donne pas un challenge, seulement les moyens de résister à ce double défi. Comment concilier les forces de cohésion et les forces d'éclatement qui traversent toute vie à deux? Comment donner plus d'amour à mon amour? Je peux seulement tenter de vivre les possibles de l'amour au présent, en restant ouvert à l'impossible, et émerveillé par les découvertes que suscite en moi la rencontre de l'imprévisible.

P : Votre discours, est, globalement, très différent de ce que dit Paule Salomon...

J.S. : Si vous m'interpellez comme étant un spécialiste de Mozart, ne me renvoyez pas sans arrêt à un spécialiste de Bach! Nous pouvons parler l'un et l'autre de musique, de la musique de l'amour, mais de façon différente! Effectivement, nous n'avons pas les mêmes conceptions. Ce qui ne nous a pas empêchés de fonctionner d'une façon très complémentaire lors des séminaires que nous avons animés ensemble. Notre point commun est de dire que le couple est un creuset de changement extraordinaire, un espace de mutation et d'évolution pour pouvoir rencontrer le meilleur de soi et quelquefois... le pire. Nous ne prenons pas les mêmes chemins. Paule Salomon parle d'amour et de la place de la femme, pour ma part je tente de démystifier les leurres que nous entretenons trop facilement autour de l'amour et de la vie en couple. Je parle de dynamique intrapersonnelle et de la confrontation harmonieuse ou conflictuelle dans des relations de durée.

P : Finalement, n'y a-t-il pas autant de définitions... de l'amour que d'êtres humains ?

J.S. : Pratiquement autant, même s'il y a des points communs et un sens plus universel à trouver... Il n'y a pas d'amour avec un grand A, seulement des amours avec des petits a, qui se rencontrent, s'amplifient, se réduisent, se magnifient ou se détruisent. Il y a autant de dynamiques relationnelles que de relations. La tentation de la psychologie est de vouloir classifier, de cataloguer et de répertorier des modèles qui seraient positifs ou négatifs. Mon ambition est de tenter de rendre plus clair, plus cohérent quelque chose où la part de l'irrationnel, de l'illogique reste très importante.

P : On apprend souvent aux autres ce qu'on doit le plus apprendre soi-même...

J.S. : Je suis entièrement d'accord. Ce fut longtemps mon cas. En devenant formateur en relations humaines, j'ai beaucoup appris sur mes manques, sur mes répétitions, ou sur mes propres pièges. En aidant les autres à les dépasser, c'est toute une partie de moi qui devenait plus lucide. Mais en matière d'amour, j'ai appris essentiellement avec les femmes dont j'ai pu partager l'amour, et surtout avec mes enfants. Ce sont eux qui m'ont le plus souvent recentré, dynamisé, et surtout qui m'ont poussé à écrire pour tenter d'aller plus loin, c'est-à-dire plus profond. Je voudrais dire, plus simplement, que l'amour reste encore un mystère à préserver de trop d'explications.

À lire

Paroles d'amour, Jacques Salomé, Éditions Albin Michel
En amour l'avenir vient de loin, Jacques Salomé, Éditions Albin Michel
Tous les matins de l'amour, Jacques Salomé, Éditions Albin Michel
Si je m'écoutais, je m'entendrais, Jacques Salomé et Sylvie Galland, Éditions de l'Homme
Parle-moi, j'ai des choses à te dire, Jacques Salomé, Éditions de l'Homme
Jamais seuls ensemble, Jacques Salomé, Éditions de l'Homme
Aimer et se le dire, Jacques Salomé, Éditions de l'Homme
Éloge du couple, Jacques Salomé, Éditions Albin Michel
Apprivoiser la tendresse, Jacques Salomé, Éditions J'ai lu
Une vie à se dire, Jacques Salomé, Éditions de l'Homme
Le Courage d'être soi, Jacques Salomé, Éditions du Relié
Dis papa, c'est quoi l'amour ?, Jacques Salomé, Éditions Albin Michel

À écouter

L'essentiel de Jacques Salomé en CD et cassettes audio
Sonothèque Média Saint-Gaudens (France)

La Tendresse au quotidien
À corps et à cris
Aimer et se le dire
Contes à guérir, contes à grandir
Vivre à deux en étant différents
Pour être à l'écoute de nos enfants, être à l'écoute de l'enfant en nous
Lettre à l'intime de soi
Aimance
L'Amour, c'est de l'amour
Un Chemin de vie et de liberté: la pratique des symbolisations.

COLETTE PORTELANCE
La liberté dans la relation affective

PHOTO : COLLECTION DE L'AUTEURE

Faire l'amour et non la guerre... voilà, en substance, le message de Colette Portelance, qui brave vents et tourments pour conquérir ce que l'être a de plus cher : la liberté, d'où naît le vrai sentiment. Titulaire d'une maîtrise de l'Université de Montréal et d'un doctorat de l'Université de Paris, Colette Portelance est formatrice de «psychothérapeutes non directifs créateurs» au Centre de Relation d'Aide de Montréal et à l'École Internationale de formation à l'ANDC, dont elle est la cofondatrice. Auteure, psychothérapeute chevronnée, conférencière recherchée, cette sacrée personnalité est, décidément, sur tous les fronts... et rend accessibles à tous les traités «psy» les plus abscons.

P : Colette, quelle est votre définition du mot « liberté », notamment dans le cadre de la relation affective ?

C.P. : Être libre, c'est être entièrement soi-même, totalement responsable de sa vie, et en mesure de faire des choix, de prendre des décisions, d'en assumer les conséquences. Certaines personnes pensent que ce sont «les autres» et «les événements» qui les emprisonnent dans leur vie affective. En réalité, ce qui les empêche de se sentir libres, c'est d'abord le fait qu'elles ne sont pas authentiques... et leur tendance à remettre tout le pouvoir dans les mains des autres, rendant ceux-ci responsables de leurs problèmes, de leurs malaises, de leurs échecs. Ces personnes perdent aussi leur liberté dans une relation parce qu'elles n'arrivent pas à faire des choix. Elles laissent les autres choisir à leur place.

P : Quels sont les écueils sur le chemin de la liberté ?

C.P. : L'écueil est un obstacle interne ou externe qui interfère dans la satisfaction du besoin de liberté, qui bloque le processus relationnel, qui emprisonne ceux qui s'y heurtent ou l'affrontent, suscitant des malaises, entraînant l'incommunicabilité et les conflits. L'obstacle externe est un obstacle dont la source, extérieure à soi, est une entrave provenant de l'entourage ou de l'environnement. Affronter cet obstacle de la relation affective, dans le respect de soi et de l'autre, suppose l'acceptation de faire des choix, et d'en assumer les conséquences.

Les obstacles internes, par contre, résultent du fonctionnement psychique de la personne et comprennent ses émotions, ses besoins, ses mécanismes de défense non identifiés, et non acceptés. Quand une personne n'est pas consciente de ce qui se passe en elle dans l'ici et maintenant d'une relation, elle n'a pas de pouvoir sur ses réactions. Elle est menée par son monde émotionnel qu'elle n'arrive pas à gérer, et s'en défend par la verbalisation excessive, la rationalisation, la banalisation, la culpabilisation, le contrôle, le reproche, la prise en charge, ou tout autre mécanisme inconscient qui lui enlève sa liberté et suscite des perturbations plus ou moins importantes au niveau de ses relations affectives.

P : Quelles diverses formes de pouvoir peut-on rencontrer dans la relation affective ?

C.P. : La façon de prendre le pouvoir sur les autres en relation est tellement subtile que beaucoup de gens ne sont pas conscients qu'ils emprisonnent l'autre, et qu'ils sont emprisonnés par la manipulation, l'envahissement, la volonté compulsive à vouloir changer l'autre, le silence défensif ou le paternalisme.

Les livres « coups de cœur » de Colette Portelance

Le Défi du couple,
Harville Hendrix, Éditions Modus Vivendi

Les Moments vrais,
Barbara de Angelis, Éditions Marabout

P : Quels sont les éléments favorisant la liberté affective ?

C.P. : D'autres facteurs que la prise de conscience des composantes irrationnelles sont à considérer par les personnes qui recherchent la liberté dans leur vie affective. Parmi ceux-ci, je retiens l'authenticité, la responsabilité, l'engagement, la discipline et le lâcher prise. Développés dans mon livre *La Liberté dans la relation affective*, ces facteurs de liberté ont transformé de nombreuses personnes qui souffraient d'une dépendance malsaine et qui, déchirées entre leur besoin d'amour et leur besoin de liberté, ont réussi à satisfaire ces deux besoins fondamentaux à l'intérieur même de leur relation.

P : Dans quel sens devrait se faire l'éducation ?

C.P. : Le but de l'éducation n'est pas de transmettre des connaissances, encore moins de modeler l'enfant à l'image de nos introjections, de favoriser la performance, ou d'exiger la perfection. Le seul objectif de l'éducateur devrait être d'éduquer pour rendre heureux. Pour y arriver, il est essentiel d'apprendre à l'enfant, voire à l'adulte, à être lui-même, à être en relation avec les autres, à être créateur de sa vie et de ses rêves. Voir l'éducation en ce sens suppose de l'éducateur qu'il fasse un travail sur lui-même.

P : Comment arrive-t-on à lâcher prise ?

C.P. : Lâcher prise, c'est avoir assez de foi et de simplicité pour s'abandonner à ses ressources irrationnelles quand on est confronté aux limites de ses forces rationnelles et de ses forces physiques. Le sentiment de liberté n'atteint jamais sa plénitude sans une capacité à lâcher prise, qui ne s'acquiert pas sans un souci de cultiver la foi en soi. Certitude totale, conviction personnelle intense, confiance absolue en quelque chose, la véritable foi résulte d'une croyance irréfutable en des ressources profondes de l'être qui ne naissent ni de dogmes, ni de principes objectifs imposés de l'extérieur, mais relèvent de la seule expérience subjective intérieure. Il est en effet essentiel d'expérimenter la présence, au plus profond de soi, de ressources illimitées pour s'y abandonner avec simplicité, c'est-à-dire avec cette force d'âme qui se manifeste chez les personnes qui ont assez de connaissance et d'acceptation d'elles-mêmes pour reconnaître simplement, et exploiter énergiquement leurs potentialités et leurs talents, et pour faire appel à leurs propres forces intérieures lorsqu'elles ressentent de l'impuissance devant les obstacles de la vie, lorsqu'elles rencontrent des limites que la raison seule ne suffit pas à dépasser.

P : Quel rôle jouent les émotions dans l'évolution vers la liberté ?

C.P. : Lorsque l'émotion est niée, réprimée, refoulée, maîtrisée, banalisée, elle ne disparaît pas pour autant! Elle agit à l'insu du sujet par le biais de malaises physiques et psychiques, ou bien elle provoque des réactions défensives sur lesquelles il n'a pas de pouvoir. C'est à ce moment-là que l'individu perd sa liberté intérieure. L'émotion est un phénomène naturel et incontournable. Elle est comme un enfant. Si on ne lui accorde pas suffisamment d'importance, elle prendra sa place par des voies qui bloqueront le chemin de la liberté profonde.

P : Quels sont nos mécanismes de défense ?

C.P. : Ce sont des moyens inconscients utilisés par le psychisme pour se protéger

des émotions désagréables émergeant du processus relationnel ou imaginaire. Nous pouvons affirmer que, derrière les mécanismes de défense, se cachent toujours une ou plusieurs émotions trop difficiles à supporter pour être accueillies directement et que, derrière ces émotions, se trouvent des besoins comme ceux d'être aimé, sécurisé, reconnu, accepté, écouté, ou encore celui de s'affirmer. C'est pourquoi nos mécanismes de défense méritent d'être ramenés à la conscience et acceptés comme faisant partie de notre monde intérieur. Ils peuvent devenir ainsi les clés de nos prisons personnelles et relationnelles. Les moyens utilisés par le psychisme pour se protéger contre la souffrance sont tellement nombreux et subtils qu'il est absolument impossible d'en faire une liste exhaustive. Ajoutons à ce que j'ai dit précédemment que, pour ne pas sentir ses malaises, une personne peut, en relation, se défendre par le conseil, l'enquête, l'interprétation, le retrait, la morale, l'intimidation, la punition, le déni, l'explication, la justification, la résignation, la confrontation, la flatterie, la menace.

Où écrire, où téléphoner?

Colette Portelance
Éditions du Cram
1030, rue Cherrier Est, bureau 205
Montréal (Québec)
H2L 1H9
Tél.: (514) 598-8547
Fax: (514) 598-8788

P : La liberté affective dans le couple est-elle un idéal accessible ?

C.P. : Je vis une relation amoureuse depuis 1962 avec mon mari. J'ai été la femme la plus dépendante qui soit à tous niveaux.

Aujourd'hui, je suis fondamentalement libre, et heureuse, dans cette relation. Mais la liberté n'est pas donnée : elle s'acquiert. C'est à chacun d'entre nous qu'il revient d'enlever un à un les barreaux de nos prisons affectives. Être libre à deux, ce n'est pas faire ce qu'on veut... mais être qui on est vraiment, à chaque instant, ne jamais sacrifier l'amour de soi. Cela n'a rien à voir avec l'égoïsme, parce que celui qui a appris à s'aimer sait tenir compte des besoins et de la souffrance de l'autre sans s'y perdre et sans jamais s'oublier.

À lire

Relation d'aide et amour de soi, Colette Portelance, Éditions du Cram
La Communication authentique, Colette Portelance, Éditions du Cram
La Liberté dans la relation affective, Colette Portelance, Éditions du Cram
Éduquer pour rendre heureux, Colette Portelance, Éditions du Cram
L'Insécurité affective, Claudette Rivest, Éditions du Cram
L'Origine cachée de nos problèmes... et leur solution, Dr Gérard Perrin, Éditions du Cram

À vivre

Une conférence de Colette Portelance le 22 février 2000,
suivie d'un séminaire le 26 février 2000 en Belgique (à confirmer).
Informations: Espace Communication, 32.2.770.74.65

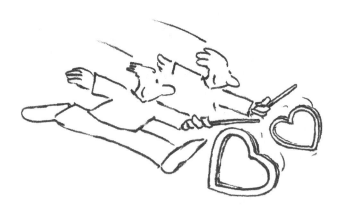

MARIE-ODILE STEINMANN
Réussir sa vie à deux

PHOTO : COLLECTION DE L'AUTEURE

Vous avez dit bon sens? Marie-Odile Steinmann, psychothérapeute, passionnée de relations humaines, auteure des ouvrages *Pour une harmonie du couple au quotidien* et *Réussir sa vie à deux* (Alain Brêthes) y ajoute, très pratiquement, pas à pas... Nul besoin de maîtriser l'a b c du couple idéalisé pour vivre un amour équilibré. Un pas devant l'autre, voilà la méthode proposée par une auteure réaliste, qui part de nos besoins primordiaux pour explorer des itinéraires sensés. Marie-Odile rend cet enseignement dynamique en animant conférences, ateliers et séminaires pour couples – avertis ou non –, pour «durs à cuire» et célibataires.

P : Marie-Odile, comment construit-on les bases de la vie de couple?

M.-O.S. : Je dirais qu'il est bien de se connaître déjà soi-même... Le couple prend forme lorsque deux êtres différents se rencontrent. Ils ont une histoire familiale distincte, des idées sur le monde, des goûts, des préjugés, des croyances parfois similaires, d'autres opposées, et toujours une perception diversifiée des événements. La relation amoureuse demande donc des ajustements, une acceptation indispensable pour s'aimer profondément. Bien se connaître soi-même permet de pouvoir exprimer ses besoins à son partenaire. Se pencher sur nos comportements et amours passés nous évite de rejouer des rôles inconscients et répétitifs, ou de rester dans des patterns affectifs négatifs : fuite, projection, demande excessive de sécurisation, dirigisme, etc. Il faut aussi se méfier de l'idéalisation : savoir que nous sommes face à un être qui dévoile ses plus belles qualités... sans oublier qu'il a aussi, au fond du cœur, ses fragilités, ses blessures intérieures, ou ses manques.

P : Pourquoi tombons-nous, malgré tout, si souvent dans le piège de l'idéalisation?

M.-O.S. : Enfants, nous aspirions de toute notre âme à vivre un amour inconditionnel... et nous avons reçu, de nos parents et de notre entourage, un amour conditionnel. Idéaliser quelqu'un, c'est renouer avec ce besoin enfantin de rencontrer, enfin, le prince ou la princesse de contes de fées. Celui ou celle qui va nous apporter bonheur et amour sur un plateau d'argent. J'ai remarqué que, moins la personne a confiance en elle-même, plus elle risque de tomber dans l'idéalisation. En admirant une autre personne, nous lui donnons un pouvoir, une autorité, et nous décidons de nous en remettre à elle. Notre besoin d'être protégés, aimés, sécurisés nous incline à idéaliser. Mais le plus souvent, nous finissons par être déçus, critiques face à une personne qui ne s'avère pas à la hauteur de nos espérances. Nous avons aimé une image, la représentation de notre rêve. Pourtant, notre force, notre protection ne dépendent pas d'un être extérieur, soit-il le plus cher à notre cœur. Apprenons à reconnaître nos qualités, au lieu de les projeter sur d'autres personnes ! Car l'amour que l'on cherche tant à obtenir des autres, c'est d'abord nous-mêmes qui devons nous l'offrir ! En résumé : s'aimer déjà soi-même, véritablement, est un bon début pour commencer une vie de couple.

P : Pourquoi l'engagement amoureux est-il si important ?

M.-O.S. : L'engagement, c'est oser se lancer dans l'aventure extraordinaire de la relation amoureuse. C'est investir la totalité de son être pour construire la relation. L'amour a trop souvent été présenté par les médias, le cinéma, la littérature comme une chose

Les livres « coups de cœur » de Marie-Odile Steinmann

L'Art d'aimer,
Erich Fromm, Éditions Épi

Réinventer le couple,
Carl Rogers, Éditions Robert Laffont

La Sainte Folie du couple,
Paule Salomon, Éditions Albin Michel

Voix, A. Ponchia, G.L.M.

facile, un don du ciel. Il suffit d'être sentimental, passionné, exalté, et la vie s'écoule dans le bonheur ! La réalité est autre. Le couple, ou la vie à deux au quotidien, est une initiation, un enseignement. Et c'est pour cela qu'à notre époque, beaucoup de couples se séparent. Ils n'appréhendent pas la relation de façon juste. L'effort à fournir est trop grand. Or, une initiation n'est jamais facile ! En nous engageant dans un couple, nous décidons d'apprendre à aimer, et cet apprentissage s'accomplit en plusieurs étapes : découvrir quels sont nos blocages, nos croyances, nos préjugés, et nos schémas. Comprendre d'où ils viennent. Puis, apprendre à les mettre en veilleuse pour trouver un nouveau comportement en adéquation avec le moment présent.

P : Quels sont les préjugés qui nous empêchent de nous engager ?

M.-O.S. : Les préjugés sont issus de croyances, qui sont différentes pour chacun d'entre nous. Ces croyances peuvent être extrêmement limitatives : «Je n'arriverai jamais à rencontrer un conjoint» ; «Je suis incapable de retenir mon partenaire», etc., etc. Ce type de croyances réduit notre champ de vie. Celui qui pense : «Les femmes sont indignes de confiance» sera forcément limité dans sa confiance envers les autres ; ainsi, une relation intime et profonde avec une femme sera presque impossible à construire. Les préjugés nourrissent les peurs, en nous empêchant de vivre. Or, construire une relation, c'est d'abord se libérer de ses peurs. Nos peurs ont pour origine des expériences de vie ayant généré des croyances. Parfois, nos peurs sont telles que nous ne rencontrons jamais personne, que nous nous coupons même de toute opportunité de rencontre. Ces peurs nous empêchent d'être dans la confiance en ce que nous créons, en notre partenaire, en notre futur. Elles sont alimentées par des discours intérieurs, des pensées parasites, des émotions fluctuantes. Ces peurs génèrent des réactions émotionnelles vives, des méfiances que l'autre ressent, et favorisent la mise en place de rôles inconscients, qui empêchent la relation authentique et l'intimité.

P : Comment résout-on les conflits dans le couple ?

M.-O.S. : En acceptant de se remettre en question. Nous réagissons souvent par une émotivité exacerbée à un événement, à une parole. Nous ressentons alors une irritation, une peur panique, ou une profonde tristesse qui resurgit du passé. Dans ces moments-là, on peut dire que notre partenaire réactive une blessure ancienne. L'observer, en prendre conscience, la ressentir, nous permet déjà de ne pas accuser l'autre de nous faire du mal.

P : Quelles sont les attitudes qui déstabilisent le couple ?

M.-O.S. : Accuser l'autre de ne pas nous comprendre, de nous blesser sciemment, de ne pas ressembler à ce qu'on aimerait qu'il soit. Souvent, nous alimentons un monologue intérieur, des pensées critiques, nous ressassons indéfiniment une phrase prononcée par notre partenaire, et qui nous a blessé. Ainsi, nous entretenons la rancune et nous vivons dans un passé sans cesse réactivé.

P : L'infidélité est-elle le fléau des temps modernes ?

M.-O.S. : S'il y a vraiment engagement, souhait sincère de bâtir une relation, la question ne se pose pas. Aujourd'hui, des couples éclairés tentent d'inventer un nouveau mariage basé sur des relations

Où écrire, où téléphoner ?

Marie-Odile Steinmann-Brêthes
La Tranquillité
7, rue du Port
44470 Thouaré sur Loire
Tél.: (2) 40.77.35.11
Fax: (2) 51.13.04.55

égales, l'amour, la tendresse, une intimité et une authenticité qui n'étaient guère de mise dans les sociétés passées. La femme était soumise, et il n'y avait aucun échange intime. La relation d'estime et d'intimité entre deux êtres est toute nouvelle. C'est la victoire contre le racisme, et l'indifférence. Et nous sommes les pionniers de relations plus tolérantes, ouvertes à l'amour inconditionnel. Tant que nous restons dans une pensée où l'amour est, avant tout, demande égocentrique, les séparations et trahisons seront légion. Quand nous accédons à un lien d'estime, de confiance et d'échange véritables, la question de l'infidélité ne se pose pas, car l'amour prend sa source dans l'intimité, non dans les plaisirs des sens.

P : Quand le couple traverse-t-il des cycles de fragilité ?

M.-O.S. : Le couple franchit des étapes. La relation amoureuse n'est pas statique, mais dynamique. Elle évolue au fil du temps, et devient ce que nous en faisons. Au début, c'est la phase de coup de foudre, de fusion, d'idéalisation. Nous attendons tout de la rencontre. Puis, l'exaltation passée, c'est le retour brusque à la réalité, la séparation, le retour à soi. C'est alors que les conflits se dessinent. Nous découvrons que la relation amoureuse ne résout pas nos conflits intérieurs. Le couple ravive plutôt une histoire passée. C'est la phase où il est le plus fragile, où il y a risque de rupture. Nous préférons quitter l'autre que d'affronter notre vérité. Or, s'il est juste de se séparer quand on prend des chemins de vie trop différents, cela vaut la peine de se remettre en question à ce stade ; car le couple qui franchit cette deuxième phase s'engage sur la voie de l'amour et de la libération. Les partenaires comprennent leurs zones de conflits, et chacun accepte le monde de l'autre. Les cœurs s'ouvrent à l'empathie, à la tolérance. L'union se met doucement en place. Les partenaires deviennent complémentaires, et non plus opposés. Le couple échange ses énergies et ses qualités. Un projet de cocréation peut émerger de cette période, où chacun trouve sa place et comprend enfin l'épanouissement à deux.

P : Que sont le yin et le yang ?

M.-O.S. : Je privilégie la formule du yin et du yang pour aborder le thème du féminin et du masculin intérieurs. Des années passées en Chine m'ont rendue proche du taoïsme et du monde des énergies. Nous avons, en chacun de nous, des énergies psychiques vivantes que nous pouvons appréhender sous la forme d'une dualité : l'une féminine, et l'autre masculine. Ainsi, quand nous exprimons notre amour, notre intuition, notre écoute, notre joie, notre tolérance, nous puisons dans ce féminin, source yin de toutes ces qualités. Quand nous avons besoin de concrétiser un projet, nous laissons le flux de notre énergie masculine, notre yang, nous apporter force, concentration, volonté, maîtrise. Dans la relation amoureuse, mieux nous sommes raccordés à ces deux énergies, mieux nous nous sentons unifiés dans notre personnalité. Ces deux polarités équilibrées en nous, nous pourrons aller vers l'autre en totale confiance, sans être tentés de lui demander de combler nos manques. En nous unissant à notre yin et à notre yang, nous retrouvons tout notre potentiel.

P : Comment faire cohabiter nos différences ?

M.-O.S. : Tout dépend de chacun d'entre nous. La vie quotidienne nous enseigne la souplesse, la tolérance, l'adaptation. Ne soyons pas trop possessifs. N'exigeons pas de tout faire en commun. Apprenons à vivre séparément nos passions, et sachons laisser de l'espace à notre partenaire. Un couple se construit sur des différences, et des ressemblances. Ainsi, nous pouvons avoir des goûts distincts et une façon de vivre commune. Il est important que nous puissions nous rejoindre sur des centres d'intérêt communs : sur la construction d'un projet de vie, d'une famille, d'une philosophie, ou d'une éthique.

P : En quoi la venue de l'enfant déséquilibre-t-elle le couple ?

M.-O.S. : L'enfant, par ses attitudes, ses paroles, son agitation, ses réactions, l'expression de ses émotions, déstabilise chacun des parents. L'enfant nous renvoie à nos manques primordiaux. Alors, nous réagissons de différentes manières. Si une émotion nous a été interdite dans l'enfance, nous allons tenter de l'interdire à notre tour à l'enfant. Pareil si le rire était tabou dans notre famille : la joie de l'enfant fera écho à notre difficulté de ressentir la joie. Nous aurons alors tendance à répondre par l'irritation. Profitons plutôt de cette opportunité pour retrouver cette joie, jouer avec notre enfant, rire avec lui ! L'enfant devient alors un maître pour nous ; il nous permet de restaurer nos manques. Donnons-lui ce dont nous avons manqué le plus !

Quant à notre partenaire, il n'a pas eu une enfance semblable à la nôtre. Si le rire était autorisé dans sa famille, il s'amusera spontanément avec l'enfant, et notre énervement le contrariera. Il comprendra difficilement notre attitude. Là encore, il s'agit de ne pas réagir par le jugement, les reproches, mais de parler, de reconnaître les émotions qui nous furent interdites (colère, tristesse, peur, joie...), et d'accepter de s'ouvrir.

P : Puisque la famille conditionne nos amours, comment faire pour éviter les déséquilibres engendrés, notamment, par les nombreux foyers monoparentaux?

M.-O.S. : Il n'existe pas de famille idéale : nous pouvons tous créer une harmonie d'amour et de chaleur autour de nos enfants. Quelle que soit notre situation familiale, nous avons des outils en mains (livres, guides, etc.) pour offrir à nos enfants plus de liberté, et de joie au départ de leur vie. Il est essentiel de laisser un enfant s'exprimer, rire, pleurer, de pouvoir jouer avec lui en lui enseignant les bases de la complicité, et de la tendresse. Que ce soit avec les enfants, avec les adultes, j'évoque cette source d'amour nichée au fond de notre cœur. Elle est non seulement présente... mais inépuisable! Si je donne de l'amour à une personne de mon entourage, ce n'est pas au détriment d'une autre! Cette source ne tarit jamais, elle se ravive, se revitalise chaque fois que nous ouvrons notre cœur. N'ayons pas peur d'aimer! Encourageons notre enfant à garder le contact avec cette source, à envoyer des pensées d'amour à ceux qui sont loin de lui, acceptons qu'il aille vers les autres; il ne nous en aimera pas moins! N'hésitons pas à lui exprimer notre tendresse par des câlins et des mots. Expliquons-lui qu'il peut ressentir de l'amour d'une manière différente pour chaque personne de sa famille! Sécurisé au niveau affectif, l'enfant n'aura plus peur de l'abandon. Et, plus tard, il saura mieux aimer!

P : Comment entretenir la confiance dans le couple?

M.-O.S. : Faire confiance et être digne de confiance correspondent à un état de paix intérieure. Certains d'entre nous ont du mal

à accorder leur confiance, même à leurs proches. La confiance s'établit quand la peur nous quitte. Lorsque nous rassurons en nous l'enfant blessé, qui s'est senti abandonné ou trahi dans le passé. Pour faire confiance, nous devons lâcher prise, accepter puis laisser ces doutes, ces craintes qui nous traversent, et sont toujours reliés à notre histoire. Disons seulement que nous avons tous besoin d'être reconnus, écoutés, aimés par notre partenaire pour pouvoir lui accorder notre confiance. Sachons également gagner la confiance des autres par des attentions tendres, des paroles encourageantes, des mots d'amour.

P : La vie de couple est enseignement permanent…

M.-O.S. : Chaque événement relationnel, vécu dans le couple, en famille ou ailleurs, offre une opportunité de libérer un blocage issu du passé, d'ouvrir notre cœur. La vie est un enseignement. Osons reconnaître nos qualités, et nous faire confiance. Abandonnons nos limitations, nos habitudes ! Nous pourrons alors découvrir le chemin personnel qui nous mènera à la réalisation de notre être profond. Ceci ne s'apprend pas en un jour… moi-même, je suis sans cesse en train de découvrir, et de mettre en pratique, avec ma fille, mon mari, mes amis, mes relations et mes stagiaires de nouvelles façons d'aborder la vie.

À lire

Pour une harmonie du couple au quotidien, Marie-Odile Steinmann, Éditions Alain Brêthes
Réussir sa vie à deux, Marie-Odile Steinmann, Éditions Alain Brêthes
Le Dessin-thérapie, Marie-Odile Steinmann, Éditions Oriane

À vivre

Les stages de Marie-Odile Steinmann et d'Alain Brêthes :

Initiation au dessin-thérapie: accompagner
et transformer de façon créatrice les événements de ma vie à travers le dessin.

Les Synchronicités de la vie: apprendre à lire
et à comprendre les synchronicités importantes qui jalonnent notre route.

Manifester le magique dans sa vie: en apprenant les lois
de la manifestation et en nous harmonisant au Courant de Vie Universel,
nous allons découvrir que la Vie est bienfaitrice et source d'abondance.

Rires et guérilla conjugale

Que faire quand le couple se transforme en baril de poudre ? Canarder l'autre avec des assiettes ? L'étouffer avec un oreiller en plumes d'oie ? Lui renverser le soufflé sur la tête ? Tailler des franges dans ses vêtements ? Ou choisir d'être, pour une fois, spectateur d'un drame... qui peut alors se transformer en théâtre de boulevard !

Imaginons le couple suivant, avec ses manques et ses excès énergétiques...

Elle : forte tête, traversant un cycle de réalisation, et de boulimie créative.
Lui : forte tête, traversant un cycle de stabilisation, et de boulimie affective.

Scène de la vie ordinaire:

Elle : Bon, on se met au travail ?

Lui (grognon) : J'ai mal dormi.

Elle (s'énervant) : Flûte, tu sais qu'on a des horaires à respecter.

Lui (de marbre) : Je ne travaille pas avec un couteau dans le dos.

Elle (trépignant) : Mais on avait dit qu'on avançait aujourd'hui !

Lui (impassible) : Arrête de geindre. On n'a plus de vie de couple.
Moi, je veux qu'on se promène, qu'on aille au cinéma, qu'on écoute les petits oiseaux...

Elle (trépignant de plus belle) : Et quand est-ce qu'on va travailler ?

Lui (agacé). Zut. Tu ne vis que pour boulotter. Y en a marre.

Elle (glapissant comme une hyène) : On arrête tout ! T'es un glandeur, tu me pompes,
j'en ai plein les bottes !

Lui (fumant des oreilles) : Ben oui, je suis glandeur ! Et toi, t'es une égoïste,
t'as pas le souci de l'autre, tu vois pas que je me crève pour toi !

Elle (s'étranglant de rage) : C'est ta faute, je t'ai toujours dit de penser à toi !

Lui (persifleur) : T'oublies tout, tu tiens pas tes engagements, on peut pas te faire confiance !

Elle (hurlant comme une sirène de pompier) : Tu peux parler ! Tête de nœuds !

Lui (triomphant) : Et qui est allée chez le coiffeur hier, quand moi j'étais prêt à travailler ?

Elle (frisant l'apoplexie) : J'en ai marre d'assumer toute seule !
Puisque c'est comme ça, on se rattrapera le week-end. Na !

Lui (vengeur) : Ben non, on travaillera pas. C'est toujours quand tu veux.

Moi, c'était hier que je voulais.

*On voit tout de suite les courts-circuits énergétiques engendrés par les différences de plans,
et par un aveuglement obstiné des deux partenaires... À quoi correspondent, pour simplifier
les choses, deux niveaux de langage aussi imperméables l'un à l'autre qu'un mur en béton.
Ce qui donne, concrètement, un lancement de « scuds » dans toutes les directions, une perte
intense d'énergie dans une bataille vaine, et un repli des deux parties – complètement
exsangues – dans leurs quartiers.*

Les « scuds », ici, sont les pollutions relationnelles : projection, culpabilisation, manipulation, accusation, blâme, plainte, vengeance, chantage, doubles messages, menace, jugement, provocation... et n'ont évidemment d'autre effet que celui de renforcer la position, déjà bien colorée sinon extrémiste, des deux partenaires, dont la conscience, obnubilée par un élément cible, est réduite à la taille d'un petit pois. Exit la vision d'ensemble : sous le coup de l'émotion, on regarde au microscope et on agrippe son os en montrant les dents.

Trousse d'urgence numéro un: lâcher prise

Lâcher prise n'est pas « se rendre » : c'est briser la force de l'inertie pour se donner une chance de comprendre.

La distanciation, qu'elle soit spatiale ou mentale, est vitale. Car mon enfant intérieur est en pleine projection, et, tant qu'il verra l'enfant de l'autre, il lui lancera ses «legos «à la tête. Seul, je peux négocier avec mon tout-petit : qu'est-ce qu'il t'a fait, ce gros méchant? Es-tu bien sûr que tout est sa faute? Qu'as-tu fait, toi, pour qu'il devienne si méchant? De quoi as-tu besoin? Pourquoi l'autre ne peut-il t'apporter ce qui te manque? Et pourquoi restes-tu avec lui s'il te fait du mal? Tu t'amuserais mieux avec tes billes, ou avec gros nounours...

Trousse d'urgence numéro deux : négocier un conflit à l'amiable

La température a chuté, les «scuds» sont rangés... rien à perdre, tout à gagner; autant faire la trêve. Peut-être la solution n'est-elle pas dans le «camp adverse», mais quelque part ailleurs (va-t'en savoir...)

Marche à suivre

- Chercher un lieu reposant (éviter le lit) où on ne risque pas d'être dérangé; par exemple, la baignoire.

- Tâcher de se brancher sur la bonne longueur d'onde; s'il y a friture sur la ligne, il vaut mieux reporter la négociation à plus tard (préciser l'heure et le lieu de la séance).

- Si la fréquence est bonne, déterminer le motif de la dispute; traiter UN sujet à la fois.

- Choisir un problème qui concerne les DEUX partenaires et peut être résolu (pas la peine d'aborder la vie décousue de tonton Floque).

- Expliciter le grief sans attendre que l'autre le trouve par empathie («si tu m'aimes, t'as qu'à savoir»).

- Éviter la lecture psychique («je sais ce que tu penses»).

- Laisser de côté le placard aux squelettes («t'as fait pareil à mon anniversaire»).

- S'abstenir de répondre à une accusation par une autre («c'est toi qui as commencé»).

> **Que faire quand mon enfant se sent rejeté ou abandonné?**
>
> Procéder à l'état des lieux : constater, voir, entendre, ressentir. Me demander pourquoi je réagis, pourquoi je me pique au jeu de pouvoir, pourquoi je tente de déguster l'autre ou pourquoi je m'offre en pâture... Sentir la vraie aspiration, le véritable besoin, derrière mon acharnement et ma colère.
>
> Areeeuuuh... j'ai mal, mais ça me calme d'être attentif à moi, à mes émotions, à mon corps; je vois mieux ce qui m'appartient. Tout doucement, je reviens à mon adulte et à ma lucidité... Je saisis brusquement que l'autre ne peut pas prendre MES besoins en charge; qu'il n'est pas là pour résoudre MON conflit; qu'il peut juste m'écouter, m'aider à être un bon parent pour moi-même, et à trouver MES réponses.

- Sauvegarder son espace vital, et veiller à bien respirer (il est déconseillé de traiter le problème dans un embouteillage).

- Laisser parler l'autre cinq minutes de SON ressenti sans l'interrompre (dur, dur!), et sans juger (aïe!)

- Parler cinq minutes de son propre vécu ou exprimer sa colère, à la PREMIÈRE personne du singulier ; ne pas en profiter pour traiter l'autre de tête de lard ou de moule à gaufres.

- Autant que possible, garder une vision globale de la situation : le lancement de «scuds» est dû à la dynamique de couple, à l'interaction, non aux agissements calculateurs et sournois d'un seul partenaire.

- Reconnaître devant l'autre l'émotion qui nous habite sans l'accuser, comprendre que l'autre est le miroir grossissant de nous-mêmes, et le catalyseur de nos patterns affectifs.

- Accepter la responsabilité commune de la situation (parfaitement, môsieu, parfaitement, mâdame).

- Convenir qu'il vaut mieux décharger son agressivité en faisant des poids et haltères qu'en suspendant le partenaire au portemanteau.

- Vérifier si ce qu'on reproche à l'autre n'est pas – par un curieux hasard – ce qu'on se reproche à soi-même.

- Chercher ensemble ce que la situation peut nous apprendre (plus gai que de jouer aux échecs...).

- Négocier un accord qui satisfait les deux parties, en tenant compte des désirs et de la liberté de chacun ; au besoin, «scotcher» l'accord écrit sur le miroir de la salle de bains.

- Se pardonner mutuellement en vidant l'eau du bain : les énergies négatives s'écoulent lentement. Si le pardon est trop précoce, reporter la séance à plus tard.

En résumé : je t'écoute, tu m'écoutes. Je fais un pas vers toi, tu fais un pas vers moi. Je décode ton langage, tu décodes le mien. Je tente d'intégrer ta différence, tu tentes d'intégrer la mienne. On reste vigilants, car quand nos enfants s'en mêlent (s'emmêlent), nos adultes sont vite dépassés...

Qu'est-ce qu'un couple qui dure?

Peut-être pas une espèce en voie d'extinction ; mais une fabuleuse aventure qui devrait être à portée de tous.

Le couple qui dure :

- Est animé par un désir d'évolution (couple synergique), plus que par la soif de sécurité (couple symbiotique) ou par l'égoïsme (couple parasite).

- A des valeurs communes qui rapprochent les partenaires, mais s'enrichit aussi de leurs divergences.

- Est ouverture : il repose sur la confiance, la tolérance, et respecte les besoins des partenaires, dont la personnalité s'exprime dans toutes ses facettes.

- Recherche le dialogue : il sait manifester son affection, mais aussi sa colère ; il résout les problèmes, établit des compromis.

- Est créatif : il travaille sur sa dynamique pour la maintenir vivante, et renouvelle sa sexualité.

- Est ludique : les partenaires sont à la fois amants et amis, ils aiment jouer ensemble.

- Est stimulant : il ne tient pas l'amour pour acquis, et ne fonctionne pas sur des attentes ; il s'affranchit - autant que possible - de la dépendance, cultive l'amour de soi, de l'autre et de la relation, et valorise l'unicité de chacun.

- Est mobile : il alterne les rôles des partenaires, et s'adapte aux nouvelles demandes.

Je ne cherche pas ma « moitié », ce qui suppose que je ne suis qu'une demi-personne, mais une relation où mon épanouissement s'ajoute à celui de l'autre pour créer une troisième entité, qui ressemble furieusement à de l'amour...

PIERRETTE

À lire

Comédies et drames du mariage, Guglielmo Gulotta, Éditions ESF
À quoi sert le couple ? Willy Pasini, Éditions Odile Jacob
L'Amour terroriste, Michael Vincent Miller, Éditions Robert Laffont
L'Amour retrouvé, Patrick Estrade, Éditions Dangles
Le Couple retrouvé, Patrick Estrade, Éditions Dangles
La Survie du couple, John Wright, Éditions Le Jour
De l'amour du pouvoir à la puissance de l'amour, Jean-Jacques Crèvecoeur, Éditions Le Troisième Iris
L'Agression verbale dans le couple, Patricia Evans, Éditions Le Courrier du Livre
Les hommes viennent de Mars, les femmes viennent de Vénus, John Gray, Éditions Logiques
Décidément, tu ne me comprends pas ! Deborah Tannen, Éditions Robert Laffont

CES AMOURS DÉPENDANTES

Que feraient ces êtres qui aiment trop
Sans ces autres qui ne peuvent aimer?
Où iraient ces désespérés
Privés du joug des bourreaux?
Que diraient les dépendants
Sans l'emprise des dominants?

Ainsi sont les vases communicants :
L'un est «perdant», l'autre «gagnant»;
L'un est la bosse, l'autre le creux;
Chacun se prenant à son jeu,
S'illusionnant de son mieux.

Car, au royaume de l'ego
D'amour, bien peu, il est fait écho...

Ces femmes qui aiment trop
Une tragicomédie...

Faites-vous partie du club – non sélect mais très ouvert – des femmes qui aiment trop ? Alors, bienvenue au théâtre ! Plus on est, mieux on comprend et plus on en rit... D'abord, voir son problème caricaturé sur les planches, ça favorise les prises de conscience... et une distance bénéfique, car on devient spectatrice de soi pour un moment.

Acte 1 :

Histoire banale, qui nous arrive à toutes : un beau jour, le prince charmant déboule au grand galop (à force de l'attendre comme la Belle au bois dormant sous notre cloche à fromage, il finit par pointer son nez). Ô joie, ô extase ! On vit la fusion, celle qui nous transporte, nous enivre, nous fait perdre la tête... et notre identité dans la plupart des cas (je ne sais plus où tu commences et où je finis). Bref, on se prend deux mois de contes de fées...

Acte 2 :

Le scénario vire soudain à l'horreur : notre beau prince, si doux et prévenant se transforme – non en crapaud – mais en tortionnaire grincheux et distant (T'as vu ta robe ? T'as brûlé le rôti... Tu me colles... J'ai besoin d'air...). Son amour s'évapore, et le nôtre grandit par compensation.

Acte 3 :

Au lieu de freiner notre ardeur, on en rajoute : je vis pour toi, je deviens ton genre, je me fais soubrette, attentionnée et discrète, je récolte tes miettes... Et c'est là que tout bascule : notre amour devient obsession, notre histoire désespoir. Rends-moi ce que j'ai investi en toi, l'estime de moi que je n'ai plus ! Surtout, enivre-moi, car je préfère être droguée que consciente de mon vide intérieur... Quant au bourreau, il s'abreuve de la douleur de la victime... qui le conforte, croit-il, dans son identité.

Acte 4 :

On vide alors sa coupe pour remplir celle de l'autre (qui déborde), et c'est la spirale sadomaso : maltraitance plutôt qu'indifférence ! Ne nous y trompons pas : celui ou celle qui « aime trop » est – en réalité – embarqué dans une quête de soi... mais à travers l'autre. Mission impossible ! Sauf quand l'autre – une aubaine – nous laisse tomber et qu'on se retrouve face à soi.

Acte 5 :

Après le gouffre, la révolte. Ivre de rage, la victime accuse son bourreau (c'est sa faute ; c'est un égoïste...) oubliant qu'elle-même l'a choisi entre tous, et s'est acharnée à en extraire vainement la substance...ou plutôt la sienne, qu'elle est forcée, cette fois, de chercher au bon endroit. Ainsi sonne le glas... du retour à soi.

Terrains propices
Le moi se construit cahin-caha quand:

- notre famille ne nous a pas donné une notion absolue de notre valeur et de notre identité ;
- nous avons grandi sans idée claire de nos limites et de celles de l'autre ;
- nous avons connu l'hyperprotection, ou au contraire l' «adultification» précoce ;
- l'amour de nos parents était conditionnel (bons points reçus à l'école, bon maintien, etc.) ;
- la violence verbale (ou physique), les pollutions relationnelles, le déni des émotions, la culpabilité, le manque de communication étaient notre lot quotidien.

Nous devenons, alors, des « femmes qui aiment trop », puisque:

- ayant manqué de soins dans l'enfance, nous tentons de combler ce vide de manière indirecte, en devenant «dispensatrices de soins», spécialement à l'égard d'hommes en détresse ;
- n'ayant pas réussi à changer nos parents, nous sommes attirées par l'homme « affectivement» inaccessible que nous allons essayer de transformer «par amour» ;
- terrifiées à l'idée d'être abandonnées, nous ferions n'importe quoi pour éviter la rupture d'une relation ;
- rien n'est trop difficile, ni trop cher, ni trop préoccupant, du moment que cela aide l'homme auquel nous sommes attachées ;
- habituées à manquer d'amour dans nos rapports avec les autres, nous sommes décidées à attendre, à espérer, et nous nous appliquons davantage à plaire ;
- nous sommes prêtes à prendre sur nous la responsabilité, la culpabilité, et le blâme dans nos rapports avec autrui ;
- l'estime que nous avons de nous est très basse ; convaincues que nous ne méritons pas d'être heureuses, nous pensons que nous devons gagner le droit de vivre ;
- sous un aspect «serviable», nous avons désespérément besoin d'exercer un contrôle sur les hommes puisque nous avons manqué de sécurité durant l'enfance ;
- dans une relation de couple, nous sommes davantage portées à rêver du scénario idéal qu'à vivre la situation avec réalisme ;
- nous sommes déjà, psychologiquement et biochimiquement, disposées à nous adonner aux drogues, à l'alcool ou à certains aliments ;

- en nous occupant de «gens à problèmes», nous évitons de prendre des responsabilités vis-à-vis de nous-mêmes ;
- nous traversons des périodes dépressives, que nous tentons de conjurer en nous abandonnant à l'euphorie d'une relation instable ;
- nous ne sommes pas attirées par les hommes bons, serviables ou fiables qui s'intéressent à nous ; nous les trouvons ennuyeux.

Résultat : nous ne nous autorisons pas à aimer... ni à être aimées. Incapables de gérer notre conduite, nous tentons de gérer celle des autres, de décider pour eux, de sentir pour eux. Le seul repère devient l'approbation du partenaire, détenteur absolu de notre bonheur... et broyeur de notre petit cœur.

Tchao pantin

«Avant toi, j'étais blessée... tu as rempli cette blessure, tu as pris exactement sa forme»... Aimer trop signifie aimer mal : lorsque nous choisissons ce qui nous détruit, nous mesurons la profondeur de l'amour à l'ampleur de l'emprise, ou à l'intensité de la douleur. La dépendance favorise l'aliénation, le déni de soi, de ses envies, de ses besoins, contrairement à l'amour, qui est confiance et réciprocité.

À voir

Les spectacles de l'asbl Parler d'être sur la dépendance amoureuse
Contact :
Pascale Hoyois
65 avenue A. Bertrand
1190 Bruxelles Belgique
Tél.: 02.343.12.08

Bourreau et victime, dominant et dominé sont actionnés par les fils invisibles de l'inconscient, maître véritable de la scène. Et dansent les marionnettes, qui répètent inlassablement le scénario inachevé de leur enfance, espérant le résoudre avec un partenaire dont le vécu est complémentaire... en butant obstinément sur le même réverbère. J'attends que tu changes... L'autre, grossi à la loupe, devient LE remède au problème, dont nous sommes pourtant copropriétaires. Alors, marche arrière : cessons de chercher au-dehors un trésor qui, patiemment dort... dans notre petit corps !

Sevrage

Que faire ? Partir de son propre chef ? Le spectre du manque veille... et l'emporte vite sur notre détermination, provoquant d'interminables mouvements de yo-yo, qui laissent la victime complètement exsangue, et pétrie de culpabilité. Ni la paresse, ni la mauvaise volonté ne sont en cause, mais plutôt une impuissance à gérer nos propres comportements, et une confusion entre amour et douleur (je souffre, donc je suis...).

Voies à suivre : la thérapie, les stages spécialisés, les groupes de soutien... et la lecture de livres réveils.

Un plan d'action en 10 étapes:

1. Admettre notre impuissance et chercher de l'aide.
2. Faire de notre guérison une priorité.
3. Nous inscrire à un groupe de soutien.
4. Développer notre vie spirituelle par une pratique journalière.
5. Cesser de diriger et de contrôler les autres.
6. Apprendre à ne pas nous piquer au jeu.
7. Envisager courageusement le problème.
8. Cultiver ce qui cherche à s'épanouir en nous.
9. Devenir égoïstes.
10. Partager notre expérience.

La femme qui aime trop:

- se demande : «m'aime-t-il beaucoup?» plutôt que : «est-ce que je l'aime beaucoup?»;
- se préoccupe plus du plaisir de son partenaire que du sien;
- utilise son corps pour manipuler son partenaire;
- cherche à séduire à tout prix;
- confond anxiété, peur et souffrance avec amour;
- se méfie de ses propres sensations;
- tente de contrôler la situation;
- recherche – et fuit – l'intimité physique.

et, comme l'alcoolique:

- est obsédée;
- est dépressive;
- a des réactions violentes;
- nie la gravité du problème;
- pose des actes irrationnels;
- ment pour dissimuler les faits;
- a horreur d'elle-même, et se justifie;
- a des changements d'humeur inexplicables;
- éprouve de la colère, du remords, du ressentiment;
- souffre de maladies physiques reliées à la tension.

La femme guérie du trop aimer (*):

- tient à la sérénité;
- s'accepte totalement;
- renonce aux relations destructrices;
- n'a pas besoin de se sentir indispensable;

- se demande si une relation est bonne pour elle ;
- est consciente de ses émotions, de sa sexualité ;
- sait qu'elle mérite ce que la vie a de mieux à offrir ;
- ne se laisse pas exploiter par ceux qui se désintéressent de son bien-être ;
- se valorise elle-même plutôt que de dépendre d'une relation qui la valorise ;
- accepte les autres comme ils sont, ne tente pas de les changer pour qu'ils répondent à ses besoins ;
- recherche une véritable intimité, des valeurs et des objectifs communs avec un partenaire.

PIERRETTE

(*) Ne nous leurrons pas : nous ne guérissons jamais à 100 % du « trop aimer », ni des blessures d'enfance. En revanche, nous sommes plus avertis : s'il nous arrive encore d'entrer dans la souffrance, nous en sortons beaucoup plus vite. En outre, certaines « rencontres d'âmes » (voir Josette Stanké) supposent parfois un dévouement en alternance des deux partenaires, dont la guérison passe par une entraide mutuelle. Le jeu est alors « d'aimer trop » momentanément, en conscience et en confiance. Enfin, un déséquilibre suppose de traverser le déséquilibre opposé pour revenir à l'harmonie : ainsi, une femme qui aime trop passera par une étape très défensive et égoïste, nécessaire pour retrouver son moi ; après quoi, elle se détachera des théories pour écouter son cœur et son intuition. Car chaque voie est unique, comme chaque relation ou dynamique.

À lire

EVA ARKADY
Se libérer de la dépendance affective

PHOTO : COLLECTION DE L'AUTEURE

Retrouver la confiance en soi... voici le dada d'Eva Arkady qui, dans son premier livre *Oser être soi* (Éditions Jouvence) traque nos dépendances et tics cachés. Manifestement, Eva est tombée dans la potion maudite étant petite, et nous apprend, tout doucement et à notre rythme, à goûter d'autres saveurs... moins ensorcelantes et libératrices. Qui n'est – ou ne fut – dépendant ? Entendons ce que dit Eva Arkady : « Dans notre for intérieur pousse une fleur qui voudrait s'épanouir. » Écoutons notre cœur ; peut-être trouverons-nous, ainsi, la clé qui nous permettra d'y rentrer ?

P : Eva, raconte-nous ton histoire...

E.A. : J'ai été amenée au développement personnel suite à une relation de dépendance affective particulièrement longue et douloureuse. J'en ai connu les hauts et les bas, toutes les facettes, le contrôle, les jeux de pouvoir, les colères et la rage refoulées, les frustrations, les exigences, les sautes d'humeur, les ravages, les « bleus » au cœur, au corps et à l'âme. J'ai découvert que j'étais devenue quelqu'un que je ne connaissais pas, une étrangère dont me surprenaient les pensées, les attitudes, les comportements, les revirements, le degré démesuré de souffrance et la dépression. Je m'étais prise en horreur. Je ne me supportais plus. L'autre avait révélé de moi le combat intérieur que je me menais, la façon dont je me traitais, l'irrespect que je me témoignais. Je piétinais celle que j'étais, je niais mes besoins, mes désirs, mes sentiments. Je rejetais mon enfant intérieur. Je ne voulais pas entendre mon intuition. Je me détruisais, je me sabordais, je me culpabilisais.

P : Tu es allée jusqu'au fond...

E.A. : J'ai touché le fond... Je me suis sentie couler, et puis après bien des « je te quitte et je me laisse reprendre », j'ai décidé, quand la goutte a fait déborder le vase, de partir et de couper le cordon ombilical.

P : Quelles sensations t'animaient ?

E.A. : J'avais besoin de souffler, de me reprendre, de me comprendre et de saisir ce qui m'était arrivé. Mes amis m'avaient quittée, je me suis retrouvée complètement seule pendant quatre mois, face à moi-même et à toutes mes composantes. J'ai rencontré la solitude et ses affres, puis je l'ai acceptée et apprivoisée. Elle m'a beaucoup aidée.

P : Comment t'en es-tu sortie?

E.A. : Je me suis plongée dans l'apprentissage et la découverte de celle que j'étais, de mon enfance, des relations avec les parents. Je me suis lancée sur les livres de développement personnel pour comprendre mes mécanismes, et la gestion des émotions. Cette découverte a été et continue à être passionnante, captivante. J'ai compris que mon enfant intérieur était blessé, j'ai appris à l'apprivoiser, à lui parler, à l'aimer, à le respecter, à le chérir et à le gâter. J'ai constaté combien nous sommes tous uniques et formidables, combien nous avons tous des talents qui ne demandent qu'à être dévoilés. J'ai découvert l'amitié, j'ai appris à reconnaître et accepter la différence chez les autres, à m'accepter aussi telle que je suis, à me faire respecter d'autrui. Enfin, j'ai compris combien les automatismes, les schémas de pensée réducteurs et négatifs sont destructeurs. Bref, j'ai réussi à changer et je continue mon chemin dans le bonheur du moment présent.

P : Comment définis-tu la dépendance affective?

E.A. : Dans mon livre, je la définis comme une maladie. On a besoin de l'autre pour combler notre vide intérieur, notre mal-être et notre manque de confiance en nous. On donne son pouvoir de créer sa vie à d'autres. Notre bonheur sera fonction de ce que les autres auront décidé pour nous. L'autre nous permet ainsi d'échapper à nous-même, à cette personne qui n'est «rien», qui a honte d'elle, qui est bourrée d'angoisses et de blocages. En centrant sa vie complètement sur l'autre, on oublie qui on est, on évite de se remettre en question. La personne dépendante a d'elle-même une image terriblement négative. Le début de la fin, ou plutôt de la guérison, c'est quand l'autre repère en nous tout ce qui ne va pas. Nous commençons alors à nous étioler, nous perdons notre vitalité, nous tombons malades, ou entrons en dépression.

P : Quelles sont les origines de la souffrance affective?

E.A. : Elles se situent dans l'enfance, dans les rapports qu'on a eus avec les parents. Ont-ils cherché notre épanouissement, ou ont-ils tenté de nous contrôler? Bien souvent, le dépendant a «servi» à combler le vide d'un de ses parents. Le dépendant a vécu des relations déséquilibrées et malsaines, imposées inconsciemment par ceux dont dépendait sa survie lorsqu'il était enfant. Les parents ne savent nous transmettre que ce qu'eux-mêmes ont reçu...

Les livres « coups de cœur » d'Eva Arkady

Comment trouver l'âme sœur,
Daphné Rose Kingma, Éditions Modus Vivendi
L'Amour sans conditions,
Louise Hay, Éditions Vivez Soleil
La Petite Voix,
Eileen Caddy, Éditions de Mortagne
Aime-toi, la vie t'aimera,
Catherine Bensaid, Éditions Robert Laffont

P : Quels sont les symptômes de la dépendance affective ?

E.A. : Parmi les principaux symptômes, on trouve : centrer sa vie sur l'autre, dépendre entièrement de ce que l'autre dit et fait, dépendre du regard et des critiques des autres, tolérer l'inacceptable, manquer de confiance en soi et en ses possibilités, ignorer ses propres besoins au profit de ceux d'autrui. Avoir tendance à s'oublier, avoir honte d'être ce qu'on est, vivre dans le passé ou le futur, dans le stress, se préoccuper de détails futiles, dramatiser le sens des paroles ou des actes, être jaloux, possessif, dans l'attente, dans la colère, dans la frustration et la déception. Se sentir incompris ou ignoré.

Où écrire, où téléphoner?

Eva Arkady
49, avenue d'Argenteuil
1410 Waterloo
Belgique
Tél.: 32.2.353.19.09

P : Comment décide-t-on de s'en sortir ?

E.A. : En reprenant sa vie en mains, en la vivant de façon consciente, en ayant une démarche active et dynamique pour rechercher qui on est, comment on fonctionne et pourquoi. En posant des actes concrets (psy, livres, groupes)... En étant prêt à se remettre en question, en nous ouvrant à nous-même et aux autres d'une façon libre, sans jugement, critique ou condamnation. En acceptant d'être qui nous sommes vraiment, pas la personne que nous voudrions être.

P : Quelles sont les qualités nécessaires pour s'en sortir ?

E.A. : Pour moi, ce sont la volonté, le courage et la patience ; une très grande dose de patience envers soi et les autres. Voici les outils de notre reconstruction personnelle. La volonté et le courage sont en chacun de nous. La patience s'acquiert avec le temps. Autorisons-nous à nous donner du temps... nous découvrirons des trésors de patience. Acceptons de revivre les souffrances du passé, notamment de l'enfance. Allons voir un psy, participons à un groupe de soutien, voyons combien, en conscientisant nos blocages, nous pouvons arriver à changer de vie !

P : Comment retrouver des limites saines ?

E.A. : En érigeant des frontières personnelles, c'est-à-dire en nous protégeant contre les agressions, critiques, envahissements, jugements, et culpabilisations des autres. En maintenant ces pollutions relationnelles à distance, sans les faire nôtres. Apprendre à se connaître permet de créer, fortifier ou rétablir nos frontières personnelles, et de limiter les possibilités d'entrée des messages critiques des autres. Nous retrouvons confiance en nous, et nous nous faisons respecter.

P : Quelles sont les vertus de la solitude ?

E.A. : La solitude nous est donnée en cadeau, bien qu'au départ on ait plutôt tendance à la voir comme une ennemie ; de fait, elle nous oblige à faire face à nos faiblesses ! Intenable au début, elle devient peu à peu notre compagne. Elle est propice à notre évolution, favorise notre concentration sur notre développement personnel. Elle nous donne un espace-temps facilitant la découverte de nous-même.

P : Pourquoi le dépendant a-t-il tant de mal à cerner ses difficultés ?

E.A. : Parce qu'il n'est plus en accord avec lui-même, son ressenti, son énergie intérieure. Il n'est plus en contact avec son intuition et sa petite voix. Il est devenu un étranger pour lui-même. Il est pris dans un cercle vicieux, il est comme une mouche dans un bocal dont on aurait ouvert le bouchon. Habituée à tourner en rond, elle ne cherchera pas la sortie. Ayant perdu la notion du réel, le dépendant veut tellement que les choses fonctionnent comme il l'entend que sa seule possibilité est de plonger dans l'illusion. Le retour à la réalité est toujours très éprouvant.

P : La volonté naît, paradoxalement, de l'acceptation de notre état...

E.A. : En effet. Ce n'est qu'en acceptant ce qui nous arrive, en lâchant prise, qu'on se découvre une force qui nous pousse à nous dépasser, à vaincre nos peurs, nos blocages. Cette force est essentielle pour se libérer de la dépendance.

P : Comment apprendre à lâcher prise ?

E.A. : J'aime le lâcher prise ! Son pouvoir est formidable. Lâcher prise, c'est tout simplement accepter de ne plus rien contrôler, ni nous-même, ni notre vie, ni les autres. C'est s'en remettre à une force supérieure, en lui faisant totalement confiance. En sachant que tout ce qui nous arrive a un sens, bien souvent incompréhensible dans un premier temps pour nous, et que les épreuves, aussi dures soient-elles, nous cachent toujours un cadeau. À nous de voir ce que nous apprenons de ces expériences. J'ai longtemps cherché à comprendre (c'est-à-dire : à contrôler !) ce qu'était le lâcher prise. J'ai découvert son pouvoir «par hasard», en acceptant tout

simplement ce qui m'arrivait. L'issue ne dépendait plus de moi... mais de cette force supérieure. On reçoit alors le meilleur, qui nous permet de continuer à évoluer.

P : Comment reconnaître sa petite voix ?

E.A. : Nous avons tous une petite voix en nous. Cette petite voix, c'est ce que nous ressentons au plus profond de nous. Il n'y a qu'elle qui sache infailliblement ce qui est bon pour nous. Elle est la seule indicatrice en quoi nous pouvons avoir une totale confiance. Chaque fois que nous ne voulons pas entendre notre petite voix, nous nous retrouvons dans des situations qui nous font mal. Si nous apprenons à l'écouter, notre vie en sera grandement améliorée.

P : Comment devenir plus indulgent avec soi ?

E.A. : En arrêtant tout d'abord, et définitivement, de nous critiquer, de nous dénigrer, de nous culpabiliser, de nous laisser dominer par les autres. Mettons notre monologue intérieur négatif à la poubelle et remplaçons-le par du positif. Apprenons à nous occuper de nous, de nos besoins, de nos désirs, de nos rêves, du bien-être de notre corps aussi, de notre détente. Arrêtons de courir et donnons-nous du temps pour savoir ce qui nous fait du bien. Devenons tolérants à notre égard, apprenons à nous aimer tels que nous sommes.

P : As-tu lu *Ces femmes qui aiment trop?* Que penses-tu de cet ouvrage ?

E.A. : Le livre de Robin Norwood m'a révélé mon problème de dépendance affective. Je me suis surtout reconnue dans le schéma d'évolution de la dépendance. C'est grâce à cet ouvrage, d'ailleurs, que j'ai lancé mon premier groupe de soutien pour femmes qui aiment trop. Je recommande vivement *Ces femmes qui aiment trop* à tous ceux qui veulent sortir de la dépendance. J'aimerais d'ailleurs aussi citer Pia Mellody (*Vaincre la dépendance*/Éditions J'ai Lu), Daniel Pietro (*La Dépendance affective, ses causes, ses effets*/Éditions Québécor), Melody Beattie (*Vaincre la codépendance*/Éditions Pocket), et Joyce L. Vedral (*Rompre pour de bon*/Éditions de l'Homme).

P : Quelle est ta définition de l'amour ?

E.A. : L'amour est la plus belle force au monde. L'amour peut tout. Il n'y a plus de frontières, plus de limites. Nous sommes transportés : une force de vie nouvelle nous donne des ailes. L'amour permet de communiquer, de se respecter, de donner, de recevoir. Il est ouverture. Il est énergie.

À lire

Oser être soi,
Eva Arkady, Éditions Jouvence
L'Indispensable Aide-mémoire
de la femme avertie,
Eva Arkady (à paraître)
Vivre votre vie autrement,
Eva Arkady (à paraître)

LA PHOBIE DE L'ENGAGEMENT

Ces hommes qui ont peur d'aimer...

Feriez-vous partie de ces femmes dont le cœur s'enflamme pour un spécimen bien de notre époque : le gentil Peter Pan, éternel enfant qui, sous des dehors craquants et innocents, croque sans vergogne toutes les Wendy rêvant de lui restituer son âme perdue ?
Séduisant mais puéril, fantaisiste mais irresponsable, Peter, le garçon-qui-ne-voulait-pas-grandir, est un archétype masculin qui, ces dernières années, a le vent en poupe, et brise à la chaîne les cœurs des « femmes qui aiment trop ». Cependant, si cette race de mâles particulièrement fantasque sévit aujourd'hui, peut-être les guerrières qui les aimantent y sont-elles aussi pour quelque chose... Car, à force d'assumer à la place du petit d'homme, la guerrière le dissuade, tout naturellement, d'en faire autant.

Quel que soit le mal qu'il se donne, Peter n'arrivera jamais à la cheville de ces «femmes idéales», aussi douces que fonceuses, aussi sensuelles que créatives, qu'il fuit à toutes jambes dès qu'elles parlent engagement. Car pour lui, le salut est dans la fuite... Inutile de brandir sous son nez *Père manquant, fils manqué* ou *Ces hommes qui ont peur d'aimer (*)* ouvrages merveilleusement révélateurs qui lui font, en gros, le même effet qu'un chapelet d'ail à Dracula. Peter est déjà loin, taxant vos discours de réducteurs, et maudissant la «femme idéale» dont la lucidité lui fait si mal...

Incapable d'aimer, l'homme-enfant ne tombe amoureux que d'une femme distante, se plaignant que ses attentes ne sont pas satisfaites, mais redoutant au fond de lui la trahison suprême : que ses demandes soient finalement comblées, ce qui fausse le contrat de base, soit : « Je t'aime tant que tu me fuis. »

La «femme idéale» se perd dans ce dédale. Dut-elle lâcher son piédestal, et voilà le phobique en cavale, doutant soudain de ses sentiments. Triste dénouement... où chacun est perdant. Et qui sape les fondations mêmes de notre société.

Une dynamique insidieuse

La peur d'aimer est un fléau dont les effets sont dévastateurs, car la racine du problème se dissimule sous des mécanismes trompeurs. Ces «amours impossibles» peuvent durer des années, et duper les deux partenaires sur les forces en action. Chacun devient complice de l'autre, souffre cruellement dans son rôle et tente vainement de s'extraire d'un piège qui s'installe à son insu.

La peur d'aimer tue principalement pour deux raisons :

- Lorsqu'une relation amoureuse devient trop sérieuse, ceux qui craignent de s'engager commencent à se comporter de façon parfaitement irrationnelle ;
- afin de se rassurer, ces hommes cherchent des excuses, et les trouvent dans les «défauts» de leurs compagnes, qui cautionnent leur propre conduite.

L'instant où un homme prend la fuite dépend de ce qu'il considère comme sa limite d'engagement ; ce seuil représente une minute de vérité, celle où il lorgne en coin sa partenaire, et réalise qu'à moins de déguerpir illico, il se retrouvera piégé à jamais... Car il sait pertinemment que celle-ci est une femme extraordinaire, avec qui il pourrait se marier, et vivre heureux très longtemps !

Coincé entre son besoin d'amour et son incoercible frayeur, le phobique ne peut dissimuler le conflit qui le ronge. Au début de la relation, il paraît si stable que la femme n'y voit que dalle... et sait poursuivre sa proie avec une amoureuse persévérance jusqu'à ce que son cœur flanche, moment précis où l'alarme s'enclenche. Le séduisant protecteur revêt alors ses culottes courtes, et s'en retourne prestement à ses billes.

Un univers de contradictions

Le phobique est généralement un être perturbé et perturbant, tendre, sensible, pétri de nobles valeurs et d'émotions honnêtes... mais subtilement manipulateur et diablement ambivalent. Rien d'étonnant : il doit lutter contre les démons qui le mènent. D'un côté, il éprouve le besoin impérieux de s'engager, et de l'autre, lorsque cela arrive, il part sans crier gare. Les conflits qui le déchirent lui dictent des comportements types : critiquer tout et rien, dormir en grinçant des dents, se caler à l'extrême bout du lit, marcher dix mètres devant vous dans la rue, afficher une mine patibulaire, ou filer par la tangente.

L'anxiété provoque des instabilités énormes ; incapables de se fixer, certains phobiques sautent d'une femme à l'autre, d'un emploi à l'autre, d'une ville à l'autre. Les rêves abondent ; leur réalisation fait défaut. Toute structure, même souple, devient génératrice d'angoisse et de malaise...

Une panique incontrôlable

L'angoisse du phobique est comparable à celle du claustrophobe : la sensation de confinement ressentie est similaire à celle d'une incarcération. La peur de l'engagement est une phobie véritable, accompagnée de sa symptomatologie physique et psychologique : bouffées de chaleur, hyperventilation, sensation de suffoquer, arythmie, troubles d'estomac, transpiration excessive, sueurs, frissons... Collectivement, ces symptômes engendrent la désorganisation panique.

On ne comprend ce type d'homme que lorsqu'on réalise la profondeur de sa détresse : acculé, il ne peut accepter la situation, et rend tout le monde – plus particulièrement sa compagne – responsable de son mal-être.

Les comportements découlant de l'anxiété oscillent entre le combat et la fuite. L'ambiguïté de ce mécanisme est perceptible, car les doubles messages abondent : le phobique dit une chose et en fait une autre, échafaude des plans et les démolit aussitôt, fait des promesses qu'il ne tient pas, avance d'un pas et recule de deux...

Casser pour mieux partir

Les pires cas de phobie surviennent quand l'homme se sent pris la corde au cou. Pétrifié, il ne voit d'autre issue que le sabotage. Pour compliquer les choses, il n'est pas certain de vouloir s'en aller : il s'assure alors que la relation devienne tellement pénible qu'il pourra filer au moment opportun. Et comme nulle femme n'est parfaite... le phobique n'a pas à chercher bien loin l'élément apparemment rationnel qui accréditera sa disparition. Jamais cet homme ne trouvera la partenaire idéale : il manque toujours quelque chose ! Ce qui l'attirait, de prime abord, chez sa compagne, peut soudainement le rebuter...Voilà pourquoi Peter aime les femmes mariées ou celles qui vivent au diable vauvert. La distance soulage l'anxiété, et permet de laisser libre cours au romantisme.

La quadrature du cercle

Le phobique rêve pourtant de stabilité ; le conflit est donc insurmontable. Lorsque sa compagne effectue une manœuvre de retrait, il revient à sa vieille tactique de reconquête, avant d'être pris de panique une fois de plus. Et le cycle infernal recommence, mais en accéléré cette fois... Le phobique peut aussi tenter de contourner le problème en plongeant dans d'autres liaisons, qui l'étoufferont tout autant.

À moins d'être extraordinairement tolérante, sa compagne n'aura pas la moindre chance de remporter la victoire. Au contraire, la rage du phobique ne fait qu'augmenter, puisqu'il est convaincu que sa partenaire redouble de manipulations pour le retenir. Il se montre alors infect pour qu'elle prenne l'initiative de la séparation. Dans sa tête, la femme n'est qu'une geôlière, et il le lui fait payer très cher.

Triste constatation : un phobique aime généralement sa compagne, mais se montre hostile envers elle, tant il est convaincu qu'elle est responsable de son inconfort !

La détresse féminine

La femme souffre profondément quand elle constate un changement radical dans le comportement de son compagnon. Pour elle, c'est l'amour, et non la peur, qui est en cause. Comment un homme si épris peut-il perdre soudain tout intérêt ? Qu'est-il arrivé ? Est-elle responsable ? Comment cet être passionné est-il, d'un coup, devenu absent et absorbé par ses états d'âme ? Car le phobique peut mettre ses sentiments en veilleuse et se barder de défenses... Plus il se sent coupable, plus il est acculé, et plus il se détache ! Sauver sa peau devient son obsession ; il lui faut donc quitter la relation. En particulier si on lui propose des solutions. Après quoi, il rase les murs et s'efforce d'oublier l'aventure... La femme, elle, se ronge les sangs et cherche en vain des réponses.

Une seule issue: la clé des champs

Le phobique ne fuit pas sa compagne... mais répond à des pulsions aveugles engendrant une vision erronée de l'amour et de l'existence. Un prétexte justifie son départ : « tu ne réponds pas à mes attentes », « nous sommes incompatibles », « je suis malheureux » ... De fait, il est vraiment malheureux... car son ambivalence le dévore. Du coup, la femme culpabilise, se montre plus affectueuse. Hélas ! Pour un homme paralysé de peur, ces gestes bien intentionnés ont un effet détonateur : le phobique les interprète comme une tentative de resserrer l'emprise. Il enclenche alors le siège éjectable.

Le fond du problème n'est pas l'incompatibilité de caractères, ou la personnalité de la compagne : celle-ci aura beau maigrir, changer d'amis, de profession ou de coiffure, remodeler son corps et son esprit de mille façons, devenir cordon-bleu ou briller de mille feux, les choses ne feront qu'empirer... le phobique ayant maintenant moins de prétextes pour justifier sa fuite.

Les étapes de la relation

Premier acte : séduction à outrance, vous êtes sous le charme

Au début, Peter se montre ardent, têtu, romantique, emporté... mots enjôleurs, cadeaux princiers pour capter votre attention, et vous faire tomber dans ses filets. Il débarque en lion et se montre plus intéressé que vous à entamer une relation... Renversant l'une après l'autre toutes les barrières, il déploie la panoplie du parfait séducteur, dont la proie idéale est la guerrière inaccessible qu'il se met, lui, en devoir de conquérir. Avant, il jetait son bonnet par-dessus les moulins ; avec vous, tout sera différent, car vous êtes une femme exceptionnelle ! Conscient des points qu'il marque, Peter n'éprouve aucune difficulté à se montrer vulnérable ou à jouer l'intimité, car il ne songe qu'à lui-même. Il pense parfois sincèrement ce qu'il dit : il n'a jamais pu réussir de bonnes relations amoureuses, ce qui explique pourquoi il en cherche si désespérément une. Indice : son passé est justement une source d'information sûre... s'il sabotait ses anciennes relations, pourquoi s'imaginer qu'il agira différemment, à présent ?

Deuxième acte : l'amour conquis, sa phobie surgit

Le premier acte peut s'étaler sur des mois... mais prend brutalement fin lorsque le phobique s'éveille de son fantasme, en réalisant qu'il a gagné votre affection. Il habite avec vous, se sent désiré, vous aime sincèrement... et la perspective d'une relation durable se profile dangereusement ! L'angoisse le glace : comment sortir de l'impasse ? Deux issues : diminuer le temps que vous passez ensemble... ou vous trouver tant de failles qu'il se persuadera – lentement mais sûrement – que vous n'êtes pas la femme qu'il lui faut. De Cendrillon, vous voilà Peau d'Âne ; c'est la chute du piédestal. Trop cavalière, trop casanière ou trop téméraire... décidément, vous ne faites plus l'affaire ! Les qualités qui vous rendaient si précieuse vous font, soudain, hideuse. Sournoisement, la destruction s'installe : sorties ratées, projets avortés, bouderies prolongées, chassés-croisés, amis écartés, fugues inopinées... Peter abat les cartes, et concocte sa fuite en pensée.

Troisième acte : la folle cavale

C'est la finale : Peter veut se retrouver, changer de vie, déménager. Le beau prince s'est mué en crapaud, et tient de curieux propos : il veut du temps, de l'espace, a d'autres fantasmes... Il paraît triste et perturbé, opte pour le néant, devient indifférent, tâche de se convaincre qu'il ne vous aime plus... et tue la relation par usure et refoulement. Votre aide l'éloigne, car Peter refuse de voir sa réalité en face, et votre lucidité le menace. Jadis les fleurs, à présent le pot... Seule issue : prendre vos distances, et méditer de votre côté : pourquoi avez-vous choisi ce type d'homme ? Pourquoi vos efforts sont-ils à sens unique ? Pourquoi vous êtes-vous acharnée ? Voilà des pistes à creuser... Surtout, évitez de culpabiliser, car les accusations du phobique reposent sur des projections ; son salut, à son insu, étant de vous manipuler. Lui-même se sent vaguement imposteur, et la honte attise sa rancœur.

Antidote

Le mythe qu'un phobique peut changer grâce à l'amour d'une femme, et que vous êtes l'élue, est une aberration ! Son passé en dents de scie va se perpétuer, et il tient à lui seul de le transformer.

Votre lucidité et votre adaptabilité seront vos alliées pour reconnaître la problématique dont souffre votre compagnon. Vous choisirez alors de travailler, ou d'abandonner la relation (si des extrêmes la rendent sans issue).

La peur d'aimer est une infirmité qui se communique, et dévaste les «femmes qui aiment trop» ; la dépister est le meilleur moyen de se préserver ou, si cela vaut la peine, d'enclencher la guérison des partenaires à l'aide d'une thérapie.

Gardez à l'esprit que l'amour se reconnaît au plaisir et au bonheur qu'il procure, non au tourment, à l'obsession ou à la souffrance qu'il engendre... et qu'un partenaire sain ou une partenaire saine peut parler ouvertement de ses peurs et de ses conflits, tout en agissant réellement pour les résoudre.

PIERRETTE

À lire

Ces hommes qui ont peur d'aimer, Steven Carter et Julia Sokol, Éditions de l'Homme/
Éditions internationales Alain Stanké
Le Syndrome de la corde au cou, Sonya Rhodes et Marlin S. Potash, Éditions de l'Homme
Le Syndrome de Peter Pan, Dr Dan Kiley, Éditions Robert Laffont
Peter Pan grandit, Dr Dan Kiley, Éditions Le Jour
Père manquant, fils manqué, Guy Corneau, Éditions de l'Homme
Ces hommes qui ne communiquent pas, Steven Naiffen et Gregory White Smith, Éditions Le Jour
La Côte d'Adam, M. Geet Ethier, Éditions de l'Homme
L'Homme sans masque, Herb Goldberg, Éditions Le Jour

- Même s'il part de leur perspective, ce texte n'a pas pour but de défendre les «femmes qui aiment trop»! En revanche, il est destiné à montrer que la peur d'aimer et l'obsession vont souvent de pair, et se retrouvent chez les deux partenaires. Ainsi, un «homme qui aime trop» peut avoir une compagne qui craint l'affection... le schéma s'inversant lorsque le rapport de force bascule. L'obsession et la fuite s'éloignent de l'amour, qui est confiance et réciprocité. Celui qui s'acharne tente de subtiliser à l'autre ce qu'il ne peut développer en lui, tandis que le déserteur fuit sa propre image, qu'il entrevoit à travers son conjoint, et croit se renforcer par sa position dominante. L'acharnement et la phobie de l'engagement sont une même fuite de l'intimité.

Les «femmes qui aiment trop» et les «hommes qui ont peur d'aimer» sont devenus des clichés, représentatifs d'un malaise social et du post-féminisme. L'éveil des consciences joue déjà en faveur d'une dédramatisation et d'un rééquilibre. Aux deux sexes de se repositionner, d'asseoir leur nouvelle identité. Seule l'interaction aura raison des manques et des excès.

Remarque importante : un individu déborde toujours largement de tout concept qui tenterait de le définir... ce qui signifie que la dynamique relationnelle dépeinte ici ne représente, souvent, qu'une facette d'une problématique plus complexe. De même, elle suppose une interaction entre partenaires : il n'y a donc pas de «coupable», mais un problème complémentaire.

GÉRARD LELEU
La mâle peur

PHOTO : COLLECTION DE L'AUTEUR

La «mâle peur» … voici bien le mal du siècle, qu'aborde Gérard Leleu sur tous les fronts, dans le même langage fleuri que ses savoureux *Traité des caresses* et *Traité du plaisir*. Docteur en médecine, reconverti dans les médecines alternatives, auteur de nombreux best-sellers, Gérard Leleu se dit lui-même passionné par les relations hommes-femmes, fasciné par la féminité, amoureux de la sensualité, bon vivant et chercheur dans la lumière généreuse du Périgord. Qui, sans doute, donne à sa plume le velouté et la douceur des peaux qui se touchent sans peur…

P : Gérard Leleu, de quand date la «mâle peur»?

G.L. : La «mâle peur» est vieille comme l'humanité. Durant toute la période préhistorique – qui s'étendit sur plusieurs millions d'années – l'autorité de la femme prévalut : ce fut l'ère du matriarcat. La femme détenait des pouvoirs tout à fait extraordinaires : elle engendrait la vie au creux de son ventre (et l'homme ignorait alors son rôle de fécondant), elle nourrissait du lait de ses seins, elle procurait à l'homme, qui se joignait à elle, des voluptés à lui faire perdre la tête, à en devenir l'esclave, et elle-même alors entrait dans les transes les plus impressionnantes. La femme connaissait les plantes qui calment, endorment ou tuent. Elle élevait les enfants, régentait le foyer, voire dirigeait le clan, tandis que l'homme, absent, chassait au loin. Ses pouvoirs «magiques», alliés à ses rôles pratiques, faisaient de la femme la maîtresse de la vie et de la mort, et le chef de son cercle. Il n'est donc pas étonnant que les humains, quand leur vint l'idée qu'un être supérieur présidait à leur destinée, les créait et les faisait mourir, l'imaginèrent femme : ce fut la déesse-mère. Mieux qu'une peur, c'était une fascination que l'homme éprouvait pour la femme.

P : C'est alors que l'homme découvrit son pouvoir…

G.L. : Un jour, l'homme s'aperçut du rôle qu'il jouait dans la fécondation. Par ailleurs, les villages, en grossissant, devinrent des cités et, les champs convoités, il fallut des guerriers. Puissamment musclés et aguerris

**Les livres
« coups de cœur »
de Gérard Leleu**

Le Chemin le moins fréquenté,
Scott Peck, Éditions Robert Laffont
Pour une vie réussie, un amour réussi,
Arnaud Desjardins, Éditions La Table Ronde
La Sainte Folie du couple,
Paule Salomon, Éditions Albin Michel
Jamais seuls ensemble,
Jacques Salomé, Éditions de l'Homme

par la chasse au maniement des armes et à la tactique, les hommes étaient désignés pour ce rôle. Profitant de cette position de force, ils s'emparèrent du pouvoir. Ils organisèrent alors la société de façon à s'arroger toute l'autorité, et à maintenir les femmes en état d'infériorité et de soumission. Toutes les institutions et toutes les réglementations, tant civiles que religieuses, élaborées par l'homme, furent inspirées par la peur des pouvoirs féminins et par la crainte d'une révolte des réprimés. Voilà 10 000 ans environ que règne le patriarcat. Mais voyez comme, déjà, il se lézarde !

P : Quels moyens utilisent, dès lors, les hommes pour lutter contre les femmes ?

G.L. : Les hommes, ayant obtenu le pouvoir, vont tout faire pour le garder. La domination des hommes est un phénomène universel. Le gouvernement des cités et des nations, l'administration, la justice restent aux mains des hommes. La législation est cyniquement discriminatoire. L'accès à l'enseignement est interdit aux femmes. Toute participation à la puissance économique est refusée. L'argent donnant trop de pouvoir et d'indépendance, la femme est reléguée à des tâches subalternes et sous-payées. La famille, qui fut jadis son royaume, devient désormais sa prison, et l'élément de base de l'organisation patriarcale. L'homme, représentant Dieu et l'autorité administrative, en est le maître absolu. Il a le droit de châtiment, et même de mort sur les êtres : il a le droit de répudiation sur les épouses. La sexualité est sévèrement, voire cruellement réprimée : on voile les femmes, on les séquestre, on les mutile. La femme adultère encourt la peine de mort, alors qu'aucun châtiment ne sanctionne l'infidélité des hommes. Les religions, autrefois consacrées à la glorification de la féminité, deviennent le moyen le plus insidieux et le plus contraignant de répression de la femme. Elles utilisent, à cette fin, des règlements et des mythes, qui ont pour but de discréditer la femme, en la rendant responsable des malheurs de l'humanité : les Grecs désignent Pandore ; les Juifs et les chrétiens, Ève.

P : Où en est la répression de nos jours ?

G.L. : Actuellement, la « mâle peur » redoublant, la répression redouble également. C'est évident dans les pays où règnent les religions intégristes. C'est plus sournois dans les pays prétendus démocratiques. En réalité, les instances patriarcales ne cessent de faire de la « résistance ». Les responsables politiques n'offrent aux femmes que des strapontins. Les partis politiques eux-mêmes sont des clubs patriarcaux, voire machistes, quasiment fermés aux femmes. De nombreuses corporations limitent encore l'accès des femmes à certains niveaux. De toute façon, le salaire des femmes est inférieur à celui des hommes qui effectuent le même travail. Quand des licenciements sont décidés, les premières expulsées sont les femmes. La nouvelle répression, qu'elle soit officielle ou larvée, constitue une véritable contre-révolution antifemme et antisexualité. Apparue aux États-Unis sous le règne de Ronald Reagan, elle envahit l'Europe. Elle

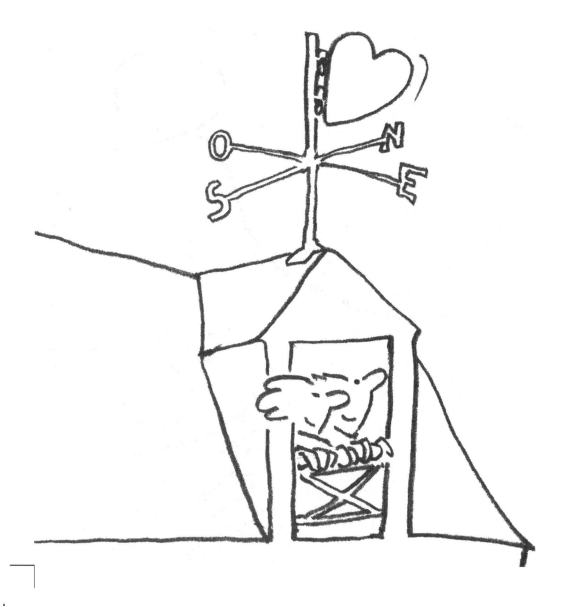

s'efforce de réduire de nouveau les droits de la femme, et le plaisir des sens. Ce mouvement s'appuie sur la contre-révolution libérale qui, à la faveur de la crise, remet à l'ordre du jour les vieilles valeurs conservatrices ; il bénéficie, en outre, du renfort des maladies sexuellement transmissibles qui contraignent les êtres à limiter leurs activités sexuelles.

P : Quelles sont les raisons de la «mâle peur»?

G.L. : Nous trouvons les peurs «magiques» qu'on pourrait croire archaïques, mais qui persistent toujours. Chez la femme, il y a ce pouvoir fabuleux de perpétuer la vie, de créer en son corps un nouvel être, et de le mettre au monde. Cela lui confère une puissance de fait sur ses descendants, et un rayonnement dans la société. Ce pouvoir, l'homme ne peut le lui enlever. Mais il y a plus : ce que redoutent surtout les hommes, c'est que les capacités féminines soient différentes des leurs. Le génie de la femme est autre : sa façon de penser, de sentir, ses relations avec autrui, ses rapports avec la nature et les animaux sont d'un registre complémentaire. Non seulement elle pourrait prendre la place de l'homme, mais pire, elle pourrait lui imposer une pensée et une société nouvelles. Plus que d'être bouleversée, l'organisation patriarcale pourrait prendre fin. Ce que craint l'homme par-dessus tout, c'est de perdre le pouvoir, la direction de ce qui l'entoure, et ses privilèges : choisir sa destinée, avoir la part du lion, être servi, se réserver des emplois, en particulier les emplois «nobles», être payé plus, pratiquer l'adultère sans être lapidé, etc. Alors il faut veiller à ne jamais abandonner une parcelle d'autorité aux mains des femmes. Or, la sexualité et l'amour, voilà bien ce qui risque le plus de le livrer à la merci des femmes !

Où écrire, où téléphoner?

La Colline Espérance
Gérard Leleu
Le Bourg
24220 Marnac
Tél.: (5) 53.28.19.58

P : Où en est cette peur aujourd'hui?

G.L. : La peur, elle, grandit. Pire : le progrès, lui-même, redouble la peur masculine. Alors que la femme conquiert toujours plus de droits, l'homme perd les moyens de la contrôler. La libération du statut de la femme, devenue l'égale de l'homme, le desserrement des pressions religieuse et morale, l'invention de moyens modernes de contraception constituent autant de menaces pour l'homme. Dans la cité, la femme a le droit de participer à l'administration, de voter et d'être éligible. Au sein de la famille, elle peut, autant que l'homme, choisir son conjoint, décider de le quitter, élire domicile, gérer les comptes. Au travail, elle peut prétendre à tous les emplois, même aux postes supérieurs ; elle sera donc amenée à prendre la place de l'homme, ou à le commander. Autant de droits gagnés pour la femme, autant de peurs supplémentaires spour l'homme. La peur du sexe de la femme, la peur de la sexualité féminine et la peur d'aimer, en un mot la peur de l'amour, persiste de nos jours. Le sexe de la femme inspire encore de l'inquiétude aux mâles, fussent-ils évolués, ou même savants : leurs réactions et leurs fantasmes ne sont guère différents de ceux de l'homme primitif. Les psychanalystes l'attestent, les confidences le confirment. Sidération face à l'ouverture d'où jaillit la vie ; angoisse devant le gouffre mystérieux ; appréhension à la vue de la béance dont on redouterait la voracité. Et, plus que jamais, la hantise des microbes.

P : La peur de la sexualité féminine est vive...

G.L. : La peur de la sexualité féminine s'accroît, car se desserre ce qui entravait l'activité sexuelle de la femme : la culpabilisation par le péché, la réprobation de l'opinion publique, la répression par les tribunaux, et la crainte d'une grossesse – contraception et interruption volontaire écartant celle-ci. Plus : la femme a droit au plaisir, les sexologues le proclament. Plus encore : la femme peut disposer de sa vie, de son corps comme elle l'entend, la loi l'a décrété – elle peut divorcer par exemple. Désormais, la femme a la faculté d'épanouir sa riche sensualité avec qui elle veut, quand elle veut. Alors, s'enfle la peur masculine d'être épuisé, car l'amour, c'est toujours fatigant, et le travail, dans cette société industrielle et libérale, exige de plus en plus d'énergie. Dès lors, culmine la peur de ne pas pouvoir satisfaire une femme « libérée ». Assurer le bonheur érotique de la femme demeure, pour beaucoup, une mission difficile, sinon impossible, car la sensualité féminine est toujours aussi complexe que riche.

P : De là cette peur d'aimer...

G.L. : La peur d'aimer est plus vive que jamais. La peur d'aimer, pour l'homme, c'est la terreur que les sentiments que la femme déchaîne en lui n'aspirent ses forces et ne mangent son temps. Il craint d'être englouti « affectivement ». C'est aussi la peur que son désir pour une femme n'aliène sa liberté. Qu'envoûté, il ne se laisse mener par le bout du nez, bref qu'il devienne l'esclave de cette femme. Car le plaisir qu'elle procure, c'est la possession absolue, et la dépossession totale. Être à la femme, c'est ne plus s'appartenir. La passion conduit à la soumission. En réalité, derrière toutes ces peurs, il y a la

peur suprême : celle de perdre le pouvoir. Tout oppresseur vit dans la crainte de la révolte des opprimés.

P : Comment se traduit le « mâle être » ?

G.L. : Les conséquences de la « mâle peur » et de la répression de la femme sont terribles, tant pour les individus que pour les couples et la société. La femme doit, non seulement, renier sa sexualité, mais il lui faut, également, renoncer à des pans entiers de sa personnalité : sa sensualité, bien sûr, mais aussi sa part d'initiative, d'action, d'autorité, de création. De plus, elle est tenue de jouer les rôles, toujours les mêmes, que l'homme lui assigne. L'homme, quant à lui, restreint de lui-même sa vitalité sexuelle, et étouffe délibérément certaines composantes de son psychisme : sa sensualité, tout d'abord, sa sensibilité et son affectivité. Parallèlement, il se contraint à jouer des rôles dans le registre de l'agressivité. Au total, l'homme est un être « mutilé ». Du reste, mutilé, l'homme l'est doublement, car il est aussi privé de ce que la femme aurait pu lui apporter s'il ne l'avait censurée : d'autres façons de penser, de sentir, de voir, de jouir, d'organiser. L'homme s'est coupé du meilleur moyen de s'épanouir et de s'équilibrer. Il a perdu un supplément d'être. Quant aux couples, c'est miracle s'il en est qui constituent une association harmonieuse. Le plus souvent, l'homme a fait du couple le champ clos d'une épreuve de force, et un lieu d'asservissement. Une société constituée d'individus aussi frustrés, et opposés, ne peut être ni harmonieuse, ni paisible. En effet, si les hommes sont solidaires quand il s'agit de dominer la femme, ils s'affrontent à leur tour au moindre prétexte. Comme s'ils devaient reconduire les rapports de domination qu'ils imposent aux femmes vis-à-vis de leurs semblables ! Le rejet de leur propre sensibilité et de celle de leur compagne – en un mot, de la féminité – génère une formidable insécurité chez les deux sexes. L'homme ne doit son «mâle être» qu'à lui-même, et à la société masculine qu'il a forgée.

P : Comment guérir de la «mâle peur»?

G.L. : Le noyau de la «mâle peur» étant la crainte de l'homme de ne pas savoir satisfaire la riche sexualité de la femme, il est donc impérativement indiqué que l'homme apprenne l'art d'aimer, et de combler sa compagne. Cet art consiste à corriger les nombreuses dissymétries qui existent entre la sexualité féminine et la sexualité masculine. L'homme, par exemple, apprendra à maîtriser son érection et son éjaculation, ainsi qu'à étendre l'échange sensuel à toute la surface de la peau et à tous les récepteurs sensoriels ; sans oublier la chaleur de la tendresse, les scintillements des fantasmes, et les joies du dialogue amoureux. Sur le plan de la personnalité, c'est en renonçant à la domination que l'homme se libérera de sa peur. Car c'est son appréhension de perdre l'autorité qui entretient la terreur. En acceptant de partager le pouvoir, l'homme vit authentiquement, en accord avec lui-même. À la guerre, alors, succède l'alliance. L'abandon de la domination ira de pair, chez l'homme, avec l'épanouissement de son anima. En développant sa part sensible et sensuelle, il se rapprochera de la femme, sera à même de la comprendre, et de s'accorder avec elle.

P : Comment voyez-vous l'homme nouveau?

G.L. : Pour en finir avec une civilisation qui n'a pas réussi à donner le bonheur, aussi bien à la femme qu'à l'homme ou à la société, il est indispensable que l'homme

change. Cette métamorphose a commencé, et sous nos yeux naît un être nouveau. Le nouvel homme s'efforce d'épanouir son pôle féminin. Libérant son affectivité, il s'autorise à ressentir pleinement ses émotions et à les exprimer naturellement, même celles dont il avait honte : ses peurs, ses tristesses, sa tendresse. Il sait qu'être tendre, ce n'est pas être mou ou faible, qu'il peut avoir des muscles d'acier et des gestes de soie, une volonté de fer et un cœur de velours. Aussi, l'homme nouveau aime donner et recevoir de la tendresse. Sa vie en est transformée, car la tendresse est l'antidote des stress et le contrepoison des agressions qui assaillent ses sens et ses nerfs. La vie du monde en sera transformée aussi, car la tendresse atténue l'agressivité, et la cruauté fondamentale de l'espèce humaine qu'encourage le système patriarcal. L'homme nouveau développe également sa sensibilité et sa sensualité. Il sait écouter les vibrations de son corps et en jouir sans restriction. Bref, il est plus ouvert aux bonheurs de ses sens. En amour, l'homme nouveau est tendre avant tout. Et inventif. Plein d'humour. Il écoute attentivement sa compagne, et la comprend réellement. Il s'enquiert de ce qu'elle souhaite, pense et sent. Il parle, se dit, et ose demander. Il aime les joies de l'amour : mais il a le droit de ne pas bander automatiquement, de ne pas pénétrer systématiquement ; et celui d'être caressé et cajolé. L'homme nouveau cultive son pôle masculin dans ce qu'il a de plus bénéfique. De son agressivité, il fait une combativité qu'il met au service de causes bonnes ; de son esprit de domination, une force de caractère qui lui permet d'affronter les difficultés ; sa soif d'entreprendre s'oriente, ainsi, vers des buts valables. Sa virilité redevient synonyme de courage, de vigueur, de noblesse. Les domaines où peuvent s'exercer les qualités masculines restent immenses !

P : Que peut faire la femme pour aider l'homme ?

G.L. : Pour que les êtres puissent progresser, et la société changer, il fallait que la femme se libère, autrement dit qu'elle se donne la faculté d'épanouir son animus – sa part active, voire autoritaire, initiatrice, créatrice, conquérante. Plus tard, on s'est aperçu que les choses ne changeraient vraiment que si l'homme, à son tour, se libérait, c'est-à-dire se dégageait des pressions qui l'obligent à étouffer son anima – sa part tendre, sensible, sensuelle. Mais il fallut bien constater que rien ne changeait encore, et que les relations entre les êtres, et particulièrement entre la femme et l'homme, relevaient toujours de l'épreuve de force : un nouveau déséquilibre était apparu. Alors que l'homme tentait de baisser sa garde, en acceptant son anima, les femmes, elles, devenaient agressives en exagérant leur animus. En réalité, la femme « libérée » ne faisait qu'imiter l'homme ancien dans ce qu'il avait de pire : le besoin de dominer, le matérialisme, l'exploitation des autres, l'agressivité, la cruauté. Or, ce n'est pas en jouant au mec que la femme va améliorer la société, car alors elle ne fait que reconduire les travers du patriarcat. Il est donc souhaitable que la femme qui libère son animus ne l'hypertrophie pas pour autant, car l'homme sera contraint d'entretenir sa propre hypertrophie. Et souhaitable que la femme libérée n'oublie pas son anima, sous peine de voir l'homme continuer à étouffer la sienne. Le vrai progrès surviendra lorsqu'en chacun l'animus et l'anima s'équilibreront. La fin de la guerre des sexes, et de toute guerre en général, est à cette condition.

P : Où se situent les zones d'incompréhension majeures dans les relations hommes-femmes ?

G.L. : Je vois quatre points litigieux principaux : le partage du pouvoir, la répartition des tâches, le degré d'autonomie, la liberté affective et sexuelle.

P : Comment grandir en amour ?

G.L. : En grandissant, tout simplement ! En ne confondant plus « je t'aime » et « aime-moi », c'est-à-dire le besoin d'être aimé et le don d'amour. En se débarrassant des projections et des illusions des premiers temps, de façon à aimer l'autre dans sa vérité, et non plus d'après son image. En sachant qu'il n'y a d'amour sans communication, et en particulier sans écoute des besoins de l'autre. En prenant conscience que l'amour dans la durée ne peut s'appuyer sur les seuls sentiments, qu'il y faut un engagement qui relève du don d'amour, et qui exige au quotidien de la volonté et de la vigilance.

À lire

La Mâle Peur,
Gérard Leleu, Éditions J'ai Lu
Le Traité des caresses,
Gérard Leleu, Éditions J'ai Lu
Le Traité du plaisir,
Gérard Leleu, Éditions J'ai Lu
Le Traité du désir,
Gérard Leleu, Éditions J'ai Lu
Fidélité, infidélité,
Gérard Leleu, Éditions Flammarion

À vivre

Les activités de la Colline Espérance.

LE PARADOXE DE LA PASSION

Les jeux de pouvoir dans la relation

*Soyons défaitistes : aujourd'hui, un couple sur deux capote,
et les divorces montent en flèche au hit-parade des fléaux du siècle.
Soyons optimistes : si la dynamique amoureuse
s'enseignait dans les lycées, nous aurions tout à y gagner !
Car, depuis Cro-Magnon, les jeux de pouvoir
sont inévitables dans une relation. Ceci dit,
depuis Cro-Magnon – aussi – les «victimes» ne sont pas
forcément innocentes, et les «bourreaux» des monstres sans cœur !
Le secret des couples – heureux – qui durent :
ils ont trouvé la juste mesure, et vivent le pouvoir
en alternance. Conciliant Éros et Agapè, sagesse et romance.*

Le marché nous bombarde d'ouvrages expliquant, abondamment, le pourquoi de nos dysfonctionnements affectifs... et qui, cruelle abstinence, passent sous silence l'interaction puissante et invisible qui déboussole les couples les plus unis.

« L'un est toujours plus amoureux que l'autre », conclut-on, en attribuant la dynamique aux forces cosmiques. De fait, l'amour répond aux lois physiques...

Constat numéro un : nous savons tous que les délices et délires des premiers moments ne peuvent durer éternellement. Ce qui n'exclut pas un « quotidien exaltant ».

Constat numéro deux : méconnaissant la dynamique amoureuse, un partenaire se trouve plus épris, et c'est le début du déséquilibre. Tandis que le « dominant » prend ses distances, le « dominé », craignant d'être rejeté, met les bouchées doubles pour séduire sa « moitié ». La fuite du premier étant directement proportionnelle à l'acharnement du dernier.

Constat numéro trois : le sentiment amoureux – Éros – n'a rien à voir avec l'amour – Agapè – : tandis que l'un est constance, l'autre est biochimiquement lié à la perte de contrôle. Et pourtant, Éros et Agapè, passion et raison, sont aussi indispensables à la survie du couple évolué.

La preuve : un conjoint sur deux trompe son partenaire et va chercher l'Éros auquel il a droit...

À nous d'être malins, et d'obéir aux injonctions de la nature. Soyons amis, mais surtout restons amants. Soyons unis, mais faisons-nous la cour, comme les oiseaux en amour. Seule façon de sortir du circuit : éternel dominant ou perpétuel dépendant, et de jouir chacun autant.

À proscrire : les thérapies qui préconisent un rapprochement du couple, et pénalisent le dominant. Culpabilité et étouffement ne font jamais revenir l'amant.

À prescrire : la compréhension commune des mécanismes sous-jacents.

La vie est nulle sans bulles

« Tomber amoureux » donne à notre vie le faste du technicolor. Cette sensation de chute est justement à l'opposé de l'amour, qui croît en constance. Or, nous avons besoin des deux : du ciment et du piment.

Comme dit Guy Corneau, la friction des contraires est source de vie, de puissance et de magie.

Déjà, nous le savons : incompatible n'est pas français...

La passion, liée à l'ego, est définie comme «une affectivité violente nuisant au jugement» embrouillant les circuits reliant cœur et esprit. Nous la nommons «sentiment», alors qu'elle n'est que paradoxe.

La passion envoie un cocktail explosif dans nos hémisphères : un flux de substances chimiques, proches des amphétamines, qui nous stimulent, calment la douleur, et accroissent le plaisir. L'excitation provient – mais oui – du rejet possible : il n'est, en effet, de sensation plus pénible, plus blessante, plus angoissante que celle d'être «plaqué».

Avouer notre amour constitue donc une étape clé, un climax passionnel et un risque majeur. Qui suppose d'avoir reçu, du partenaire, moult indices d'attachement. Car, accueilli sans réciprocité, l'aveu nous rend apeuré... l'autre prend alors le contrôle.

Je te tiens, tu me tiens par la barbichette...

Oserons-nous nier que, chacun et chacune, nous désirons le pouvoir, bien que nous répugnions à l'admettre? Et pourtant, il est logique – et sain – de s'assurer un minimum de contrôle dans une relation, par des moyens positifs.

Surtout quand s'installent les prémices du déséquilibre. Facteurs déclencheurs : séduction inégale, circonstances difficiles, opposition des personnalités... Déjà, à ce stade, il suffit de comprendre la dynamique pour éviter les cuites.

À retenir :

- Dans un couple sain, le pouvoir alterne, et les deux partenaires sont à peu près aussi amoureux.

- Dans le couple dysfonctionnel, le «pouvoir exécutif» appartient à celui qui est le moins impliqué affectivement. Même si le «pouvoir apparent» est aux mains du dépendant.

Et le prince devint crapaud...

La balance penche maintenant d'un côté.

«Bourreau des cœurs!» accuse-t-on le dominant. Qui culpabilise et s'insurge : lui aussi désire s'investir. Mais pas contre nature, ni contre son désir.

Le dominant, comme le dépendant, est victime des forces en action. Si le second souffre du rejet, le premier ressent de la détresse : mélange de colère, de rancœur, de désarroi, de doute et de frustration. Il sait, par expérience, que le «désamour» fait mal, et hésite à porter le coup fatal. Il redoute, aussi, la solitude... et les futures incertitudes.

Premier signe de naufrage : l'abandon, par un partenaire, des conduites de séduction. Tandis que l'autre – erreur fatale – redouble d'attention. L'écart se creuse; quoi de plus normal! L'amant qui coupe nos élans devient, du même coup, remède contre l'amour...

Mais la passion rend aveugle : le dépendant est plein d'ardeur! De prince, le voilà crapaud; ses qualités se font défauts... Démystifié, l'imposteur perd tout attrait physique, provoque le désengagement de l'autre, déchaîne les forces cosmiques.

Au crapaud de retourner la vapeur; de redevenir charmant. Si, du moins, il est encore temps.

À éviter : les «solutions» proposées par le dominant, qui enchantent son partenaire et entretiennent le paradoxe, soit : changer de coiffure, de vêtements, suivre un régime amaigrissant. Le zèle du dépendant précipite sa chute : il perd non seulement son attrait, mais aussi son QI. Inutile de multiplier fantasmes ou gadgets : l'érotisme, maintenant, a disparu. Et quand le désir disparaît, il ne revient jamais. Dixit Salomé.

Le silence est devenu le rempart du dominant, qui se sent coupable, et furieux de l'être. Il n'aime plus, ne désire plus, il trahit, il a honte, il fulmine et devient méchant... pour éloigner le dépendant. Piégé, il s'évade en pensée, ensuite pour de vrai.

L'un devient «salaud», l'autre «victime». Et pourtant... en essayant, inconsciemment, de rendre ses esprits à son partenaire, le dominant tente un ultime sursaut. Manque de pot : sa colère accroît l'insécurité du dominé, et augmente sa fringale. Spirale infernale...

Seules coupables : les dynamiques de la relation. C'est en les comprenant que le dominant, se sentant moins strangulé, reprendra espoir. C'est en cessant, paradoxalement, de se reprocher son manque d'amour qu'il se donnera une chance de le ranimer. Le détachement fait merveille...

Un coup oui, un coup non

L'ambivalence, par définition, est l'attirance et l'aversion simultanées pour un objet, une personne, une action. Le «pour» est égal au «contre». Le dominant se torture : «Que fais-je donc là? Quid du célibat, d'une variante, du sida? Et si mieux m'attendait ailleurs?» «Non», dit la raison, «Oui» rétorque le cœur...

Va-et-vient du pendule...

Sous sa forme bénigne, l'ambivalence peut prendre l'aspect d'un éloignement. Dans sa forme grave, elle paralyse le dominant. Piégé par Agapè, féroce, ce dernier veut de l'Éros. Aime-t-il encore? En tout cas, il ne vibre plus. La perspective du mariage lui semble aussi séduisante qu'un séjour à Alcatraz. Victime de démence passagère, le dominant a de spectaculaires variations de caractère, qui rendent fou – de passion – son partenaire.

À proscrire : les fausses solutions ; mariage forcé, infidélité, bébé.

À savoir : la séparation provisoire est souvent illusoire ; c'est une façon de mettre fin, en douceur, à la relation. À moins qu'elle ne provoque une surprise, puisque, lorsque le couple se défait, les dynamiques se modifient!

Comment voir, alors, si le dominant resurgit par amour, ou sous l'effet du paradoxe? Car, à nouveau libre, l'autre redevient séduisant ; le pouvoir a changé de camp! Le couple revit les étapes en accéléré, pour mieux se séparer...

Autre possible : Agapè prend le pas ; sécurisé, le dépendant retrouve son sourire, sa personnalité, la relation se rééquilibre.

En résumé : si la compassion est l'ennemie de la passion, Éros peut renaître, à condition de travailler sur les dynamiques.

Ainsi sonne le glas...

La passion à sens unique est fatale...

L'obsession altère les perceptions du dépendant qui, embrassant son prince charmant, étreint maintenant un roi. Tandis que l'autre, distant, enlace un crapaud.

Rendez-vous annulés, froideur affichée... les symptômes de détachement se multiplient, et le dépendant ne peut les ignorer. Il entre dans une phase crépusculaire. Le moindre signe d'intérêt déclenche des sursauts d'espoir. L'existence prend un sens tragique, exaltant. La situation devient franchement aphrodisiaque.

Quadrature du cercle : en gommant sa personnalité, le dépendant s'ôte toute chance de succès. Or, il ne veut rien écouter : c'est -justement- à travers l'autre qu'il veut se retrouver !

« Sois naturel », lui enjoint le conjoint. Le dominé vit un drame. Forçant la gaieté, le voilà paralysé. Au lieu de se montrer tel qu'il est : naturellement attristé, il contrefait la jovialité.

S'il pouvait comprendre... que le meilleur moyen de reconquérir un partenaire est de ne pas essayer !

Ses « solutions » épuisées, le dépendant est déprimé, et paniqué. Ses émotions sont dissonantes : d'un côté, il souffre profondément. De l'autre, il désire d'autant plus qu'il se sent en danger. « Pars », lui souffle la raison ; « Reste », hurle son cœur ! Avec lui, c'est la misère ; mais, sans lui, c'est le désert !

Les émotions sont toujours saines : c'est leur gestion qui pose problème. L'évitement, ou le recours aux « stratégies » ne fait qu'aggraver l'affaire, et les conduites contradictoires. Sans changer le fond de l'histoire.

Un coup de barre... et ça repart!

C'est fait : le dépendant est largué. C'est le choc, le déni, la mort psychologique. Le corps vit au ralenti. Viscérale, la douleur irradie. Elle se projette au-dehors : la « victime » se sent soudain proche de toutes les tragédies ; elle prise la musique triste, les films déprimes, la poésie mélancolique !
Pour tous, « c'est la faute au bourreau ». Et pourtant, il y a bien partage des rôles ! Dans le couple, la faillite est affaire de dynamique... (1)

Comment combler le vide ? Car l'autre est parti, emportant avec lui l'énorme investissement affectif.

Le dominé a enfin sa chance : celle de progresser.

D'abord, il régresse. À lui l'autopunition, les dépendances, les lettres vengeresses. À lui les «boucs émissaires», les fantasmes de veuvage, les «recettes pour ranimer la passion». Cap sur les papillonnages et les boulimies qui, comblant le vide, accentuent le mépris : de soi et d'autrui.

Plus dure sera la chute...

Le déprimé opte alors pour les solutions structurantes, qui détournent son attention : haro sur les œuvres humanitaires, les voies spirituelles.

Toucher le fond est toujours bon : ne pouvant tomber plus bas, la «victime» remonte progressivement. En route vers l'autonomie !

Surprise : le dépendant, à son tour, hérite de l'ambivalence : une fois centré, il voit, enfin, l'autre comme un simple mortel, et se demande parfois s'il l'a jamais aimé...

L'un veut, l'autre pas

L'erreur ultime consiste à écouter les thérapeutes qui prescrivent «plus d'intimité». Cadeau inespéré pour l'un, empoisonné pour l'autre. Car le dominant a besoin de distanciation, et cette solution renforce, chez lui, colère et culpabilisation.

Frustré, le dominé «milite pour l'intimité». Qu'il voudrait gagner sans évoluer ! Tandis que l'autre se sent incompris, et vexé : pourquoi devrait-il s'amender ?

Les deux partenaires sont victimes du paradoxe. Le soulagement survient lorsqu'on leur expose, avec neutralité, la dynamique qui les éconduit. Entendu, non condamné, le dominant se sent mieux et peut espérer un retour d'affection.

On sort, ainsi, du fatal : «Les hommes sont tous des salauds, les femmes sont toutes des garces», qui polarise les rôle sexuels et rend un sexe dépendant. Discours vain, car moralisant.

Un coup de baguette... voici la fée Clochette!

La magie des débuts peut-elle renaître? À votre avis?

Si l'amour est durable, l'état amoureux est, lui, tout relatif : il va et vient en fonction des dynamiques relationnelles.

En modifiant les forces destructrices qui déséquilibrent un couple, on provoque des revirements inattendus. Et exaltants. Même si l'un doit admettre qu'il doute, et l'autre pas assez.

En s'éloignant, le dépendant devient plus autonome et donc, plus attirant. Son partenaire retrouve ses sentiments, endormis momentanément.

Et, s'il est vrai que la passion haletante ne dure pas, les sentiments partagés dans un nouvel équilibre sont charmants. Car chacun a repris ses affects, donnant au piment une chance de renaître.

Solutions pour les partenaires : se distancier, se recentrer, dédramatiser. Choisir le moment – et l'endroit – pour pactiser. Dire son ressenti sans accuser. Reconnaître les rôles joués. Avouer l'inavouable : «Oui, j'ai la tête ailleurs, oui j'ai parfois envie de t'égorger». (2) Ne plus combattre l'autre, mais s'allier contre une nouvelle entité, soit les forces en activité.

Laissant son affect de côté – ou chez le psy – le dépendant retrouve son pouvoir sur la relation. Il maîtrise ses pulsions.

Du coup, l'autre n'est plus Barbe-Bleue : moins coupable d'être distant, il est moins dominant, et plus proche du dépendant. Le manque de flamme devient le symptôme – et non plus la cause – du déséquilibre. Heureuse perspective...

À savoir : si le déséquilibre est chronique, l'obstacle est alors le partenaire, qu'il convient de remplacer par un conjoint mieux adapté. C'est, hélas, souvent le cas des jeunes mariés, dont l'un évolue plus vite ou différemment, provoquant des frictions permanentes. Consolation : les mariages tardifs sont, généralement, plus durables, et épanouissants!

Suspense, es-tu encore là?

Et le mystère qui fait le sel du couple? Sublime découverte : dire son ressenti engendre la complicité, la confiance... et un trouble agréable, plus charmant que l'originel piment! Car l'insécurité des premiers temps est remplacée par la délicieuse incertitude liée à l'évolution des partenaires.

Incroyable mais vrai : quand on débarrasse la relation de ses aspects destructeurs, on assiste à la naissance d'une «passion positive», plus fraîche et idyllique que les palpitations du grand écran. Qui se mérite... car elle résulte d'un long cheminement.

Les clés ? Être soi-même. Communiquer. Éviter les phrases assassines : «Que fais-tu avec moi, qui suis un piètre sire ?» Rire de la dynamique, merveilleuse façon de diminuer son emprise. Et, surtout, rester spontané : ne parler psy qu'à faible dose, de préférence avec l'aide d'un professionnel, ou d'un groupe de soutien. Sous peine de voir le conjoint – à nouveau – détaler comme un lapin.

Quant aux couples gravement atteints, le constat d'échec est, en fait, une réussite : laissons là le passé pour un meilleur destin !

Le dépendant est sur les dents

Ce qu'il peut faire :

- Accepter de changer ; non attendre que «l'autre change». Plus on insiste, plus l'autre résiste, dit une loi cosmique. Tandis que modifier son comportement change, automatiquement, la dynamique.

- Rompre. Plus on prend des risques pour une relation, plus on a de chances de la sauver. Tandis que la dévotion produit l'effet résolument inverse.

- Exploser. Une bonne colère est toujours salutaire.

- Se distancier. Investir ailleurs : dans sa raison d'être, par exemple. Abandonner le contrôle de l'autre pour découvrir le contrôle de soi.

- Récupérer ses affects. D'un coup, on atteint deux objectifs : retrouver son moi, et son partenaire.

- Faire l'inventaire : «Où suis-je ?» «Où vais-je ?» «Que dois-je comprendre ?»

- Temporiser : faire un pas en arrière, puis deux en avant.

- Avouer ses peurs : «Je voudrais que ça dure entre nous. Si tu as besoin d'être seul, dis-le moi.» Manière élégante de combiner autonomie et intimité.

- Cesser de croire que chaque geste est déterminant pour l'avenir de la relation.

- Expliquer : l'autre doit savoir pourquoi on pratique la juste distance, et pourquoi il doit l'accepter.

- Persévérer ; le partenaire qui s'oppose à l'éloignement a besoin de contrôler l'autre, à cause de son insécurité.

- Définir ses limites. Dire ce qu'on attend de la relation. Si les personnalités sont inadéquates, négocier des compromis, ou rendre les clés.

- Poser un ultimatum : «À moins que nous ne puissions changer tous les deux, je pense qu'il vaut mieux nous séparer.» Sachant que l'ultimatum est un traitement de choc, non un agent de transformation profonde.

La rupture est consommée ; avant de mettre la tête dans le four, le dépendant peut :

- Se ménager. Dépasser la phase aiguë de la douleur. Savoir que travailler sur soi en pleine crise émotionnelle est peine perdue.

- Compter ses amis. Compter sur ceux qui l'aideront à revenir à lui.

- Accepter. Vivre la solitude, et le kaléidoscope des émotions refoulées.

- S'apitoyer (sur soi). Crier sa douleur, sans honte et sans retenue.

- S'accrocher à la réalité. Gérer le «catastrophisme» et l'«état d'hypnose».

- Devenir son propre ami. Se conseiller, comme s'il s'agissait d'autrui.

- Admettre : que le paradoxe plonge dans la réaction, non dans l'action. Que le moi s'est égaré.

- Repérer : les réactions de dépendance, pour les abandonner.

- Guérir : par le ressenti, la réflexion et l'action.

Le dominant grimpe au plafond

Ce qu'il peut faire :

- Arrêter de se torturer. Non, il n'est pas Mr Hyde. Oui, il est pris dans l'engrenage.

- Accepter ses sentiments et les exprimer : colère, ennui, frustration, étouffement, désir d'un amour plus passionné.

- Reconnaître qu'avoir les pleins pouvoirs sur la relation ôte, précisément, tout le pouvoir d'être amoureux.

- Déculpabiliser : voir les problèmes de fond.

- Diriger sa colère contre la cause première : l'interaction entre partenaires.

- Imaginer : le conjoint au top de sa forme. Repérer les dysfonctionnements dus à la dépendance.

- Garder un ticket sortie : la liberté est chérie.

- Tenter un rapprochement : rassuré, le dépendant sera moins en demande.

- Avouer ses points faibles : la vulnérabilité fait renaître la complicité. Le lâcher prise provoque des surprises !

- Patienter : les dynamiques du paradoxe sont puissantes, et nécessitent du temps pour être surmontées.

En résumé :
QUAND LES DEUX PARTENAIRES COORDONNENT LEUR ACTION : RAPPROCHEMENT ET JUSTE DISTANCE, LE PARADOXE SE TROUVE ATTAQUÉ SUR LES DEUX FRONTS, ET PERD SON POUVOIR DANS LA RELATION.

Rompre ou ne pas ?

Disons-le tout net : il n'y a pas de règles ! Si certains couples, gravement déstabilisés, surprennent leur entourage en se réconciliant, d'autres, apparemment faits pour la vie, se séparent sans crier gare.

À savoir : si la méthode du « pour » et « contre » fonctionne bien pour le choix d'un lave-vaisselle, elle est parfaitement inefficace pour décider d'une séparation. Résoudre l'ambivalence amoureuse par la logique ou la réflexion est aussi facile que faire un triple saut périlleux avec une jambe de bois.

Alors ? Seule l'intuition nous dicte le parcours à suivre. Symptôme infaillible : le malaise profond, signe qu'un lien est moribond.

Ça balance pas mal...

Tôt ou tard, beaucoup de dominants passent par une phase où ils veulent absolument «récupérer» le partenaire délaissé. Quelle grosse bêtise de le quitter! Si le dépendant est «casé», c'est alors le drame absolu : la dynamique s'inverse, et le dominant ne compte plus les bons souvenirs de son ex!

Question-piège : où finit le paradoxe et où commencent les véritables sentiments? C'est fatal : quand l'autre nous étouffe, nous n'en voulons plus; quand il nous échappe, il nous passionne à nouveau!

Un repère : acceptation n'est pas résignation; si la première est un facteur déterminant de réussite relationnelle, la seconde est mortifère, et frustre les partenaires. Si, au contraire, le bonheur nous envahit, l'avenir pourrait bien s'éclaircir.

À savoir : en cas de rupture, les deux partenaires connaîtront l'apathie affective, car la perte de l'autre est une amputation émotionnelle, nécessitant ajustement. À nous la ronde des regrets, des doutes, le carrousel du solitaire... Si la phase aiguë dure environ six semaines, la fragilité affective se prolonge durant des mois. Pour soigner un ego estropié, cherchons le soutien des amis, des parents, des conseillers.

Enfin, il arrive qu'un mouvement de «yo-yo» s'installe entre les «ex» : comme dans la chanson, l'un s'en va, et puis revient. Si les rôles restent inchangés, le paradoxe n'est pas loin! Surtout quand le dominant préconise l'amitié, prétexte rêvé pour garder un droit de cuissage.

Des hauts et des bas

Couple averti en vaut deux : notre connaissance du paradoxe permet de garder la relation vivante, et en évolution.

Hauts et bas... tel est notre lot ici-bas. L'alternance est la règle, la permanence signe le trépas.

En conclusion : Éros et Agapè ne demandent qu'à s'allier, selon leurs modalités : l'un après l'autre, chaque partenaire les vivant à tour de rôle.

À nous d'être créatifs, d'explorer nos facettes : notre couple sera en fête!

Évidemment, mieux nous sommes assortis, meilleures sont les chances d'équilibre! Qui se ressemble, au fond, s'assemble, avec, en surface, moult différences...

Bref, aimons-nous, et jouons ensemble, avec patience et tolérance, en pratiquant la juste distance.

C'est l'amour gagnant/gagnant : le secret des couples qui durent !

Le carrousel du solitaire

Quand toute notre vie est axée sur la recherche d'un partenaire, la demande affective saute au nez et nous met, illico, en position de dépendant. Si une «légère dépendance» est souhaitable et atteste de notre disponibilité, afficher avidement son appétit met d'office l'autre en fuite. Car, ce faisant, nous négligeons ce qui nous rend, précisément, attirants : nos forces et nos talents.

Notre meilleur atout reste donc, ici comme ailleurs : la découverte de notre raison d'être, qui nous rend suffisamment autonomes pour aimer la solitude, et assez réceptifs pour ne pas refroidir les courtisans.

À savoir : les gens les plus séduisants ont trouvé l'équilibre entre leurs pôles contraires. Ils comprennent que toute crise engendre une renaissance, et libère des rôles rigides. Ils vivent leur «fluctuance» comme une règle incontournable de l'existence.

C'est le manège enchanté, l'alliance des opposés !

PIERRETTE

(1) **Même si elle est destructrice, nous devons parfois aller jusqu'au bout d'une relation pour en saisir l'enseignement.**

(2) **Voir «Rires et guérilla conjugale».**

À lire

Le Paradoxe de la passion, Dean Delis et Cassandra Phillips, Éditions Robert Laffont
De l'amour-passion au plein amour, Jacques Guerrier et Serge Provost, Éditions de l'Homme
Biologie des passions, Jean-Didier Vincent, Éditions Points

Couples
et
vases communicants

Soyons honnêtes : avouons que notre «pêche» prend parfois
appui sur la dépression,
ou le tempérament quelque peu lymphatique de notre conjoint...
En voyons-nous de ces couples, dont un partenaire pratique sans
relâche la pensée positive, alors que l'autre semble, par réaction,
voluptueusement attiré par les méandres de la pensée négative.
Ici comme ailleurs,
le pathologique naît de la rigidité des rôles, contraire à la loi naturelle
des cycles. Si l'alternance favorise l'évolution,
fixation rime avec stagnation.

Évidemment, la palme revient à celui qui est du bon côté : quoi de plus valorisant que d'apparaître gai, riant, motivé... et de pousser, contre son gré, un conjoint qui sombre dans le désarroi et l'oisiveté! Le «partenaire entraînant» y gagne, en effet, de fameux galons : médaille de bravoure, de confiance, de ténacité... Pour peu, le voilà sacralisé, invincible, éclairé! Tandis que l'autre, dans son coin, tripote sa boule de caca, et rumine sans fin.

«Allons, viens! Souris à la vie! Prends-toi en mains!» Les exhortations glissent sur le bouclier derrière lequel le conjoint assiégé abrite sa colère. Et s'il tenait, lui aussi, à l'existence... mais refusait de grandir, tant que l'autre l'étouffe par son optimisme outrancier? Écrasé sous l'abat-jour, il ne voit point la lumière ; alors, il se renfrogne, et suce son pouce.

Insidieusement, le plus se nourrit du moins (1). Étalant sa toute puissance, il entretient la codépendance. «Aime-moi» semble dire l'un, la mine éteinte et l'œil glauque. «Lève-toi», lui enjoint l'autre, rageur... mais content dans son for intérieur. «En attendant Godot»... Tristement, les mots s'égarent, et chacun poursuit son vain combat.

Ignorée, la loi des cycles se manifeste avec éclat : un beau jour, survient le basculement des énergies (2). Le vide se remplit et le plein se vide... Le «conjoint négatif», fait sauter la soupape, et l'autre glisse vers le bas, sans plus de force contraire à transmuter. L'«amant positif» n'a alors d'autre recours... que de rester cohérent avec son discours. «Enfin, te voilà debout... et moi, maintenant? Que signifie le vide que je ressens?» D'un coup, les rôles s'inversent, et la dépression change de camp.

Conclusion : ne vous fiez pas aux apparences... À l'instar de l'inconscient, qui a, souvent, la teinte de l'autre sexe, notre pôle visible camoufle soigneusement son opposé! Jusqu'à ce que nous acceptions la loi précitée... et l'existence de nos multiples personnalités. En effet, la «vivance» est dans l'alternance, tandis que la permanence s'oppose à la vie.

Apprendre à scintiller de toutes nos facettes, à gérer nos affects, à bercer notre enfant intérieur sans peser sur celui de l'autre, voilà notre salut.

Apprendre à persévérer... sans s'acharner, à ressentir pour mieux rebondir, à pleurer pour mieux rire, à lâcher prise pour mieux se gérer, à se reprendre pour mieux se donner, à s'exposer pour se renforcer, à s'éloigner pour se rapprocher, à perdre l'autre pour mieux se gagner... alors, peut-être, nous pourrons aimer.

PIERRETTE

(1) Une dynamique amoureuse est entretenue par deux personnes.
(2) Un excès correspond toujours à un manque.

CES AMOURS SYMBOLIQUES...

Ils nous fascinent,
Ils nous font peur...
Tandis que l'un devine,
L'autre voit en couleurs ;
Celle-ci lit dans les astres,
Cet autre met les cartes ;
Les nombres parlent à celui-là,
Les mythes animent celle-là...
Symboles, nous vous aimons !
Car tous, à votre façon,
Vous révélez l'essentiel,
En traduisant l'invisible ;
Vous lancez des passerelles
Entre tous les possibles.

MAUD KRISTEN
L'amour vu dans les étoiles

PHOTO : J.M. SUREAU

Chantal Hurteau Mignon, la conceptrice de Delta Blanc, premier code de déontologie permettant de distinguer les bons voyants des voyous et voyeurs. Amour et voyance font-ils bon ménage ? Voyons voir ce que Maud lit dans le cristal...

«Vous me demandez un texte sur l'amour. C'est un plaisir pour moi de vous répondre, car l'Amour est mon sujet préféré. Peut-être la seule chose qui vaille vraiment la peine et, à la fois, celle qui me met le plus en colère car elle connaît bien des contrefaçons. Comme l'amour est divin, le Créateur ne peut porter plainte pour plagiat, et utilisation frauduleuse de ce mot devant les tribunaux intergalactiques. Dommage parfois...

Car l'amour n'a rien à voir avec l'image que les médias modernes donnent majoritairement de lui. Dans la pub ou les films grand public, il est surtout question de séduction et de jeux de miroirs narcissiques, plus ou moins dangereux et ludiques. Bien moins d'amour. Quant à la morale ambiante, elle confond, avec sa composante de résignation conservatrice, le besoin, l'attachement et la nécessité avec l'amour.

J'ai souvent entendu : «Mon mari tient à moi. D'ailleurs, quand j'ai voulu partir, il a cassé toute la cuisine, cela prouve qu'il m'aime.» «Non», ai-je répondu. «Cela prouve qu'il a juste besoin de vous». Comme un aveugle a besoin de sa canne, comme un poisson fraîchement pêché se débat sur une pelouse fraîche, dans son besoin d'eau. Mais le poisson aime-t-il l'eau d'amour ? J'en doute.

S'il y a de grands voyous et de piètres voyeurs, il existe aussi... d'excellents voyants. Maud Kristen est de ceux-là. Ni chouette de platine, ni marabout des îles, encore moins sorcière intronisée par les anges, Maud ne pratique ni retour d'affection, ni retour d'emploi. Adieu gris-gris, bons pour famille nombreuse, prédictions par Minitel ou voyance débitée comme des carottes râpées... Maud voit, tout simplement. En extra(g)lucide qui ne roule pas ses consultants dans le sucre. Auteure de plusieurs ouvrages, dont le fameux *Pour en finir avec Madame Irma* (Éditions Calmann Lévy), Maud Kristen est également, avec

Dans *Le Tarot de Marseille* que j'utilise en consultation, l'amour apparaît «dans tous ses états», et les plus variés, justement!

Électif et intello avec l'Impératrice, violemment charnel avec la Force, trouble et passionnel avec le Diable, conjugal et ennuyeux avec la Justice... Que de facettes! L'amour se manifeste dans mes «flashes» aussi. Je vois soudain des yeux, j'entends une voix, je sens une ambiance, je perçois une maison, un objet fétiche. D'après mes consultants, je me mets à parler du partenaire «comme s'il était là».

Alors, je raconte. Parfois la rencontre, mais toujours le début de l'histoire. Je remonte le temps sur le fil des sentiments. Ma vision s'élargit. Je découvre. Tantôt la profondeur de l'harmonie, comme un accord tellement juste qu'une émotion me saisit. Oui, c'est lui, oui, c'est elle...

Ces histoires-là sont d'une beauté magique; car elles donnent la force de tout faire, de tout vaincre, et sont plus protectrices que n'importe quel talisman.

Parfois, hélas, je mesure avec le vertige du bord du gouffre l'étendue du malentendu, la confusion terrible des sentiments, le danger de blessures mortelles. Car aujourd'hui, je crois qu'on meurt davantage de chagrins d'amour et de leurs effets secondaires (accidents inconsciemment provoqués, somatisations, dépressions, etc.).

Les arts divinatoires sont tous construits sur le même principe: telle une maquette de l'univers, ils permettent d'écrire, dans un langage symbolique, le sens, la profondeur, la nature, le climat émotionnel d'une relation. Parce que les sentiments émettent ces ondes imperceptibles, dont les transistors sont les capteurs subtils, et la traduction... presque parfaite.

- À condition de ne pas leur poser plusieurs fois la même question («le maître ne parle qu'une fois»).

- À condition aussi, avant d'affirmer à Claire qu'Henri ne l'aime plus, d'avoir préalablement fait un «test» avec Claire sans que celle-ci ne dise mot. Si le test est probant, on peut se permettre d'imaginer la suite...

Au fil des années, je visualise un destin comme un ensemble de trains en marche. Je n'arrive pas à sauter dans tous. Certains aiguillages m'échappent, et je préfère alors m'abstenir d'en prédire l'évolution.

En dix ans d'exercice, j'ai vu des centaines d'histoires d'amour... Certaines sublimes et secrètes, sans bruit. Des histoires où les âmes sont reliées par un consentement total, dans une sorte de grâce qui se moque complètement de l'apparence, du social; une soudure céleste, presque une œuvre d'art. Au risque de vous choquer, je dirais que ces histoires d'amour-là n'arrivent qu'à ceux et celles qui les méritent. Vraiment.

Les livres « coups de cœur » de Maud Kristen

Citadelle,
Antoine de Saint-Exupéry

Commentaire sur la vie,
Krishnamurti

- Parce qu'ils n'attendent pas de l'autre une réponse à la raison de leur passage sur terre, et ne considèrent pas l'amour comme une obligation du destin, mais comme un miracle fragile.

- Parce qu'ils n'attendent pas que leur partenaire soit autre... Combien de fois, comme une tendre boutade, ai-je dit à une consultante : «Mais, madame, si votre mari est depuis toujours brutal, austère, ennuyeux, pourquoi n'épousez-vous pas l'autre?» «Quel autre?», me répondait la dame. «Eh bien, celui que vous voudriez qu'il soit : l'homme doux, à l'écoute, généreux et sensuel que vous avez déjà dû croiser dix fois dans votre vie et que vous n'avez même pas vu parce que votre colère contre votre mari vous nourrit encore suffisamment, bien qu'elle vous fasse souffrir. Abandonnez ce désir vengeur de le transformer. Car je pense que la seule personne que l'on peut changer vraiment sans abus de pouvoir, c'est soi-même. Comme nous pouvons changer l'attitude que nous avons face à l'autre, notre capacité à l'accueillir ou, au contraire, à rompre si la relation est trop frustrante ou stérile.»

Quelle que soit la qualité d'une relation, elle devra toujours – parce que c'est le jeu profond de l'incarnation – nous permettre de grandir. Et, pour grandir, il faut sacrifier un peu de certitude. Aimer, c'est vraiment lâcher prise, offrir une parcelle de confiance. Mais, pour donner sa confiance sans risque d'être une victime immolée par un séducteur pervers, il faut se connaître et comprendre son histoire.

Il n'y a pas – c'est un paradoxe – d'amour sans connaissance de soi. Intuitive ou laborieuse, elle seule nous permet de rencontrer un amour vrai.

J'ai observé un phénomène que je crois intéressant. Comme l'avait pressenti Carl Jung, nous avons tous un archétype de partenaire idéal. Je ne parle pas de l'Idéal, consciente qu'il n'est souvent qu'un produit culturel, une illusion, un os à ronger pour la machine à désirer qu'est le mental. Je parle d'un être intérieur, un grand «harmoniseur», un suprême accordeur de nous-même dont nous portons le souvenir nostalgique pré-conscient, alors qu'il fait pourtant partie du futur. Voilà qui explique notre tristesse. Cet être est différent pour chacun d'entre nous. Ses caractéristiques sont tout aussi uniques que nous le sommes. Des consultants m'ont dit que j'avais décrit cet être pour eux, parfois des années plus tôt. Sur le coup, le portrait, tant physique que moral, ne leur aurait rien inspiré. Cependant, il m'apparaît très clair que, plus notre parent du sexe opposé ressemble à cet être idéal, plus nous rencontrons rapidement «l'âme sœur». En revanche, plus notre parent en est éloigné, plus il faut du temps – quoique cela soit passionnant – pour reconstruire cet idéal. Question de repère, de quête, de sens à donner ou à redonner, comme un rébus qui peu à peu se découvre.

Car beaucoup d'adultes ont été des enfants malheureux ou trahis, auxquels on a dit «je t'aime» par réflexe d'adaptation aux convenances. On dit parfois «je t'aime» à son enfant comme on dirait «bonjour» à la voisine, ou «merci beaucoup» chez l'épicier...

Ce genre de «je t'aime», souvent assorti de formules telles que : «c'est pour ton bien» ou encore «plus que moi-même» ne permet en rien de comprendre ce qu'est l'amour, sinon d'expérimenter une situation de dette imposée, de chantage affectif, de prise de pouvoir de l'adulte sur l'enfant... qui les recherchera plus tard. L'amour, le vrai, est plein d'humilité. Il ne fait rien «pour ton bien». Il fait simplement du bien; car de quel droit s'autorise-t-on de «faire le bien» de l'autre, qui n'est souvent que celui de notre propre désir? L'amour n'est pas le sacrifice de soi; il est le plus grand des plaisirs, et rien ne peut lui être préférable. C'est pour cette raison que l'on ne sacrifie, au fond, rien par amour... puisque l'amour donne infiniment plus que tout ce que – soi-disant – on aurait abandonné pour lui.

L'amour n'est pas une assurance vie, un placement devant «rapporter», un investissement. On ne perd donc rien quand on aime, même si l'histoire échoue, parce que le sentiment d'amour est toujours un gain pour soi, plus encore que pour l'autre.

Je sais aussi que, pour arriver à aimer de la sorte, il faut pleurer, s'enflammer, haïr, posséder, détruire et se détruire... lors de l'une ou l'autre incarnation. C'est pour cela que, tout en leur révélant, parfois, trop clairement les dangers qui jalonnent leur route, j'encourage les hommes et les femmes qui viennent me voir à vivre leur passion jusqu'au bout. Pour apprendre, avancer, se dépasser.

Pour nous aider sur ce chemin, nos anges gardiens nous aiment d'un amour essentiel. Ainsi, les synchronicités amoureuses jalonnent ma vie depuis toujours. Dernier exemple en date : l'homme avec qui je vis aujourd'hui jouait, enfant, dans un square à Nice, alors que j'habitais Paris. La synchronicité? Ce square se trouvait au pied de l'immeuble dans lequel ma marraine vivait toute l'année. Une marraine qui, à l'époque, était pour moi

une sorte de fée. Lui rendre visite était une joie. J'ai dû, sur son balcon, croiser le regard de mon compagnon, peut-être même jouer avec lui. il y a de cela... à peu près vingt ans. Vous avez dit hasard? Ce mot, vous le savez sans doute, vient de l'arabe et signifie «dés de Dieu»...

Je ne saurais conclure mon propos sans parler d'animaux. Ayant subi, enfant, des manques affectifs conséquents, je crois que leur observation et leur contact a fait – et continue de parfaire – mon éducation affective; j'aime les toucher, les regarder vivre, apprendre leurs rites, leurs règles de groupe. Les chamans du passé «entraient en eux» pour comprendre les mystères. Alika Lindberg, une amie éthologue et peintre, me disait : «Quand je ne sais pas comment régler un problème, je me demande : «Que ferait un singe à ma place?» Quant à moi, je suis chaque jour émerveillée devant la richesse de la communication affective des animaux, si délicate d'expression, car les bêtes sont capables, entre elles, de finesse. L'homme est un handicapé de la relation non verbale, dans laquelle l'animal excelle. Si nous savions décoder les signaux émotifs et érotiques de nos semblables, nous cesserions bien souvent de souffrir d'attendre notre satisfaction d'un partenaire, dont nous comprendrions tout de suite, au vu de ses pupilles, ou de ses mimiques, qu'il n'y a rien à en attendre...

Où écrire, où téléphoner?

Maud Kristen
6, boulevard André Maurois
75116 Paris
Tél.: (1) 45.02.11.86
Fax: (1) 45.02.13.84

Alors, j'apprends, peu à peu, à vraiment regarder l'autre au-delà de mon désir. Le contact avec les animaux – j'ai deux chiens et un chat – m'a entraînée à être d'une totale sincérité, à échanger avec précision des messages affectifs, à développer aussi parfois un instinct de conservation, ou une capacité à affirmer ma volonté (pas seulement avec les quatre pattes, d'ailleurs...) »

MAUD KRISTEN

À lire

Pour en finir avec Madame Irma, Maud Kristen, Éditions Calmann Lévy
Fille des étoiles, Maud Kristen, Éditions du Levant
La Pratique des arts divinatoires, Maud Kristen, TF1 Éditions

FRANÇOIS NOTTER
La numérologie au service du couple

PHOTO : J.M. SUREAU

Si David Copperfield, magicien de son état, épate son public en virevoltant sur scène comme un rossignol, François Notter, lui, jongle avec les nombres et révèle notre moi profond et notre circuit énergétique en un éclair. Différence notoire entre François Notter et David Copperfield : tandis que le second embrase les foules par des tours savants, clinquants et extraordinairement illusoires, le premier transforme la réalité en magie somptueusement ordinaire... Père de la numérologie humaniste, François Notter voit rouge à l'idée que la science des nombres évoque, chez certains, une roulette russe ou une grille analytique, tranchant la personnalité comme on découpe du saucisson en rondelles. Doté d'un solide sens de l'humour – et de bon sens tout court – ce sympathique Savoyard restitue à la numérologie ses lettres de noblesse, et nous montre en quoi les nombres deviennent de merveilleux complices pour notre vie amoureuse.

«La relation amoureuse est une belle aventure, un chemin initiatique, un grand film, à l'image de nos scénarios intérieurs. C'est un théâtre plein de surprises, avec ses ouvertures et ses fermetures de rideau, ses entrées et sorties d'acteurs, reflets des personnages intérieurs entretenus, plus ou moins consciemment. À ce sujet, la numérologie humaniste offre des pistes personnalisées. Elles concernent la connaissance de soi et de l'autre, les systèmes d'échanges de potentialités et de dons, les projections. Elles évoquent les phases de la relation, l'évolution de la personnalité, la construction intérieure, et les héritages et modèles familiaux de chacun des partenaires. Les nombres offrent aussi des propositions concernant les écoles, ou cours de perfectionnement à la disposition des conjoints pour améliorer la relation et la conscience qui s'y joue.

Les leçons d'amour des nombres

La numérologie suggère des périodes, des «horaires personnalisés», qui sont à notre disposition, comme autant d'encouragements à favoriser les situations enrichissantes. Des occasions permettent d'améliorer nos habitudes relationnelles et nos modes de communication amoureuse. À chacun de se donner ou non la liberté de mettre à profit ces « écoles » sur son chemin d'amour. À chacun d'intégrer ces « leçons d'amour » pour changer ses scénarios inadéquats, mieux repérer ses autosabotages inconscients, améliorer sa relation à l'autre... et à soi-même.

Les « nombres libérateurs »

Les nombres invitent à se libérer des schémas de pensées parentaux ou environnementaux qui limitent, à faire le deuil de certains systèmes de croyances, au sujet de soi-même et de sa vie. Lâcher ces vieux modèles pour grandir, mûrir au sein de la relation, et croître en conscience. Les nombres offrent de repérer et de modifier les « programmations comportementales » qui parasitent toute nouvelle relation ou sclérosent la relation présente.

Le 1, lié à une tranche de vie, offre des cours de perfectionnement pour un meilleur positionnement au sein du couple. Il invite à être un peu plus auteur de sa propre vie, à être à la hauteur de ses dons inexploités, en matière d'amour et de relation. Le UN suggère d'être plus autonome et moins noyé dans la fusion affective ou la codépendance.

Les livres « coups de cœur » de François Notter

Jamais seuls ensemble,
Jacques Salomé, Éditions de l'Homme

Le Couple en thérapie,
Claude et Danielle Allais, Éditions Rets

Du sexe à la conscience divine,
Shree Rajneesh, Éditions Le Voyage Intérieur

Il propose d'être UN et non une moitié... Une école pour s'autoriser à plus d'initiatives personnelles et ne plus rester soumis aux choix de l'autre. Une belle période pour s'entraîner à vivre à DEUX en restant différents. Cheminer en couple et en amour, en s'autorisant chacun à exister à part entière. Éviter ainsi de vivre dans l'ombre l'un de l'autre, à l'ombre du UN... du UN de l'autre ?

Le 2, en transit, offre ses cours de perfectionnement pour mieux prendre conscience des dualités ou paradoxes intérieurs, et se libérer des « parasitages » émotionnels. C'est le moment de réconcilier mon « cerveau gauche masculin » avec mon « cerveau droit féminin », ma logique et mon intuition, ma vision objective et ma vision subjective, mes concepts cartésiens et mes symboles de vie, l'abstrait et le concret. Afin que mon rationnel ne fasse plus la guerre à mon irrationnel, que ma déduction embrasse mon inspiration, que ma recherche de quantité danse avec ma recherche de qualité. Et que se vive une belle histoire d'amour infini entre mon homme intérieur et ma femme intérieure !

Le 3, en transit, offre ses cours pour améliorer la communication avec l'autre, et affiner l'expression des désirs profonds. Il invite à s'interroger sur les projections effectuées dans la relation, et à clarifier l'image de soi offerte à l'autre. C'est le moment de prendre conscience que, plus vive est l'attirance, plus fort devient le miroir, et plus les partenaires font office de supports de projection (grand écran ?) Le TROIS suggère de se libérer du besoin de reconnaissance de l'autre, et de la dépendance à son regard (panoramique ?) L'image qu'un être a de lui entre souvent en conflit avec celle que le partenaire veut lui imposer à tout prix. Le transit du TROIS se révèle une période intéressante pour ne plus se laisser dessiner par l'autre et opter, à dessein, pour sa propre expression, et le choix de ses propres couleurs (même si elles sont perçues comme vilaines par l'autre)! C'est aussi le moment de laisser la parole à cet «enfant intérieur» vulnérable et sensible, enfermé depuis longtemps au fond de nos oubliettes bien froides et sombres. Aimer vraiment, n'est-ce pas ouvrir la cage aux oiseaux, et libérer cet enfant spontané et créatif de sa carapace protectrice?

Le 4, en transit, propose ses cours pour aider chacun à trouver sa place dans les structures de sa vie : cadre généalogique, cadre corporel, cadre professionnel, cadre environnemental. Pour mieux découvrir son propre espace, et le faire respecter. Être au centre de son propre corps ou de ses capacités de constructions relationnelles... Le QUATRE invite à se libérer des habitudes familiales limitatives et des reproductions inhibantes, des peurs et dévalorisations héréditaires, des freins et blocages passés qui se transposent dans la vie du couple, et dans la façon de considérer l'autre sexe. C'est le moment de prendre conscience du fait que l'amour n'est pas forcément là pour satisfaire tous nos manques et offrir les cadeaux qu'on n'ose déjà pas s'offrir à soi-même... L'amour n'a pas pour rôle de combler tous nos besoins et de remettre à jour nos vieilles créances affectives.

Le 5, en transit, invite chacun à clarifier sa sexualité, et à se libérer des idées toutes faites à ce sujet. Il suggère de repérer les modèles aliénants, freins à l'épanouissement sexuel, et à lâcher tensions et nœuds physiques perturbant la circulation énergétique et la vitalité personnelle. La sexualité, comme l'amour, est le baromètre extérieur de la condition inté-

rieure. Elle ne fait que remettre en scène, de façon visible, ce qui se joue depuis parfois longtemps dans les coulisses de notre histoire personnelle, familiale, raciale... Des pistes pour se débarrasser de tout ce qui ampute la liberté de mouvement et de changement de chacun des partenaires. Tout ce qui bâillonne la liberté de penser par soi-même, et d'évoluer. Tout ce qui empêche d'aérer l'amour...

Où écrire, où téléphoner?

François Notter
5, chemin de la Pyramide
73500 Aussois – Savoie – France
Tél.: (4) 79.20.39.09
Fax: (4) 79.20.41.28

Le 6 offre la possibilité de mieux s'ouvrir à l'amour. L'amour pour l'autre ou de l'autre, sans oublier l'amour pour soi ou de soi. Pour mieux alimenter la confiance en soi et en l'autre, et s'autoriser à accueillir, plus largement, plaisir et bien-être... Le SIX invite à reconsidérer ses demandes affectives, et à observer ce qui se cache derrière le trop grand désir d'être aimé (ou d'aimer l'autre jusqu'à l'étouffer et l'aliéner)... Il propose, lors de son transit, de continuer à se libérer de la possessivité affective, de la jalousie et des sabotages relationnels. En s'éloignant de l'amour-fusion, de l'amour de réparation, des culpabilités familiales. En lâchant le besoin de plaire à tout prix... et en prenant le grand risque de se faire confiance !

Le 7 invite à mieux comprendre les mécanismes psychologiques qui sous-tendent la relation amoureuse. Pour se libérer des références mentales et morales culpabilisantes et démobilisatrices, ainsi que des vieux schémas d'autopunition. Le SEPT suggère de relativiser le savoir intellectuel concernant l'amour, et de rester plus à l'écoute de la connaissance intérieure... La petite voix de la conscience profonde. C'est le moment de reconsidérer les vieux modèles religieux et culturels du passé, et la colonne des injonctions éducatives. Pour se libérer un peu plus des conditionnements mentaux, familiaux ou sociaux. Et des « intoxes » médiatiques ?

Le 8 propose divers perfectionnements au niveau de la stratégie de réalisation personnelle. Pour améliorer la capacité à se construire au fil des défis et « tests éducatifs de l'amour ». Le 8 invite à s'éloigner des rapports de force, et des rôles de pouvoir qui entravent le lâcher prise, et la confiance au sein du couple. L'occasion de reconsidérer le « couple héroïque », ou « toujours gagnant », qu'on veut parfois maintenir, à tout prix, aux yeux du monde.

Le 9, quant à lui, propose de se relier plus profondément aux messages de l'inconscient, largement présents dans la relation amoureuse. Il suggère de clarifier les transferts de potentialités, et les échanges psychologiques entre partenaires. Il invite à mieux développer l'intuition pour mieux se mettre sur la même longueur d'onde, et mieux « capter » l'autre, sans toutefois « faire l'éponge »... L'occasion de permettre plus de tolérance, et une vision plus humaniste dans la relation amoureuse. Pour faire un petit pas de plus vers l'amour inconditionnel, et universel... Lors du passage du NEUF, il est aussi suggéré de tourner certaines pages, de clore certains chapitres amoureux, et de dépoussiérer les placards du couple. Parfois même, de poser de vieilles valises trop lourdes à porter... et qui souvent ne nous appartiennent plus. C'est aussi le moment de reconsidérer sérieusement les croyances, les contes et les mythologies personnelles au sujet du couple et de l'amour.

La responsabilité personnelle

Il est possible d'aller à n'importe laquelle de ces neuf écoles, à tout moment, si on le sent, si on le souhaite vraiment. Rien n'oblige à attendre que leurs portes s'ouvrent « officiellement ». Rien n'oblige à y aller à tout prix ! Si votre conscience profonde préfère l'école buissonnière, c'est votre choix. Nul ne peut prédire si votre itinéraire sera positif ou négatif, en fin de compte. Tout dépend de votre façon de (vous) conduire sur la route de l'amour. À chacun finalement d'assumer ses choix, et de n'en rendre compte qu'à lui-même (ou à Dieu ?)

Stop au déterminisme du couple !

La numérologie n'est pas là pour déterminer l'avenir du couple, sauf si on veut lui donner ce rôle inutile et dangereux. Se mettre sous la dépendance d'affirmations d'autrui concernant ce qui est à vivre, en couple ou non, est une drogue préjudiciable à l'épanouissement de chacun des partenaires. Les prévisions sont l'opium du peuple, n'en faisons pas l'opium du couple ! Prévoir, sous prétexte d'avertir, est un leurre préjudiciable à chacun. Est-ce qu'un homme « programmé » par des injonctions concernant son futur en vaut deux ? Un partenaire conscient que sa progression amoureuse est de sa responsabilité en vaut au moins quatre ! S'écartant du jeu truqué des prévisions, il sait que de nombreux possibles sont devant lui. Il se met plus rapidement dans l'axe de sa réussite. Et la vie le lui rend au centuple !

Toutes les années sont «bonnes» pour être heureux!

Je pense qu'il n'y a pas de mauvaise année pour se marier, encore moins d'année où la rencontre est impossible. Sauf dans la conscience rétrécie de ceux qui s'en sont laissés persuader. Ce n'est pas parce que l'on se marie en année 2, 3, 4 ou 6 que le mariage durera ou ne durera pas, qu'il sera ou non conforme aux souhaits du départ. En revanche, le mariage sera fonction de ce que chacun mettra en œuvre dans la relation. Au niveau de ses habitudes relationnelles, de ses options de pensées, du respect qu'il se porte, de l'expression plus ou moins claire de ses sentiments, ou des mécanismes autosabotages qu'il continue à alimenter ou non. En fonction finalement de la capacité de chacun à favoriser des possibles fructueux, plutôt qu'à subir les hypothétiques «caprices du hasard ou du destin»... qui ont bon dos!

Ne bloquez pas votre «curseur des possibles» à 20 %!

Lorsque les possibles sont limités au départ, dans la tête, la réalité en est le reflet direct. Les événements de la vie amoureuse ne peuvent être définis à l'avance, sauf dans le cas d'automates programmés par d'autres et fonctionnant en «pilotage automatique». Il reste à chacun à se prendre en charge, et à tenir la barre de sa propre vie, en tandem avec un partenaire qui fait de même. Il reste à chacun à s'écouter vraiment, et à se situer en conscience face aux modèles de référence standardisés, face aux croyances ambiantes au sujet du couple, face aux conditionnements médiatiques et culturels dominants. Si votre curseur des possibles est coincé à 20 % dans votre conscience, la réalité vous confirmera cette limitation. Avec un peu d'huile dans votre curseur, et plus de sou-plesse dans votre esprit, il vous est «possible» d'amener ce curseur à 80 ou 90 %. Observez alors ce que vont vous témoigner les événements de votre vie amoureuse!

Notre petite troupe intérieure s'amuse?

Chaque partenaire du couple héberge en lui-même une quinzaine de «personnages intérieurs», ou «subpersonnalités» inconscientes. Ils interviennent au quotidien, et jouent leur rôle, les uns avec les autres, ou les uns contre les autres. Certains dominent, et ne permettent pas à d'autres de s'exprimer. Leur petit théâtre apparaît comme souvent chaotique et paradoxal. Ce petit monde intérieur est à «visiter», à rencontrer. Pour y jouer les médiateurs, les pédagogues, et favoriser paix et harmonie entre ces diverses composantes. La relation avec l'autre est un miroir de cette vie intérieure et de ces multiples acteurs. Il est plus futé de s'occuper de ces acteurs intérieurs que de vouloir changer l'autre. Cette petite troupe est embauchée, dans la relation amoureuse, pour jouer de nombreux rôles. En effet, l'homme demande à sa partenaire d'être tout à la fois sa mère, sa maîtresse, son amie, sa fille, son asso-ciée, sa gardienne, son infirmière, sa belle au bois dormant, sa déesse, etc. Et peut-être parfois sa concierge, sa bonne... ou son adjudant-chef! La femme demande à l'homme d'être son père, son amant, son ami, son fils, son associé, son protecteur, son soignant, son consolateur, son prince charmant, son héros, etc., et parfois son valet de chambre, son homme d'entretien, ou son nounours. La nu-mérologie évoque ces rôles, et interpelle chacun sur sa manière de les jouer ou non. Elle invite à prendre conscience des rôles dominants qui cherchent à garder l'exclusivité, à ne pas laisser la place pour changer. Elle suggère parfois de «changer de disque»!

Se coupler à son monde intérieur

Ces personnages intérieurs se sont construits et agencés entre eux au fil du temps depuis la naissance. Ils prennent vie à partir des fidélités et reproductions familiales inconscientes, à partir des modèles de l'enfance et des mythes principaux concernant l'existence et le couple parental en particulier. Ces «subpersonnalités» s'inspirent des personnes significatives de l'histoire de chacun : les proches de la famille, les éducateurs, les amis intimes, les héros ou idoles préférés et idéalisés. Elles se façonnent de façon similaire, ou bien opposée aux schémas de pensée de certains d'entre eux. Parmi ces «subpersonnalités», on pourrait citer : le 1-l'activiste-leader ; le 2-le conseiller-assistant ; le 3-l'enfant intérieur ; le 4-le régisseur-constructeur ; le 5-le critique-libérateur ; le 6-le gentil-amoureux ; le 7-le perfectionniste-professeur ; le 8-le protecteur-bâtisseur ; le 9-le rassembleur-l'humaniste.

En chacun vivent ainsi tous ces acteurs du passé, de lointaine lignée parfois, avec leurs dons, leurs richesses, leurs réussites et leurs exploits... mais aussi avec leurs missions inachevées, leurs désirs inassouvis, leurs peurs et leurs culpabilités profondes. Tomber amoureux, c'est projeter, inconsciemment, une grande partie du «stock de subpersonnalités» sur l'autre.

Un couple qui fait l'amour, c'est 30 «personnes» qui s'expriment...

Ainsi, lorsque deux partenaires vivent ensemble, lorsqu'ils s'aiment et font l'amour, ils sont loin d'être seuls. C'est au moins une trentaine de personnes qui participent, et s'expriment, dans l'échange et dans le vécu amoureux. On fait salle comble ! Par ailleurs, certains de ces personnages intérieurs sont des «ennemis intérieurs». Ils peuvent parasiter l'amour, d'autant qu'on les a laissés se développer et prendre le pouvoir, au lieu de se transformer en «amis» constructifs et créatifs.

La balançoire du couple

La numérologie humaniste permet de mieux reconnaître ces personnages intérieurs, chez soi et chez l'autre. Les potentialités liées à ces «subpersonnalités» voyagent parfois d'un des partenaires à l'autre, au fil d'échanges inconscients. Un «équilibre apparent» se met en place, jusqu'au jour où l'un des partenaires, devenant conscient de ce système de transferts pénalisants, tente de «récupérer ses billes». Les nombres des thèmes des deux partenaires évoquent ces systèmes de projection, où l'un met chez l'autre une partie de ses dons ou qualités, une partie de son «trésor» personnel, voire familial. Par ce fait, il ne les reconnaît pas, et ne les exploite plus chez lui, mais devient dépendant du nouveau «porteur» de ses dons transférés.

Les imports-exports de potentialités

Ces transferts au sein du couple s'accompagnent de permutations concernant aussi des autosabotages, ou des peurs. Les nombres mettent en évidence certaines de ces transactions inconscientes, et invitent les partenaires à débusquer leurs mécanismes, et les domaines de la relation où elles interviennent en priorité. Pour découvrir que la «supériorité» de l'un, sur un certain plan, n'est que l'expression du fait qu'il «profite pour deux», qu'il «exprime pour deux», après avoir récupéré pour lui les énergies et capacités latentes que l'autre, en se lésant lui-même, lui a laissées. Ainsi, l'un peut être créatif pour deux, l'autre lui ayant légué ses possibilités personnelles. L'un peut être intelligent pour deux, organisé pour deux... conscient pour deux, après transfert des possibilités de l'autre. L'un peut être jaloux pour deux, violent pour deux, alcoolique pour deux... s'il a récupéré et pris à son compte la jalousie, la violence ou les penchants à l'alcool de son partenaire (en plus des siens). Il est toujours urgent de récupérer ses potentialités transférées, même si un partenaire, par son désir de les conserver, cherche à faire obstacle au désir de l'autre de retrouver ce qui lui appartient.

Recycler les «défauts»

Il est souvent intéressant de récupérer aussi ce qu'on n'aime pas chez l'autre. En effet, je peux détester la façon d'être trop libre de l'autre. Une liberté que je lui ai en partie transférée! À moi de réveiller, d'autoriser ma liberté... à revenir chez moi. Et à moi de l'utiliser vraiment, au lieu de la laisser chez l'autre. Je peux considérer les «défauts» de l'autre. Ce sont souvent les miens exportés.

Je gagnerais à les reprendre en compte, et à les réutiliser positivement. Un défaut n'est finalement qu'une qualité mise à l'envers, utilisée de façon inadéquate, ou avec un «mauvais dosage». Comme la peur fait écran au désir qu'elle cache derrière elle, un défaut occulte souvent une qualité qui a la même nature d'énergie, mais en polarité inverse. Tout ce qui semble négatif peut être «recyclé» positivement. Cela évite de mettre à la poubelle de nombreux trésors qui ont l'apparence de déchets. Dans un thème numérologique, il n'y a pas de bons ou de mauvais nombres; c'est ce qu'on fait de leurs messages et suggestions (et la manière dont on les traduit) qui peut se révéler miraculeux ou catastrophique!

Les nombres du couple

La numérologie humaniste, grâce à une grille d'analyse spécifique, évoque les systèmes d'échanges, de projections, de transferts au

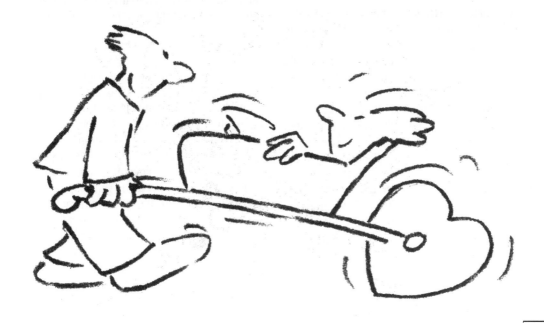

sein du couple. Elle met l'accent sur les possibilités de changement et d'évolution à disposition des partenaires pour clarifier et transformer ce qui, au fil du temps, peut parasiter, étouffer ou saboter la relation. En numérologie, on considère aussi divers « postes-clés » du thème. Celui obtenu par le total des lettres du nom et des prénoms évoque l'expression apparente de la personnalité. Cette « expression » intervient dans les premiers temps de la rencontre amoureuse. Les partenaires se perçoivent et communiquent à ce niveau. Le total des voyelles, quant à lui, évoque le vrai « moi », les motivations profondes de l'être. Il est intéressant de le considérer dans la relation de couple, car après s'être rencontrés au niveau extérieur de leur personnalité, les partenaires découvrent petit à petit ce qui vit derrière, ce qui cherche à s'exprimer sous les apparences premières.

L'effet « crunch »

Il y a parfois certaines surprises... agréables ou désagréables. Cela dépend de ce qu'on choisit d'en faire, ou de la manière dont on les considère. Je peux avoir épousé un homme « révolutionnaire et avant-gardiste », qui aime changer et bouger sans cesse (évoqué par le 5), et découvrir plus tard, sous cet « habit » de départ, un homme « tranquille et traditionnel » (le 4), travailleur et productif s'il est sécurisé dans ses habitudes, dans ses cadres protecteurs. Je peux avoir épousé une femme très « classique » (4), souhaitant une petite vie bien tranquille, et n'aimant pas trop bouger, et découvrir ensuite une femme qui prend des risques, qui fait la fête à la vie, prête à partir explorer le monde et à exprimer son originalité de manière surprenante (le 3 ou le 5).

Oui aux possibles !

Là encore, l'objectif de la numérologie n'est pas de déterminer si le couple réussira ou échouera, au vu de tel ou tel nombre dans le thème de chacun ! Il n'y a pas de « mauvais » assemblage, ou de « mauvaise mise en relation ». Il y a des histoires différentes, avec leurs défis et interpellations différentes. Il y a des rythmes différents, des dialogues variables et des cheminements divers. Rien ne sert de comparer. C'est d'abord une question de goût, ensuite c'est fonction des mythes et croyances que l'on entretient au sujet de l'amour et du couple. Les nombres nous évoquent les éléments, les dons à disposition pour la grande aventure du couple. À chacun de créer sa symphonie amoureuse avec ses propres violons... et avec ceux de l'autre, le tout en évolution. L'inspiration... et la respiration au sein de la relation est à ce prix. Et si la relation amoureuse essentielle restait celle qu'il nous est indispensable d'entretenir pleinement avec nous-mêmes ? Toutes les autres n'en sont que des miroirs fidèles...

Se prendre enfin en charge

Les partenaires ont surtout intérêt à s'écouter, plutôt qu'à écouter l'avenir qu'on leur fabrique à leur place. En laissant le spécialiste des conseils avisés se substituer à eux-mêmes, iront-ils bien loin ? Les conseilleurs ne sont pas toujours les payeurs... « Quand vais-je rencontrer l'âme sœur » ? Il est possible de se « dédroguer » de ce style de demande infantile, et de s'occuper, dès aujourd'hui, d'ensemencer son propre « terrain ». Afin d'améliorer sa relation à son homme ou sa femme intérieurs, et de laisser grandir l'amour en soi. Lorsque je serai prêt ou prête, l'autre sera devant moi. Comme par magie. Une magie dont je serai, enfin,

À lire

Numérologie et mieux-être, François Notter, Éditions Vivez Soleil
Les Nombres de votre vie, François Notter, Éditions Vivez Soleil
La Numérothérapie, François Notter, Éditions Guy Trédaniel

À découvrir

Le site Internet de François Notter : www.numerotherapie.com
Courriel: fnotter@lcor.fr

À vivre

La formation professionnelle de numérothérapeute :
les nombres au service de la relation d'aide
et de l'accompagnement psychothérapeutique.

Du 2 au 7 juillet ou du 20 au 25 août 2000 en Savoie (Suisse).
Du 23 au 24 septembre et du 14 au 15 octobre à Paris (France).

l'auteur ! Un beau film en technicolor dont je peux être aujourd'hui le scénariste, le réalisateur et l'acteur principal. Lorsque la caméra est à la bonne place et permet le point de vue le plus juste, que l'objectif a été bien nettoyé (lavé des vieux filtres obscurcissants), et que les acteurs intérieurs, alliés, n'ont plus d'extinction de voix... il ne reste plus qu'à positionner le clap et dire : «Action... Couple première !»

Nous avons le choix d'utiliser notre (nos) relation(s) amoureuse(s) comme une poubelle, un jeu de démolition des richesses passées, un ring ou une bataille navale... Nous avons aussi le choix d'en faire un terrain d'évolution, un lieu de transformation inté-

rieure, un cheminement d'initiation spirituelle. Le couple est un défi, le couple est un enseignement, le couple est un jardin d'ouverture de conscience. À chacun de s'y aventurer en fonction des possibles qu'il favorisera ou non, en fonction du travail sur soi qu'il choisira ou non d'entreprendre, en fonction des exercices d'éveil qu'il s'autorisera ou non au fil de son chemin d'amour. C'est en m'engageant pleinement, ici et maintenant, vis-à-vis de moi-même que la vie s'engagera à mes côtés et que, par la même occasion, s'engagera avec moi mon «partenaire idéal» dont j'ai l'échantillon le plus pur et le plus puissant au fond de moi depuis si longtemps... »

FRANÇOIS NOTTER

CATHERINE AUBIER
Les ententes astrales

PHOTO : A. KOMENDA

Moi Lion, toi Balance ? Ce que les astres en pensent ? Catherine Aubier, considérée comme l'une des plus éminentes professeures d'astrologie – qu'elle enseigne depuis vingt ans – nous dévoile cette science en conscience. Auteure de plusieurs ouvrages à succès, apparaissant régulièrement dans les médias, Catherine Aubier dirige aussi une école d'astrologie par correspondance : «Maison 9». Elle nous conte l'amour vu par les astres, et prend soin, pour éviter désordres et désastres, au libre arbitre de faire la place. Même si l'astrologie propose d'incontournables vérités, les obstacles sont faits, selon nous, pour être dépassés...

Lorsqu'en 1980 fut publiée ma première collection sur les douze signes du zodiaque, je remarquai très vite que les lecteurs tournaient rapidement les pages pour découvrir ce qui, visiblement, les intéressait le plus : l'entente avec les autres signes. Les commentaires fusaient, toujours spontanés, parfois drôles («Ah ça, c'est bien vrai, j'adore les Gémeaux!») ou inquiétants («Si quelqu'un me dit qu'il est Gémeaux, je le quitte de suite!»)...

La constante de ces réactions était l'importance que ces personnes accordaient à la simple comparaison de deux signes zodiacaux, alors que l'analyse d'un thème au plan amoureux – et, a fortiori, la comparaison de deux thèmes – est complexe et réclame une interprétation approfondie et détaillée.

Il est incontestable que chacun d'entre nous nourrit, en fonction de son signe natal – c'est-à-dire de celui dans lequel se trouve le Soleil au moment de notre naissance – des «atomes crochus» avec certains signes, alors que la compagnie de certains autres nous agace ou nous révulse. Même si elle demeure fragmentaire et insuffisante, cette «mise en parallèle» des signes contient d'incontournables vérités... Je vais en donner quelques exemples, fondés sur la tradition astrologique, l'observation et l'expérience.

Les signes du zodiaque, au nombre de douze, sont en analogie avec quatre éléments : le Feu, la Terre, l'Air et l'Eau. Or, en général, l'entente est facile entre deux signes appartenant au même élément. Il existe souvent

130 Oser... L'Amour dans tous ses états! • Ces amours symboliques...

des goûts, des motivations ou des comportements communs... avec quelques exceptions, bien entendu.

Par exemple, le Bélier, le Lion et le Sagittaire, signes de Feu, dominés par l'action, la sincérité, l'enthousiasme et le besoin de conquête, ne rencontrent pas de problèmes d'entente... à condition qu'ils n'entrent pas en compétition, professionnelle ou autre.

Le Taureau, la Vierge et le Capricorne, signes de Terre, raisonnables, constructifs, épris de sécurité matérielle, se comprennent aisément et, ensemble, sont à l'abri des bouleversements et des mauvaises surprises, qu'ils détestent par-dessus tout.

Les Gémeaux, la Balance et le Verseau, signes d'Air sociables, mobiles mais pudiques, craignant les débordements émotionnels, trouvent ensemble la paix et l'harmonie auxquels ils aspirent.

Le Cancer, le Scorpion et les Poissons, signes d'Eau, sensibles, rêveurs et secrets, sont sur la même longueur d'onde et se comprennent sans se parler... mais – exception – le Scorpion, plus passionné et vindicatif, est souvent agacé par la «passivité» des autres signes d'Eau, surtout Madame Scorpion.

Cependant, toutes les relations amicales ou amoureuses ne sont pas fondées sur l'harmonie et la similitude. S'il existe des couples en véritable osmose (les plus fréquents en astrologie sont ceux formés par deux Gémeaux ou deux Scorpions), les mariages les plus souvent rencontrés lient des personnes appartenant à des signes opposés : Bélier-Balance, Taureau-Scorpion, Gémeaux-Sagittaire, Cancer-Capricorne, Lion-Verseau, Vierge-Poissons. Cela crée des relations de

Les livres « coups de cœur » de Catherine Aubier

Les Mains sales,
Jean-Paul Sartre

Le Prince des marais,
Pot Conerouille

complémentarité, très positives lorsque les protagonistes ont atteint une certaine maturité psychologique et affective, mais fort délicates chez des êtres jeunes et inexpérimentés ayant du mal à comprendre et admettre les différences de l'autre.

Il y a aussi – sans doute en avez-vous rencontré – des couples «chien et chat» formés par deux personnes qui passent leur temps à se chamailler pour se réconcilier «sur le dos» de ceux qui se mêlent de leur histoire, et cherchent à leur donner des conseils... Ils lieront souvent le Bélier au Cancer ; le Taureau au Lion ; les Gémeaux à la Vierge ; le Lion au Scorpion ; la Balance au Capricorne ; le Sagittaire aux Poissons.

Si vous cherchez en vain votre couple dans ces exemples sans le trouver, pas de panique ; en effet, cette classification ne tient compte

Où écrire, où téléphoner?

Catherine Aubier
Maison 9
17, rue Vaneau
75007 Paris
Tél./fax: (1) 34.76.38.84

que d'une seule planète : le Soleil, et il y en a dix en réalité !

Comment se déroule une véritable « comparaison de thèmes » ?

L'astrologue commence par établir le thème complet des personnes en question : il calcule la place de l'ascendant (qui correspond à l'apparence, au comportement), celle des autres onze « maisons » astrologiques, et enfin celle des dix planètes, qu'il relie les unes aux autres par des « aspects planétaires ».

Le thème de chacun dessiné, il en fait une analyse séparée. En effet, avant d'étudier une relation, il convient de bien comprendre l'individu, ses motivations, et surtout son « mode de fonctionnement » sur le plan des rapports humains. Ainsi, une personne qui aime les complications et les défis ne sera jamais attirée par celle qui lui propose de vivre une histoire... sans histoire.

Que peut apporter l'astrologue ?

Certes pas une prédiction du type « vous êtes, vous n'êtes pas faits pour vivre ensemble » (ce serait influencer, et l'éthique astrologique s'oppose à toute influence) ; mais plutôt une description d'un troisième personnage : le couple, avec ses points d'harmonie, ses incompréhensions, ses moments faciles ou difficiles, assortie de ce que chacun peut faire pour que les bons moments l'emportent sur les mauvais !

À cet effet, l'astrologue compare les deux thèmes, c'est-à-dire qu'il examine la position de chaque planète de l'un par rapport aux positions planétaires de l'autre. Ainsi, lorsque Vénus (l'amour) et Mars (le désir) sont proches, l'attirance sexuelle peut servir de moteur à la relation. Lorsque les positions de Mercure (l'intelligence) sont en accord, la relation se nourrira du dialogue, et des échanges intellectuels.

Il est également possible d'établir un calendrier prévisionnel donnant les principales échéances de la relation.

La comparaison de thèmes est donc à celle des signes du zodiaque ce que la véritable astrologie est au simple horoscope : une dimension supplémentaire de compréhension, et de connaissance de soi et de l'autre.

CATHERINE AUBIER

À lire

Le Livre de vos affinités astrales, Catherine Aubier, Éditions Solar

Astrologie chinoise, Catherine Aubier, Éditions Solar

Devenir astrologue, Catherine Aubier, Éditions Solar

Prévoir par l'astrologie, Catherine Aubier, Éditions Solar

Comment les séduire ?, Catherine Aubier, Éditions Artémuse

Synastrie, le secret des bonnes ententes astrales, Jean Texier, Éditions du Rocher

Le Taureau et le Verseau

Il était une fois...

Un Taureau taciturne et un Verseau volubile ;
Extrêmement complémentaires, ils avaient tout pour se plaire
Mis à part quelques traits de caractère
Qui, sournoisement, minaient leur tendre idylle.

Terrien, sensuel et indolent,
Le Taureau attendait du Verseau
Tempérance, constance et connivence.

Aérien, fantaisiste et impatient,
Le Verseau poussait le Taureau
Sur la voie de l'éternelle transcendance.

Gonflant son plumage,
Inconscient du ravage,
Le Verseau, sans ambages, tenait ce langage :
« Créons ensemble, et oublie tes marécages ! »

Lassé de babillages,
Le Taureau en rage
Implicitement lançait son message :
«Au diable ton verbiage... jouissons de notre pâturage!»

Évitant la médiane,
Chacun d'eux, têtu comme un âne,
Tentait de fusionner,
L'un dans l'abstrait, l'autre dans le concret.

L'un bouillonnant, l'autre ruminant,
Entretenaient savamment leurs différends ;
la tornade titillait la Terre,
Qui, par effet de serre, déclenchait le tonnerre.

L'Air peut-il parler à la Terre?
La Terre peut-elle comprendre l'Air?
Peuvent-ils trouver leur moteur
Et forger, ensemble, leur bonheur?

Le Taureau s'acharnait quand le Verseau caracolait ;
Quand le Verseau dit oui, le Taureau fut en retrait.

À quoi bon si on s'aime...
Tu récoltes ce que tu sèmes !
Pour le reste, c'est impossible ;
Nous sommes bien incompatibles.
Applique donc ce que tu dis
Si entre nous tout est fini !

Le Verseau fut déconfit ;
Bien tard il avait réagi.
Flairant le ver dans le fruit,
Il souffrait de cette ironie :

Ensemble, ils avaient construit
Plus qu'en toute une vie
Et voici qu'une sotte interaction
Brouillait leurs ondes, jadis au diapason !

En place de saisir sa chance,
Leur couple choisit l'échéance
Esquivant la transparence
Évitant la renaissance.

Et les deux de critiquer
Ce qui, d'abord, les avait soudés ;
Ni l'un, ni l'autre n'eut le courage
De combattre, à fond, le sabotage.
La morale de l'histoire ?
C'est que l'Air et la Terre
Sont, bel et bien, complémentaires
Et que, parfois, les frictions sont nécessaires
Pour vivre l'amour, et non la guerre.

Alors, cessons de nous blesser,
Et acceptons nos différences ;
Apprenons à nous parler ;
Nous sortirons de nos errances.

PIERRETTE

TCHALAÏ UNGER
Le tarot de l'amour

PHOTO : COLLECTION DE L'AUTEURE

réservés aux gens d'affaires, de ses frères « gypsies » qui savent prendre la vie, du sexe des anges, du sexe des rêves, de ses rencontres privilégiées – comme productrice d'émissions sur Radio France – avec des sommités de la physique et de la biologie : Ilya Prigogine, Rupert Sheldrake, David Bohm... Drôle, sérieuse, surprenante, captivante, Tchalaï est tout et son contraire, à l'image de l'amour, dont elle goûte savamment les paradoxes. Elle nous en parle via les personnages animés du tarot : Roy de Coupe, Reyne de Bâton et Roy d'Épée entrent en scène pour nous conter l'amour, la belle aventure...

« Depuis sa mystérieuse apparition sous les gouges de Nicolas Conver, qui tourmentait une plaque de poirier vers les années 1740-1750, le *Tarot de Marseille* va son bonhomme de chemin, continuant à véhiculer des vérités flagellantes ou subtiles pour ceux qui veulent bien, à l'entrée du Palais, ôter leurs bottes à clous, leurs casques étanches, leurs cache-coeurs en « revlar » et leurs paupières en plomb.

Nos réactions d'agacement ou de terreur laissent froid, ou plutôt intact, ce superbe Tout, cet hologramme en deux dimensions visibles, précédant une quantité innombrable de dimensions à laisser s'ouvrir : il demeure le conseil magnifique qui enclôt et détient le jeu du gouvernement du monde.

Il ne tient qu'à nous d'entrer dans l'hologramme les yeux ouverts, pauvres en esprit et modestes dans notre exultation.

Tout commence par une lecture et un coup de foudre : *Les Empreintes de l'invisible,* premier ouvrage proposant une approche scientifique du tarot; véritable petit joyau bourré de bon sens, de rigueur, et de fantaisie. Transportée, je téléphone derechef à l'auteure, qui, dans son appartement parisien, ne s'attend pas à une telle démonstration d'enthousiasme. « Tchalaï, votre livre est extraordinaire ! Rencontrons-nous, voulez-vous ? » Affaire conclue : de sa voix rauque mais chaleureuse, Tchalaï me parle de ses origines tziganes, de sa vie, qu'elle a consacrée à la dissection du *Tarot de Marseille,* des séminaires de tarot

Des visages de l'amour...

À tous les coins de carte, on rencontre l'amour, celui qui se cache pour nous dévorer au ventre (la Lune), celui qui nous effleure pour infléchir nos pas (le Soleil), celui qui transvase les énergies polaires (Tempérance) et s'incarne dans l'Androgyne dansant (le Monde), passerelle vers un autre ordre basé sur le Cinq... Bien sûr, je ne mentionnerai pas l'Amoureux, qui dévoile plutôt des passages/retournements de la naissance et de la mort. On peut même affirmer que le *Tarot de Marseille* est une immense œuvre d'amour, qui rayonne en descendant du futur, où il est accompli.

Plus rigoureux et plus sensé, le tarot nous suggère aussi, avec précision, les fondements du couple, ou plutôt le fondement de quatre types de couples différents, en quelque sorte incoercibles, incontournables, qui recouvrent toutes les sortes de relations entre deux personnes, et cela avec la grâce infinie de la mesure : huit cartes seulement, les Roys et les Reynes, chaque Reyne étant la sœur d'un Roy et la seule partenaire possible pour un autre Roy. Et réciproquement !

La lecture de ces cartes et la compréhension qui en émane est, comme toujours, de l'ordre d'une évidence qui se dissimule à peine au milieu de détails moins cohérents. Le tarot comporte un sous-ensemble (sur les quatre qui le composent) de 16 personnes que l'on peut grouper en quatre « familles », caractérisées par l'outil porté par chacun des quatre membres : Valet, Cavalier, Reyne, Roy, et qui donne son nom à ces quatre familles : Coupe, Deniers, Épée, Bâton. Notons que seul Deniers est au pluriel, et que la pluralité ainsi soulignée correspond à une série des mêmes outils, dépourvue de

Le livre « coup de cœur » de Tchalaï Unger

Archaos ou le jardin étincelant, Christiane Rochefort, Éditions Grasset

Une chanson: *Sarah*, de Bob Dylan

numérotation : à nous de découvrir sur quelle sorte de pluralité notre attention doit se diriger. Mais ce n'est pas notre sujet. Toutefois, il est important de marquer la cohérence de notre hologramme à X dimensions.

Des handicaps et des faiblesses...

Dans ces familles, réunies donc par le même emblème, seuls Roy et Reyne nous intéressent aujourd'hui. Chacun de ces huit personnages célèbre ou illustre une caractérologie inédite, simple, complète, et d'une logique résidant uniquement dans le dessin, le trait, la couleur de l'image. Les comparer entre eux manifeste la spécificité irrécusable de chacun, son point faible, ce qui le met en danger, le retient d'épanouir sa valeur, son potentiel.

Ainsi, par exemple, voit-on que la couronne de Roy de Coupe est cassée en deux, comme sa coupe. Que la jambe droite de Roy de Bâton est inutilisable et que son bâton (le seul pointu du Tarot) menace dangereusement le talon de son pied gauche valide. Que le bras gauche à main bizarre de Roy d'Épée jaillit d'une poche de chair qui n'a rien à faire là et que, contrairement aux trois autres Roys, il porte des babouches comme dans sa chambre.

Où écrire, où téléphoner?

Tchalaï Unger
11, rue de la Clef
75005 Paris
Tél./fax: (1) 43.37.12.85

Roy de Deniers, lui, ne semble menacé par rien, même si l'on note son regard hyperthyroïdien, son chapeau chic dissimulant sa couronne, et diverses finesses, tel un fauteuil à deux pieds dont un pan de manteau joue innocemment le troisième pied. Du bout de ses petites mains, Roy de Deniers maintient son outil.

Du côté des Reynes – sœurs des Roys portant le même emblème – apparaissent des handicaps similaires : Reyne de Coupe arbore un chapeau sous sa couronne (contrairement aux trois autres Reynes, qui portent seulement une couronne), un toit enroulé autour de sa tête (contrairement aux trois autres)... et un bras, muni d'une main abîmée, émergeant d'un tube de chair. Reyne de Deniers tient aussi haut qu'elle peut un énorme denier qui, bien que rond, ne tourne ni ne roule, et semble la fasciner, l'obligeant à hyperdévelopper sa main droite. Reyne d'Épée se cramponne à la seule épée rouge (sanglante? dangereuse?) du tarot, et pose une main souffrante sur son ventre couvert d'un tablier/bouclier entaillé d'une blessure. Quant à Reyne de Bâton, elle maintient sans effort un outil qui, vu à l'envers, a tout d'un instrument de musique : ce n'est pas du bois pour cogner ou piquer, mais pour vibrer, résonner !

Sauvés par le couple!

Et il se produit un miracle comme Alfred de Musset le racontait : tous ces hommes sont mal équilibrés, handicapés ou truqueurs, toutes ces femmes sont exigeantes, obsédées, faites de bric et de broc. Or, l'union de ces «monstres» les sauve de leurs problèmes et leur donne la vie!

On rencontre, bien sûr, des couples genre Reyne d'Épée et Roy de Bâton : ils n'ont pas même de quoi se «voir» l'un l'autre! Ou Roy de Deniers et Reyne de Coupe : même mariés, ils vivent dans des univers opposés, l'un désirant le vaste, elle le clos.

On rencontre aussi des Roys de Bâton mariés avec des Reynes de Bâton. Malgré la complicité, après quelque temps, la grande sœur se lasse et laisse son frère jouer dans la cour des petits! C'est un couple très fréquent aujourd'hui, qui divorce en six ans.

Roy de Coupe marié à Reyne de Coupe provoquera l'éloignement rapide... sans méchanceté; car aucun ne peut donner à l'autre ce qu'il attend. Trop de ressemblances engendre un stérile effet-miroir, de même pour tous les couples «fraternels»...

Mais il y a pire. Toujours et encore, Roy de Bâton cherche Reyne d'Épée, Reyne de Bâton piste Roy de Deniers, etc., et réciproquement. On les voit partout, on projette sur n'importe quel autre l'image de celui ou de celle qu'on cherche. Résultat : dix ans après, on jure que l'autre a changé... Hélas, l'autre ne change pas : simplement, il y a eu erreur sur la personne, sans doute parce que l'on ne va pas chercher son désir jusqu'au bout.

Que ce survol un peu rapide de ce que j'appelle « Le jeu des mariages » vous incite à utiliser la sublime machine, le *Tarot de Marseille*, à suivre les suggestions surfines qu'il vous laisse mettre en pratique, pour ne pas vous tromper ni tromper l'autre, et plus : pour vous permettre de rayonner cet amour, cette foi, dont nous rêvons tous et qui sauvent le monde. »

À lire

Le Tarot, jeu du gouvernement du monde, Tchalaï Unger, Librairie de l'Inconnu
(réédition des Empreintes de l'Invisible, M.A. Éditions)
Le Tarot, comment, pourquoi, jusqu'où, Tchalaï Unger, Grimaud
(+ d'un million d'exemplaires vendus en français et en anglais).
Le Véritable Tarot tzigane, Tchalaï Unger, Librairie de l'Inconnu
Prières pour les peines et les joies d'aujourd'hui, Tchalaï Unger, Éditions Dervy
Le Sexe des rêves, Tchalaï Unger, Éditions du Prieuré
The Theorema of Rodrigue, Azagra Dotcom Publishing

Spécialiste de la dynamique et de la combinatoire des jeux,
Tchalaï a créé son propre jeu de tarot: *Le Tarot tzigane.*
À paraître: *Le Tarot des chamanes.*

WILLIAM BERTON

L'amour en couleurs

PHOTO : COLLECTION DE L'AUTEUR

Ostéopathe, kinésithérapeute, acupuncteur, William Berton est également l'auteur des ouvrages *La Vie Énergie* et *Couleur Énergie*, accompagnés du jeu *Couleur Énergie*, outil d'éveil et de communication du XXIe siècle. Génial, William Berton ? extraordinairement inspiré, sans aucun doute, puisqu'il a réussi ce que l'homme, depuis la tour de Babel, cherche, sans succès, à inventer : un langage universel, qui unit les cinq continents dans l'amour retrouvé. Précurseur dans le domaine, William nous livre ici l'espéranto rêvé : le langage par la symbolique de la couleur, que des milliers de personnes décodent aujourd'hui, avec joie, à travers le monde. Quand l'humour

s'allie à la conscience, cela donne l'amour... un tiercé gagnant. Aussi sûr qu'un cocktail de couleurs nous inspire la vie.

P : William, parle-nous un peu de toi...

W.B. : Que dire ? Depuis 29 ans, je me consacre à la relation d'aide ; j'approfondis la connaissance des interactions existant entre la conscience et les maux du corps ; je me découvre moi-même, et j'apprends à me reconnaître au travers de ce que je crée...

P : Ta vie amoureuse est-elle haute en couleur ?

W.B. : Elle l'a été, elle l'est... et, vraisemblablement, elle le sera !

P : Quelle est la couleur de l'amour ?

W.B. : L'indigo pour l'amour sage... qui est un amour d'âme à âme, sans intervention du corps. L'orange mature pour l'amour passion, qui est l'amour des corps (la conscience est alors dans le placard). Le vert pour l'amour des cœurs, quand deux êtres partagent leurs passions et leur tendresse. Le rouge franc pour l'amour des différences. Le rose pour la renaissance, la douceur.

P : Quelle couleur porte le fusionnel ? Le solitaire ?

W.B. : Le fusionnel porte du grenat : « Je t'aime parce que tu parles comme maman, parce que tu as les expressions de papa, parce que tu ne fais pas comme maman ou parce que tu n'as pas le caractère de papa». Le solitaire arbore du rouge franc. Il s'aime lui-même... et découvre quelqu'un qu'il ne connaît pas.

P : Qu'est-ce que, pour toi, l'amour incarné ?

W.B. : Tandis que l'amour fusion est un amour de tête, l'amour incarné est la descente dans le corps, la véritable entrée en relation. Chacun tient un bout de ficelle, et prend soin de la garder tendue ; par l'exercice de la ficelle, je démontre que les deux partenaires doivent être présents, sinon il n'y a pas de relation.

P : Quel est le rôle du besoin ?

W.B. : En amour, le besoin prime, car il vient d'un manque et attire à nous celui qui nous ouvrira l'expérience correspondante... tandis que le désir entrave l'expérience et n'autorise pas la rencontre. Le besoin permet d'assurer ce qu'il faut maintenant ; il parle le langage du corps, pas celui du mental. Le désir, c'est ce qu'on aimerait avoir, et qui ne correspond pas nécessairement au présent. L'amour qui se présente est celui dont j'ai besoin... Hélas, je sabote tout en y ajoutant le désir ! L'amour incarné cohabite avec le besoin. Le désir ne mène pas à l'amour, mais à l'agence matrimoniale !

P : En quoi la couleur est-elle thérapeutique dans les relations amoureuses ?

W.B. : Quand on joue avec les couleurs, on sait «dans quoi» on est et «dans quoi» est l'autre. La couleur permet de savoir «comment on se vit» ce jour-là, d'accepter les différences, de comprendre ce que vivent l'un et l'autre. Avec élégance, elle signifie que ce n'est pas un jour pour approcher l'autre... Le couple peut aussi tirer la «carte-cadeau» et la «carte-enseignement» de la journée ! Ainsi, s'il tire «bleu mature», il saura que les conversations amèneront des «vérités»...

P : Quelle couleur apaise les conflits ?

W.B. : Le sable ; le nacre, qui désamorce les conflits et les transforme... en nacre, en dialogue, en finesse !

P : Peut-on transmettre des couleurs en pensée à quelqu'un ?

W.B. : Sûrement... sachant que l'autre ne recevra pas une couleur, mais une expérience à vivre... correspondant à cette couleur !

P : Sent-on tous, intuitivement, le langage des couleurs ? Parle-t-on, inconsciemment, leur langage ?

W.B. : Je le pense. Les enfants ont un accès direct à la couleur, surtout les enfants autistes ou handicapés avec qui la communication peut s'établir, ainsi, très vite. La symbolique des couleurs est connue universellement. Par exemple, les couleurs d'un drapeau reflètent les motivations profondes d'un pays. Les pays où le vert prédomine sont dans l'émotionnel à l'excès : les gens sont jeunes d'esprit, amoureux de tout.

P : Quelles sont les couleurs de la séduction ?

W.B. : Le caca d'oie et l'indigo naissant. Celui qui s'y trouve cherche à plaire, à attirer l'attention, et puis s'en va. C'est la tactique des dons Juans, des allumeurs, des dragueurs, des gens qui veulent séduire à tout prix. Tandis qu'être séduit signifie autre chose : quelle couleur en toi réveille un désir chez moi ? en quoi suis-je touché par toi ? en quoi suis-je prêt, dans ma vie, à être touché ?

On ne peut séduire... on ne peut qu'être séduit.

Les livres « coups de cœur » de William Berton

César l'Éclaireur,
Bernard Montaud

Le Chemin de l'extase,
Margo Anand

Un,
Richard Bach

P : Que révèlent les couleurs que l'on porte ?

W.B. : Elles révèlent souvent les choses qu'on est en train d'apprendre. Le vêtement qu'on porte raconte ce qu'on est, dans l'instant. La couleur que je porte sous le nombril raconte ce que j'ai appris. Celle que je porte au-dessus, ce que je suis en train d'apprendre. Si je porte du vert au-dessus, je découvre l'amour. Ainsi, le peintre peint ce qu'il découvre. De même, le bon conférencier parle d'un sujet qu'il explore (sinon, il devient vite ennuyeux) !

P : Quand on est amoureux, on voit tout en couleurs...

W.B. : Tout dépend de quel amour on parle... si je suis dans un amour de tête, je vois le monde en couleurs. Si je suis dans l'amour incarné, je me sens apaisé : je suis tourné vers quelqu'un, j'ai tout le temps de le découvrir. Être amoureux, c'est appartenir à l'autre. Je « m'appartiens à l'autre ». Je m'engage : tout mon être est attaché à quelqu'un. Je n'ai plus de problème avec les hommes ou avec les femmes, car la place est prise... sans

danger, je peux aller partout. Avec l'amour incarné, je suis rassuré : aucun autre n'est dangereux, n'a plus de goût pour moi. En même temps, il ne s'agit pas d'une fusion, puisque je ne demande rien à l'autre. C'est un état d'être dans lequel je suis entré.

P : Accepter une couleur est le meilleur moyen de la traverser...

W.B. : L'acceptation d'un état est la voie rapide. Si je force, si je reste dans la volonté, je freine mon évolution. De même, si je rajoute des projets, je multiplie les obstacles ; ainsi, je m'arrête où je suis pour mieux avancer.

P : Dans *Couleur Énergie*, tu dis, avec humour, que les cartes couleurs peuvent décrire l'ambiance d'une nuit...

W.B. : En effet : en tirant une carte, je peux savoir ce qu'une nuit dans tel hôtel me réserve. Ce qu'un restaurant me propose. Je peux choisir ce que je vais expérimenter. Un hôtel vert franc proposera une ambiance sympathique, familiale. Un hôtel caca d'oie ressemble à l'hôtel de passe. En tout, la couleur me conseille. Ainsi, un jour où j'étais invité à une conférence de presse, le bleu franc que j'avais tiré en « cadeau » m'octroyait une « faculté de dire ». Par contre, l'"« enseignement » – bleu naissant – m'enjoignait de me taire ! Message compris : je devais faire attention à mes propos ! De même, si je reçois le cuivre en enseignement avant un événement important, cela signifie que je n'ai pas droit à l'erreur ; en cadeau, il m'annonce que j'aurai une énergie colossale !

P : La couleur, c'est l'instant qui prépare le futur...

W.B. : Plutôt le devenir. Le futur, c'est voir au loin sans partir du présent.

P : Connais-tu des expériences de précognition par la couleur?

W.B. : Je vois surtout le présent de l'autre, quand il me laisse entrer. Je vois son histoire. La voyance n'est pas intéressante, car elle engendre une programmation.

Où écrire, où téléphoner?

William Berton
B.P. 27
84160 Lourmarin
France
Fax: (4) 90.68.22.92

P : Peut-on aussi entendre, goûter, sentir une couleur?

W.B. : Bien sûr! Ainsi, je mange des couleurs : j'absorbe du rouge quand j'ai besoin de sécurité, de l'orange quand j'ai besoin de me mettre en mouvement, de retrouver le désir, du jaune quand j'ai besoin de prendre ma place, du vert quand j'ai besoin d'entrer en relation...

P : Beaucoup de gens s'habillent encore de gris...

W.B. : Le gris représente le mental, le monde des pensées... en gris foncé, on se justifie; à tort, puisque ce qui est vrai ne demande pas à être justifié!

P : Quelle couleur propose le «lâcher prise» en amour, la «pause névrose»?

W.B. : Cela dépend du type d'amour... pour l'amour physique, le transparent permet de lâcher de suite! (rires); de même, le bleu naissant me suggère de me taire... L'indigo, lui, me demande d'être dans la conscience. Il est d'ailleurs toujours souhaitable d'être dans la conscience du scénario dans lequel on se trouve!

P : Animes-tu des stages sur la dynamique amoureuse?

W.B. : Oui, je les intitulais : «Faire couple». Ces stages s'appellent maintenant : «Expérience d'unité». Leur propos est d'apprendre la relation à l'autre. En commençant par découvrir qu'on ne sait pas. Je prépare également un livre sur le couple, car j'ai «reçu» un principe extraordinaire...

P : ... Mais encore?

W.B. : Pour la femme, l'homme est un esprit. Pour l'homme, la femme est un corps. De là vient la coupure. Ainsi, la femme doit découvrir que l'homme est un esprit qui habite un corps, et l'homme que la femme est un corps habité par un esprit. Voici le chemin qui est proposé au couple. En découvrant la «matière» de l'homme, la femme doit comprendre que l'esprit prend forme dans la matière; elle peut accepter que l'homme soit l'aboutissement de l'esprit, la matérialisation de l'esprit, que la pensée crée la matière. L'homme, quant à lui, découvre que la «matière» de la femme est animée par la conscience. En résumé, la femme doit accepter que l'homme ait un corps... et l'homme doit accepter que la femme ait un cœur! L'un comme l'autre vont dans la même direction : la pensée crée la forme. L'un comme l'autre ont à «prendre corps». La femme est l'inspiratrice de l'homme; l'homme est le créateur de la femme. L'homme matérialise physiquement sa femme. Elle souffle la création, et lui la matérialise! Elle inspire, il est la main qui pétrit. L'inverse est bien sûr proposé dans le cas d'une femme yang et d'un homme yin...

P : Que signifie, pour toi, « tomber amoureux » ?

W.B. : Je tombe amoureux de quelqu'un qui va faire à ma place ce que je n'ai pas envie de faire. Je tombe amoureux d'une femme qui sait bien faire la cuisine, elle d'un homme qui va au restaurant. Nos ego se rencontrent, et se sépareront plus tard : j'en voudrai à la femme parce qu'elle fait la cuisine, et elle m'en voudra parce que je vais au restaurant. Aimer est autre chose : je deviens amoureux, je ne « tombe » plus ! Je suis émerveillé... mais pas dupe.

P : Les cartes couleurs favorisent la conscience, donc la capacité d'aimer...

W.B. : Les cartes couleurs me permettent de prendre conscience de ce que j'aimerais que tu fasses à ma place, et vice-versa. On a le même scénario... et il nous est proposé de le traverser ! Quand je suis dupe, je suis fou d'amour. Quand je prends conscience de la supercherie, je m'en vais. Quand je suis dans l'amour, je suis dans la création. Avec l'autre. Si je fais des gâteaux avec l'autre, je suis dans la fusion. Si je fais des gâteaux pendant que l'autre joue de la musique, je suis dans l'amour. L'odeur de mes gâteaux inspire l'autre, tandis que sa musique me donne envie de faire des gâteaux. Le couple est dans l'être...

P : Dis donc, ton jeu, c'est la vie en boîte !

W.B. : Mieux : c'est une pensée sans corps, un être qui n'est pas dans le jugement, et sait jouer avec moi. À qui je peux demander en toute confiance. Sa présence permet de ponctuer, de souligner ce que je reçois dans ma vie. Ces synchronicités, ces « hasards » amusants qui ne sont, finalement, que des ponctuations de l'univers...

P : La touche finale...

W.B. : Le jeu des couleurs est universel. La preuve : il a été élaboré en Allemagne, réalisé en Belgique, le livret est produit en Slovaquie, et la boîte en Hollande ! Une version est aujourd'hui en préparation pour les pays anglo-saxons et l'Italie.

À lire

La Vie énergie,
William Berton, Éditions Couleur-Énergie
Couleur énergie,
William Berton,
Éditions Clair de Terre – Presses du Châtelet

À découvrir

Le Jeu des couleurs
de William Berton, Éditions Couleur-Énergie

À vivre

Les stages de William Berton

Trouver sa place:
dans quel domaine le mieux s'épanouir,
où, et avec qui?

• du 26 décembre 99 au
1er janvier 2000 près de Nîmes, France
• du 17 au 23 avril 2000 près de Reims, France
• du 23 au 29 juillet 2000
dans le Midi de la France

Prendre corps: comment mettre la pensée au
service des besoins du corps?

• du 1er au 4 mai et du 12 au 15 août 2000
près de Nîmes, France

Couleurs d'arbre généalogique: de l'héritage de
vos ancêtres aux mystères de votre histoire
• du 9 au 15 juillet dans le Midi de la France

CAROLE SÉDILLOT
L'amour en mythes

PHOTO : COLLECTION DE L'AUTEURE

Psychologue, directrice d'Astr'Évolution, auteure du *Tarot du chien* (Éditions Noème), *du Tarot du chat* (Éditions Jacques Grancher), de *Votre personnalité révélée par le tarot de Melle Lenormand* (Éditions F. Sorlot, F. Lanore), Carole Sédillot se complaît dans le monde paradoxal des symboles puisqu'elle diffuse, à longueur d'année, des cours d'astrologie et de tarot. Son nom apparaît régulièrement dans la grande presse, car Carole fait partie de cette poignée de courageux qui tentent de vulgariser (rendre accessibles) certaines sciences dites hermétiques, sans les abâtardir (en tuer la substance). Sacrée performance...

« Presque toutes les mythologies évoquent le commencement du monde en de prolixes écrits passionnants, mais parfois contradictoires. Gageons qu'au cœur de chacun d'eux sommeille le bien le plus précieux qu'aujourd'hui encore les hommes essaient de protéger et de garder, un véritable trésor : l'Amour...

Puisqu'il faut choisir dans ce formidable puits de la culture universelle, et la rendre accessible à tous, c'est de la mythologie grecque dont il s'agira ici, que nous privilégions pour traduire et transmettre notre message.

Il était une fois...

À toute histoire, il faut un début. Ce prélude, ce prologue à notre origine est certes une introduction anarchique, car il s'agit selon Hésiode – qui fit autorité vers 700 ans av. J.C. – du chaos tout simplement. Il fallait bien que le monde naquit quelque part et s'exprime sur un certain rythme. Cette émergence ne put se faire sans l'intervention d'un Dieu qui, sans être vraiment l'Amour, lui ressemblait étrangement.

Depuis l'esquisse de l'Univers, et même bien avant cela, l'Amour existait. Sous quelles formes ? Sous quels traits ? Sous quelles manifestations ? Toutes les légendes et tous les mythes ont, bien entendu, voulu se l'approprier. Pour que le monde puisse s'organiser et surtout se construire, il faut admettre que l'Amour s'inscrit comme le fil conducteur primordial, celui qui mène à l'Union. Ce lien entre deux êtres qui, de la sympathie, croît

**Les livres
« coups de cœur »
de Carole
Sédillot**

Le Petit Prince,
Antoine de Saint-Exupéry
Le Temps d'un soupir,
Anne Philippe
L'Écume des jours,
Boris Vian
L'Enracinement et l'ouverture,
Jean-Yves Leloup

vers la passion, et atteint la compassion, est aussi le vecteur indispensable à la Création.

Nous sommes donc rassurés : l'Amour ne peut disparaître, car il est le gardien de la pérennité de l'Humain et de toutes les espèces vivantes.

Revenons à la genèse de notre récit, et appuyons notre théorie sur la philosophie des Grands de l'Antiquité, qui, de toute évidence, ignoraient aussi d'où venait l'Amour... Ceux-ci, pour les raisons citées ci-dessus, placent l'Amour en amont de la Création, ce qui au demeurant semble logique. La généalogie divine des Grecs le nomme Éros.

Portrait et mission de l'intéressé

Dans le scénario helléniste, Éros apparaît sous les traits d'un garçonnet nu, avec des ailes, des flèches et un arc. S'il lance ses flèches dans le cœur des hommes et des dieux, nous n'ignorons pas que c'est pour faire naître l'Amour en eux. Faut-il donc souffrir pour découvrir l'Amour ? À moins qu'il ne s'agisse, funeste dessein, de faire souffrir... Quoi qu'il en soit, la blessure est possible. Cette probabilité doit rendre vigilant et éveiller la conscience afin que nul ne soit meurtri.

Éros est une divinité primordiale. Son principe s'avère universel dans la mesure où il s'étend à tous les êtres : hommes et dieux. Son rôle est indissociable d'Aphrodite, à qui il cédera la place plus tardivement.

Cependant, ce dieu antique apparaît comme antérieur à toute Antiquité, puisque sa puissance s'étend au-delà du créé, et se manifeste par l'intermédiaire de valeurs subtiles, qui trouvent refuge et expression dans le sentiment humain, et dans celui, plus élevé, qui mène à la foi.

Dans cette perspective, Éros permet d'établir des relations de toutes sortes, non seulement entre les êtres humains, quel que soit leur sexe, entre leur âme, leur esprit et leur corps, mais aussi entre le ciel et la terre, entre l'homme et la nature, qu'elle soit végétale, minérale ou animale, entre le beau et le bien... Parlons-nous là vraiment de l'Amour ? Nous envisageons ses possibilités...

En approfondissant tous les textes qui concernent Éros, depuis l'ère archaïque jusqu'à maintenant, tout en ayant traversé l'époque alexandrine et romaine, nous constatons qu'Éros s'est transformé, et qu'il a beaucoup évolué. La tradition orphique ne le fait-elle pas naître d'un œuf enfanté par la Nuit ? Chez les gnostiques, Éros est le seul des

**Où écrire,
où téléphoner?**

**Astr'Évolution
Carole Sédillot
43, rue Caulaincourt
75018 Paris
Tél.: (1) 42.62.98.26
Fax: (1) 42.62.90.15**

dieux grecs ayant échappé à la réduction astrologique et démonologique. Cela s'explique parce qu'à l'époque – fin du IIe siècle de notre ère – où fut construit le système du traité qui en parle, ce dieu restait un personnage omniprésent, et à la mode.

De l'Éros des anciennes théogonies émergeant de la terre, du chaos ou de l'œuf, ou de l'Éros magnifié – s'ébattant au paradis – de la gnose, il s'agit de la même histoire, de la même idée, et d'une même constante : c'est que, depuis son origine, ce monde porte en lui la force qui le fait survivre, et le met en relation avec la Vie et l'Amour...

Les poètes de toutes les époques ne s'y sont pas trompés. Quelles que soient leurs œuvres, leurs créations sont toujours le résultat, ou le support de l'Amour.

L'Amour comme unique rempart

L'Amour représente l'ultime possibilité, pour l'être humain, de se réaliser dans son autonomie. Il est le seul moyen qui existe pour s'insérer dans le monde avec plénitude. Qu'il soit amour entre parents et enfants, entre frères et sœurs, amis et amies, entre le soi et Dieu... Il est la force suprême qui permet de surmonter toutes les épreuves, de garder la foi, et de continuer à faire confiance.

L'Amour est la réponse à toutes les peurs et angoisses existentielles, et le dernier rempart qui offre la possibilité d'affronter et de neutraliser la haine. Il représente le besoin ultime et réel qui vit en chaque être humain.

«L'affirmation de notre vie, de notre bonheur, de notre croissance et de notre liberté s'enracine dans notre capacité d'aimer», dit Erich Fromm.

L'Amour en prologue, l'Amour en épilogue...

Il vient du divin, mais avant de retourner vers cette instance supérieure et sublime, l'Amour doit s'expérimenter sur le mode humain. Dans toutes ses bassesses et ses faiblesses, ses incohérences et ses contradictions, ses lâchetés et ses abandons, cette instance prend la mesure de sa formidable puissance et gagne sa transcendance. La laideur n'est qu'en surface, au-delà réside la beauté.

La route sur laquelle nous cheminons, et qui nous porte, nous ancre à chaque pas, et nous arrime à ce feu divin. Plus loin, peut-être un peu plus tard, ce feu se révélera brasier d'une flamme éternelle. Vainqueur de l'improbable et du doute, ce feu devient la lueur qui propose le passage de l'ombre à la lumière, de l'Amour à l'AMOUR...

Un nouveau millénaire entrouvre une porte. Souhaitons que chacun d'entre nous sache, par cette brèche, laisser s'échapper le meilleur et le plus pur de soi... Ce merveilleux ne se découvre pas et ne se révèle pas d'une manière évidente. Antoine de Saint-Exupéry nous a fait cadeau d'un secret :

«On ne voit bien qu'avec le cœur,
L'essentiel est invisible pour les yeux...»

CAROLE SÉDILLOT

À lire

Ombres et lumières du tarot, Carole Sédillot, Éditions Tchou
Un Chemin vers l'inconscient, psychologie jungienne et images du tarot, Carole Sédillot, Éditions Dervy
Une aventure mythologique, le grand Jeu de Melle Lenormand, Carole Sédillot, Éditions Dervy
ABC de l'alchimie, Carole Sédillot, Éditions Jacques Grancher (à paraître)

À vivre

La formation sur l'année
Les stages d'été à Paris (juillet 2000)
Les stages d'été en Gironde (juillet 2000)
en: astrologie – tarot – mythologie – initiation à la psychologie jungienne

CES AMOURS D'ÂMES...

Par-delà les dynamiques
Par-delà la codépendance
Par-delà les femmes qui aiment trop
Par-delà ces hommes qui
ont peur d'aimer
Plane cet état paradoxal, évanescent
et subtil, insaisissable et réfractaire
à toute analyse, que les mots ne peuvent
plus mettre en boîte, et qu'on appelle l'Amour.
Ce sont les rencontres du quatrième type,
ces liens magiques, issus d'un ailleurs.
C'est l'Autre, que l'on reconnaît instantanément,
et avec qui nous allons grandir...

Les âmes sœurs

Les âmes sœurs communiquent
Par-delà les sons, les mots et les techniques ;
Subtil, sublime et éternel,
Leur code se conjugue à l'essentiel.

Les âmes sœurs s'encouragent
Par-delà les crises, les tourmentes et les orages ;
Complices, elles guident dans leur pause
Ceux qui, lentement, se métamorphosent.

Les âmes sœurs se réchauffent
Par-delà les froids, les silences et les distances ;
Patientes, elles défient le temps
Et, la nuit, chuchotent dans les alcôves.

Les âmes sœurs nous rappellent
Que parler tantôt libère, tantôt enchaîne
Et que, des braises, peut jaillir l'étincelle
De l'amour qui sommeille dans nos veines.

Aujourd'hui, c'est Noël
Çà et là, des feux crépitent ;
Ci et là, des cœurs palpitent ;
Mon âme, confiante, tend vers toi une passerelle.

PIERRETTE

LES FRONTIÈRES DE L'ÂME

Dis-moi où tu commences et où je finis...

On le sait, avec pertinence...
Et toujours, on recommence...

Comme ce qui luit
Attire les papillons de nuit
Femme avertie
Fascine l'apprenti...

On le sait, si bien aujourd'hui
Car toujours le corps avertit...
Cet homme au regard perdu
À la voix sombre, au triste murmure
Que vient-il chercher,
Sinon son âme égarée?

Notre cœur résonne,
Notre corps frissonne,
Le danger guette
Vibrant appel, ultime alerte...

Il est honnête, il nous le dit :
Avec lui, nous courons à notre perte
Compassion... orgueil ou défi?
À tort, nous nous croyons expertes...

L'âme sait, le cœur devine
Le corps déjà reconnaît le signe
Blessure ouverte, cent fois pansée
Besoin de l'autre, illusion d'aimer.

Comme dit Paule Salomon
Allons au bout de nos passions
Elles nous apprennent, elles nous délivrent
Le corps vit, la conscience grandit.

Le cœur impose, le corps nous guide
Tandis que l'âme, déjà, s'éclipse
Et, complice avec celle qui l'aimante,
Prépare sa prochaine renaissance...

PIERRETTE

JOSETTE STANKÉ

Nos amours d'âmes si nécessaires, si difficiles

PHOTO : H. HOLLINGER

Quelques jours plus tôt, je l'avais rêvée : ma rencontre avec Josette Stanké. Fidèle à mon songe, elle m'est apparue : fragile, belle, menue. Joyeuse, spontanée, volubile. Présente et furtive, insaisissable, un peu comme un écureuil. Face à face, au bar de l'hôtel, nous étions en osmose. Pareilles et complémentaires. Un état de grâce. Peut-être une rencontre d'âmes ? J'étais, en tout cas, fascinée comme lors de « retrouvailles ». Josette – Cosette ? – a beaucoup souffert. La vie lui a donné les ingrédients : abandonnée à trois semaines, elle est recueillie par sa grand-mère, qu'elle perd neuf ans plus tard. Josette ne pleure pas. Elle n'a pas le

choix. Plus personne n'est là. Elle apprivoise la solitude, et apprend l'art de compter sur soi. Est-elle autiste ? En tout cas, Josette lutte. Pour naître à elle et pour survivre. Aujourd'hui, Josette Stanké est connue dans le monde entier. Psychologue, ex-chargée de cours à l'Université de Montréal, elle rédige, anime des conférences, des ateliers. Son livre-fétiche : *Les femmes qui aiment trop*, écrit par Robin Norwood en 1985 (Éditions internationales Alain Stanké), s'est vendu à plus d'un million d'exemplaires. Aujourd'hui, Josette nous parle surtout d'amours d'âmes...

P : Josette, aimer trop, c'est mesurer la profondeur de l'amour à l'intensité de la douleur ?

J.S. : L'amour se reconnaît au bonheur qu'il procure, non au tourment qu'il engendre. Cependant, n'oublions pas que la vie est paradoxe, qu'il y a des moments de crise, des dérives amoureuses, qui peuvent aussi mener à l'amour. L'amour est présent dans les crises ! Et la vérité n'est jamais acquise...

P : Pourquoi aimons-nous parfois si douloureusement ?

J.S. : On aime comme nos parents nous ont aimés. Notre manière d'aimer n'est pas inventée de toutes pièces. Elle nous est transmise par les générations qui nous ont précédés ! On répète inlassablement les empreintes des parents. En vérité, on aime comme on est... et comme on naît! Nous naissons dans une famille avec laquelle nous avons des liens de sang, de gènes, de chair. À la naissance, nous portons en nous un potentiel immense, une merveilleuse faculté d'être et de vivre. L'amour est la vie!

P : C'est alors que les fourches caudines s'abattent sur nos têtes et nos cœurs...

J.S. : Hélas, beaucoup de barrières se dressent dès notre arrivée au monde, et déjà même lors de la conception. Dans le ventre de la mère, le fœtus perçoit des messages : il ressent que les parents s'aiment ou se déchirent, et reçoit ses premières empreintes, positives et négatives. Il sait beaucoup de choses. L'enfant naît avec son unicité, son potentiel de vie, mais aussi avec les messages qu'il a déjà intégrés. Les liens avec les parents deviennent très forts, source d'affection mais aussi d'aversion.

P : Notre être profond est déjà atteint...

J.S. : Absolument. Tout petits, nous tentons de ressembler à l'image que les parents se font de nous. Car les parents ont souvent le fantasme de l'enfant qu'ils souhaitent, et ce, généralement dans le but de «réparer» leur propre vie. Tandis que notre potentiel d'être

Les livres « coups de cœur » de Josette Stanké

Lettres à un jeune poète,
Rainer Maria Rilke, Éditions Le Livre de Poche

Le Vol de l'aigle,
Jiddu Krishnamurti, Éditions Delachaux et Niestlé

Tout Jiddu Krishnamurti

Tout Christian Bobin...

reste à l'intérieur, nous grandissons en multipliant les défenses qui nous éloignent de notre essence. Nous repoussons dans l'ombre ce que nous sommes réellement, ceci dans l'espoir d'être «aimés», d'être «reconnus». Nous devenons absents à nous-mêmes, donc incapables d'aimer, puisqu'il est impossible d'aimer là où on est absent.

P : Plus tard, nous recherchons des partenaires qui nous rappellent ces premières empreintes...

J.S. : On arrive alors devant un être qu'on choisit – totalement à notre insu – parce qu'il présente des traits fort ressemblants avec ceux de nos parents. On est fasciné parce que l'inconscient sait : il sait qu'on a des choses à faire avec cette personne, un voyage à accomplir, un chemin à reprendre là où nous l'avions laissé, pour tenter d'aller plus loin et de résoudre nos conflits. Nous avons besoin de l'autre, car il nous mène à nous-même. En choisissant l'autre, on est en réalité attiré par soi. C'est pourquoi les grandes amours ne sont jamais faciles.

P : Elles sont cependant nécessaires...

P.S. : Absolument. Je propose d'ailleurs des séminaires en ce sens : «Nos amours nécessaires, mais difficiles». Nous avons parfois besoin de toucher le fond pour nous trouver. Mais les âmes savent déjà, et s'entendent à l'avance!

P : Les femmes qui aiment trop négligent leur intégrité personnelle, et tentent de changer les autres plutôt qu'elles-mêmes...

P.S. : Les «femmes qui aiment trop» viennent de familles perturbées, qui sont incapables de discuter de leurs problèmes fondamentaux, et dont chaque membre a un rôle préétabli et rigide. Quand la famille refuse d'admettre notre réalité, nous la nions nous-même. Nous ne nous laissons plus guider par nos sentiments. Nous adoptons le rôle qu'on attend de nous, et qui est dicté par le surmoi, par le parent intérieur, par la Loi. Le surmoi veut que l'on respecte la volonté des parents ; son objectif est la survie. L'enfant doit être soumis aux parents, et sera d'autant plus détruit que les parents sont rigides, ou au contraire «délaissants» : dans ce cas, le surmoi devient très exigeant.

P : La graine est semée...

J.S. : Les «femmes qui aiment trop» développent alors des trous, des absences, et y mettent l'autre. Par leur surmoi, elles tenteront de le changer, de le conformer à leurs attentes, pour se conforter elles-mêmes dans l'idée qu'«elles sont dans le bon». Quand l'enfance est difficile, nous recréons son climat, pour essayer de nous en rendre maîtres. Et, lorsqu'il y a conflit, le surmoi s'en prend à l'autre... cet autre qui, justement, touche en nous des choses qui ne demandent qu'à naître! C'est l'ombre qui veut venir à la vie, que le surmoi s'entête à refouler, tuant ainsi des parties de soi qui nous attendent, et la vie qui est en nous.

J.S. : Que se passe-t-il quand on tente de changer l'autre?

P : Cela ne marche jamais. Pousser quelqu'un dans une direction le fait fuir dans la direction opposée. Or, le surmoi tient au statu quo absolu; il résiste de toutes ses forces au

changement. Le mécanisme est tellement insidieux qu'il peut s'apparenter à une volonté de développement personnel : on emmène l'autre à des conférences, on lui fait lire des livres, dans l'espoir de le changer ! Le surmoi est encore et toujours là ! La partie de nous qui ne veut pas grandir tente de changer l'autre ! Tant qu'on persiste dans ce mécanisme, il n'y a ni acceptation de l'autre... ni de soi. La mémoire du surmoi vient de loin, de la lignée « transgénérationnelle », et est très rétive. C'est le critique intérieur, qui censure, nous empêche de vivre, et d'être ce que nous sommes.

P : Que faire alors ?

J.S. : Reconnaître qu'en nous accrochant à l'espoir de changer l'autre, nous tentons de contrôler la situation et d'éviter la souffrance. Nous cherchons où cela paraît être le plus facile... mais en même temps nous nous acharnons en vain, car c'est en revenant en nous-même que nous avons la possibilité de nous trouver. Au lieu de blâmer l'autre, souvenons-nous que nous l'avons profondément choisi ! Et que ce choix outrepasse le choix conscient ; il est le résultat de générations antérieures. Nous avons besoin de l'autre pour devenir qui nous sommes ! Hélas, je constate que les gens ne veulent « rien devoir à personne » et croient qu'ils vont »se former tout seuls » !

P : Voilà l'effet de la génération du moi !

J.S. : Absolument. Alors que nous sommes tous « interreliés », et finalement tous en interdépendance ! L'essentiel est d'en être conscient, et puis d'y devenir intime. On sort beaucoup plus facilement des mécanismes lorsqu'on les accueille.

P : Nous devons aller au bout de nos expériences...

J.S. : Bien sûr ! Je suis sidérée quand, parfois, les gens me demandent comment faire l'économie de leurs expériences, ou « combien de temps cela prendra » pour évoluer, etc. Toujours l'intervention du surmoi, qui nous empêche de vivre ! En fait, nous voyons deux choses ; ce qui peut être compris avec le conscient : « Je ne peux pas entrer dans cette relation, sinon je deviens une femme qui aime trop. Je dois développer mes défenses. » Et ce que notre inconscient pressent : cette personne est sur notre route pour nous faire évoluer. Le défi est nécessaire ! En réalité, chacun est le défi de l'autre, mais aussi sa providence !

P : C'est le cas des âmes sœurs...

J.S. : Oui, parfois, deux âmes sœurs se rencontrent et l'amour qu'elles doivent vivre dépend peut-être justement d'un obstacle, d'un défi. Mais il faut avoir fait du chemin pour ne pas se laisser décourager... Alors nous portons un autre regard sur les choses, nous entrons dans un autre état, qui part finalement de l'écoute de soi, qui s'ouvre à l'écoute de l'autre.

P : L'amour est bien plus qu'une affaire de mécanismes, ou un pacte silencieux entre « femmes qui aiment trop » et « hommes qui ont peur d'aimer » !

J.S. : Le mystérieux est présent, heureusement ! Il y a les accords d'âmes, la communication à distance, les alliances lointaines, les messages silencieux, l'évolution tacite ! Il y a les paroles qui guérissent, celles qui tuent, l'acceptation inconditionnelle et le lâcher prise qui, justement, provoquent le changement. Aller vers les autres... c'est ça, l'amour! Si l'on savait combien cela nous mène... à nous rencontrer nous-même! On a besoin des autres! Les rencontres d'âmes nous font évoluer.

P : Les hommes viennent-ils à tes conférences, à tes séminaires ?

J.S. : De plus en plus! Presque la moitié de mon public est constituée d'hommes! C'est merveilleux. Je reviens d'un colloque sur l'amour et le «couple vivant», qui s'est tenu à Aix-les-Bains, en France. Eh bien, je n'ai jamais vu une aussi grande proportion d'hommes! C'était terriblement émouvant. À un moment donné, un homme s'est levé. Il est monté sur la scène et a prononcé ces mots fantastiques : «J'ai 60 ans. Je viens d'être percuté par ce que vous avez dit. J'ai eu six vies intolérables... non, cinq. Parce que, aujourd'hui, nous travaillons, mon épouse et moi, à notre relation. Je ne veux plus commettre les mêmes erreurs.» Toute la salle a applaudi, transportée d'émotion.

P : On décide de changer quand la situation devient intolérable...

J.S. : Cet homme l'a bien dit : «C'est intolérable». On ne se sépare pas pour les bonnes raisons ; et le lien persiste, car les liens d'âmes sont indestructibles. On ne peut pas les couper.

P : Les âmes sœurs ont-elles toujours un lien sexuel ?

J.S. : Il y a de très belles rencontres d'âmes sœurs, tout à fait platoniques. Ces relations sont toujours très fortes. Ceci dit, le sexe peut être une voie d'accès vers l'âme, notamment pour les jeunes qui ont des relations sexuelles pleines de fougue. Le sexe peut aussi suivre l'amitié, ce qui suppose qu'il y aura nécessai-

rement un ajustement, un risque à prendre. Mais les rencontres d'âmes sont bien plus qu'une affaire de sexe, même si le désir pour l'autre est puissant. En fait, c'est le désir d'être, de vie, d'évolution qui se manifeste. La vraie libido, quoi! Ce qui explique que le désir est violent, fort, puissant. Quand l'âme a décidé d'aller plus loin, elle utilise tous les moyens!

P : Pour les «femmes qui aiment trop», le sexe est gratifiant...

J.S. : Disons qu'il calme temporairement la tension engendrée par la relation, épuisante. La jouissance est d'autant plus grande que le lien est difficile. Tant qu'on est en insécurité, on se sent vide, ou, plus exactement, habité par l'autre. On se sert du sexe pour reconquérir l'autre, pour le captiver autant que pour le capturer.

P : Le sexe devient une drogue, au même titre que l'alcool ou la nourriture.

J.S. : Les drogues attirent... Dans le risque que propose l'amour, il y a un stress énorme, parfois une terreur, que l'on aspire à calmer. En même temps, la peur et le stress sécrètent des endorphines dans le cerveau, qui procurent un effet d'excitation. L'amour, le plaisir et la douleur deviennent une seule et même sensation, toujours recherchée. La «femme qui aime trop» se drogue à son homme pour échapper à son vide.

P : Les «hommes qui ont peur d'aimer» parlent souvent de leur attirance pour la «femme en blanc», la femme forte qui saura compenser leurs faiblesses et leurs manques, bref les «sauver»!

J.S. : La femme veut «sauver» l'homme pour qu'elle lui soit indispensable. Sa motivation n'est pas altruiste, mais très narcissique.

Cela vient de sa blessure profonde. En réalité, il n'est pas possible de «sauver» quelqu'un. La «femme en blanc» est pleine de «blancs» : c'est-à-dire de trous, d'absences à elles-mêmes. Elle n'est ni ancrée, ni présente à elle-même ; elle n'est que son image. Elle a besoin de se remplir des autres. C'est sa survie. Elle a à apprendre à vivre, et cela lui demande de passer par la conscience de sa solitude.

P : En réalité, toute «femme qui aime trop» cache une «femme qui a peur d'aimer», et tout «homme qui a peur d'aimer» cache un «homme qui aime trop»!

J.S. : C'est évident. Aimer trop signifie toujours que l'on a peur de l'intimité. Les deux partenaires restent chacun dans leur polarité. Ils ont un problème complémentaire, et la dynamique peut basculer. Mais le fondement déséquilibré demeure.

P : En évoluant, nous accédons à une autre forme de passion, plus positive...

J.S. : Peut-on appeler cela de la passion? C'est tellement plus grand et plus indestructible... Nous découvrons l'intimité réelle ; plus on pénètre dans le lien, plus on rencontre l'insaisissable, la capacité phénoménale de se révéler mutuellement. On a bien moins besoin d'être suspendu à l'autre, même si on est habité par sa présence. Les difficultés n'apparaissent plus intolérables... si on pouvait comprendre combien ces difficultés sont utiles! On perd une énergie folle à tenter de les éviter. Si chacun pouvait réaliser qu'une crise, une rupture n'est ni la fin, ni une tragédie, mais une sorte de commencement. Une opportunité qui va nous apporter du sens précieux. Si ces couples pouvaient être convaincus que, quoi qu'il leur arrive, ils vont se retrouver ; ils sont faits l'un

Où écrire, où téléphoner?

Josette Stanké
76, rue Vaneau 75007 Paris
Tél./fax: (1) 45.44.75.08

1515, avenue du Dr Penfield, app. 905
Montréal (Québec) H3G 2R8
Tél.: (514) 931-4590
Fax: (514) 931-0116

pour l'autre! Ils seront obligés de communiquer à nouveau! Car, en rompant violemment, on laisse beaucoup de morceaux de soi chez l'autre...

P : La vie exige le risque...

J.S. : Oui! Mettons-nous en risque, allons-y! Acceptons le désordre! Efforçons-nous de consentir, de lâcher prise! Si l'on veut que l'excitation et l'esprit de défi subsistent, nous devons explorer les mystères joyeux existant chez l'homme et la femme engagés l'un envers l'autre. La confiance et l'honnêteté d'Agapè se combinent avec le courage et la vulnérabilité d'Éros pour parvenir à l'intimité véritable. Plutôt que séduire et se laisser séduire, nous pourrions apprendre à connaître et à être connus. C'est une source d'enthousiasme permanente. Même si, parfois et même souvent, on souffre encore. C'est la vraie vie!

P : Guérit-on tout à fait des manques subis pendant l'enfance?

J.S. : Non, et c'est tant mieux! C'est ce qui fait d'ailleurs notre humanité : que l'on ait cette fragilité, ce besoin de soi et de l'autre. Mais cela peut se passer dans la confiance et dans la conscience ; voilà qui change tout! On se reconnaît, on se transforme.

P : Que penser de ces livres et ateliers qui nous parlent de notre «complétude»?

J.S. : On naît forcément incomplet. Ce genre d'affirmations engendre la fausse suffisance, la multiplication des défenses, et un réel sentiment de solitude quand même.

P : La femme est-elle, comme on dit si souvent, l'«avenir de l'homme»?

J.S. : As-tu vu le film *Secrets et mensonges*? On y voit quatre femmes, dont trois souffrant de leurs incompréhensions, de leur vie de femme (la mère, la fille, la belle-sœur), et un seul homme. Eh bien, c'est par l'homme que le changement arrive. Parce qu'il parvient à être vrai, et provoque une réconciliation profonde avec lui-même d'abord, avec les quatre femmes ensuite. Cet homme ose parler, dire sa vérité. Les femmes sont alors libérées de leurs malentendus, en elles et entre elles. On va bientôt être étonnés des changements que les hommes pourront nous apporter! Si l'homme se montre vrai avec lui-même, il nous donne à chacun notre espace de vérité... Quelle magnifique perspective!

P : Deux dépendants peuvent-ils «guérir» ensemble?

J.S. : Je dirais même plus : deux dépendants devraient guérir ensemble, chacun à son propre rythme. Ce sont là les plus belles réussites. Une magnifique réconciliation... qui commence, bien entendu, par celle avec soi-même! Le travail de l'amour est tellement immense, et aimer est si différent de l'idée que l'on s'en fait! Accepter l'autre est l'antithèse du contrôle. Quand on accueille l'autre tel qu'il est, sans tenter de le changer, il évolue par lui-même. Et nous aussi. Parce qu'on lâche prise, qu'on est animé par l'amour, et non par le besoin de contrôle. La rancœur et le blâme disparaissent, et laissent place à l'affection et à l'apaisement. De même, les défenses s'estompent lorsqu'elles sont reconnues par l'autre. C'est même l'occasion d'en rire ensemble!

P : L'interruption d'une dépendance génère une formidable anxiété...

J.S. : Le symptôme «aimer trop» est aussi puissant que le manque qu'il recouvre. En fait, tous les manques sont des manques d'amour. Quand on quitte sa béquille, ne reste que la sensation de manque, de soi pour soi. Et en soi. C'est le vertige du vide. On cherche alors à se remplir de l'autre. Il faut se donner le temps de guérir : avancer petit à petit, être présent à ce qui se passe, et, parallèlement, faire des choses gentilles pour soi, les plus naturelles possible. Tout ce qui nous est bienfaisant : prendre un bain, un bon repas, soigner son corps. Ouvrir son être à la vie, à la spiritualité. Et puis consentir à n'être pas parfait. Accepter de culpabiliser. Tolérer les défenses. L'attention doit être dirigée vers soi, car les dynamiques du «trop aimer» ou du «mal aimer» sont puissantes. Mais plus on est ouvert, plus on est avec soi, son allié, plus la transformation a lieu.

P : Peut-on mourir du trop aimer?

J.S. : Le corps est lié à l'esprit : on devient malade du trop aimer. Quand on est absent de soi, on est absent du corps. La maladie se manifeste, pour nous dire qu'on s'est oublié quelque part. Le trop aimer est une maladie progressive, qui s'aggrave de symptômes et de sentiments de détresse.

P : Que faire pour guérir d'une dépendance ?

J.S. : Je pense qu'il convient d'oublier tout ce qu'on nous a raconté. De ne rien chercher à soigner directement. De s'ouvrir à soi. De s'écouter d'une bonne oreille. De tenter de reconnaître comment l'on ne s'aime pas et de s'accueillir ainsi. C'est fou combien tout se transforme lorsque l'on accepte d'être qui l'on est ! Quand l'ouverture se fait, les ateliers de groupe peuvent être précieux : notre guérison est alors confirmée et facilitée par l'énergie du groupe. Au lieu de chercher dans des objets : nourriture, alcool, médicaments, relations excessives, on trouve l'amour en soi et chez les autres. Et l'on peut vivre des amours plus saines, même si des «résidus» nous replongent temporairement dans l'angoisse. L'angoisse est là pour être traversée. Elle sait alors nous structurer.

P : On guérit donc par les autres ?

J.S. : Tout à fait. La connaissance n'est pas suffisante. La vie nous remet dans les situations difficiles, comme si nous devions repasser des «tests». Seul dans son coin, il est impossible de guérir. Ce que nous avons le plus à apprendre, c'est de «recevoir» alors que nous croyons que le bon geste est de donner.

P : Comment ne plus se laisser prendre aux jeux ?

J.S. : Les jeux sont bons... on peut tester où on en est. On y entre, on en sort. Quand il y a malaise, il faudrait se permettre de revenir à soi. Et avertir l'autre de ce qu'on fait. On ne le rejette pas, on s'ancre.

À lire

Nos amours, aimer pour mieux se connaître, se connaître pour mieux aimer,
Josette Stanké, Éditions Michel Lafon (à paraître),
paru sous le titre au Canada : *Nos amours difficiles, mais nécessaires*

Aux Éditions de l'Homme/Éditions internationales Stanké :
Ces femmes qui aiment trop (2 tomes), Robin Norwood
Ces hommes qui ont peur d'aimer, Steven Carter et Julia Sokol
Vivre l'amour, Robert Steven Mandel
De l'amour passion au plein amour, Jacques Guerrier et Serge Provost
Au-delà des psychothérapies : l'abandon corporel, Aimé Hamann

Aux Éditions Le Jour
Les Âmes sœurs, Thomas Moore

P : Est-il libérateur d'écrire son ressenti ?

J.S. : Oui. L'écrire, mais aussi savoir le dire. Pour soi, et pour le partenaire. Cette démarche accroît l'intimité, l'excitation, et apporte au couple ce qui lui manque : des fondements affectueux. Car les racines sont floues pour un couple fusionnel, où personne n'est soi. De son côté, l'intimité avec soi et avec l'autre favorise la communion d'âmes, celle où, contrairement à la fusion, on ne se perd pas. Ces moments sont sacrés. Aucune technique ne les provoque. Ce sont surtout des moments de grâce.

P : Que faire quand on sent que l'on « passe à côté de quelqu'un ? »

J.S. : Le lâcher. Chacun évolue à son rythme. L'évolution engendre l'acceptation, sans conditions. Consentir à ce qui est amène des surprises ; en tout cas, quelque chose se produit.

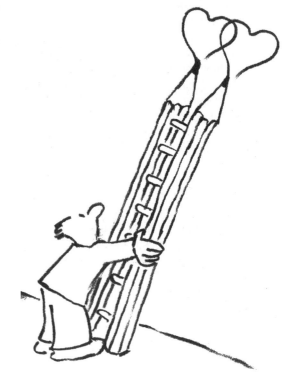

À écouter

K7 (+ livres) de Josette Stanké
Aimer et grandir
Nos répétitions amoureuses
La Peur et l'amour
Attachement et autonomie
K7: Coffragants inc., Canada • Livres: Éditions Alexandre Stanké

À vivre

Les conférences et séminaires de Josette Stanké en France

Paris:

Itrec, 153, rue du Faubourg St Denis, 75010 Paris
Tél.: (1) 43.65.66.09 – Fax: (1) 43.98.11.33

Librairie les Cent Ciels, 23 Rue François Mirou, 75004 Paris
Tél.: (1) 48.87.66.27 – Fax: (1) 48.87.67.11

Limoges et Brève:
Université Populaire du Limousin, 40 rue Charles Silvestre, 87100 Limoges Tél./fax: 055 87.15.51

Bretagne:
Association Possibles, 4 rue du Perroquet, 29900 Concarneau
Tél./fax: (2) 98.97.35.52

Lyon:
Samasa Éducation – Rhône – Alpes, 5 rue des Jardins, 69600 Oullins
Tél.: (4) 78.51.94.11 – Fax: (4) 78.22.20.91

Melun:
Association Vivance, 721 Résidence Aquitaine, 77190 Dammarie-les-lys
Tél./fax: (1) 64.39.41.47

Les séminaires résidentiels de Josette Stanké au Québec et en France

au Québec:

L'hiver: du 6 au 11 février 2000
L'amour qui nous guérit

L'été: du 23 au 28 juillet 2000
L'amour et nos peurs

L'été indien: du 25 septembre au 1er octobre 2000
Les apprentissages du cœur

en France

Le printemps: du 29 mai au 4 juin 2000
Le corps qui aime – Le cœur qui connaît (co-naît)

Participation mixte, européenne et québécoise; lieux enchanteurs;
approches «expérientielle» et psychocorporelle.

CES AMOURS D'EXTASE...

Saveur étrange, venue d'ailleurs
Fruit défendu, divine liqueur,
Le sexe conscient nous ouvre le cœur.
Source bénie, jamais tarie,
Acte sacré, pulsion de vie,
L'étreinte nous mène au paradis.
Cadeau suprême, message du ciel,
L'extase vécue est une passerelle,
Une voie sublime, une onde nouvelle,
Un air de fête, un goût de miel
Une fragrance rare, presque irréelle.
Les sens nous mènent à l'éternel!

CHRISTINE LORAND ET DOMINIQUE VINCENT

Le couple sur la voie tantrique

PHOTO : COLLECTION DES AUTEURS

Voilà un couple qui s'entend... côté alcôve et côté boulot, puisque du fruit de leurs ébats est né *Le Couple sur la voie tantrique* (Éditions Altess pour l'Europe, Éditions du Roseau pour le Canada). Levons le voile : Christine Lorand est psychologue clinicienne de formation, et Dominique Vincent éducateur spécialisé. Tous deux travaillent depuis de nombreuses années comme psychothérapeutes spécialisés en diverses approches psychocorporelles. Voici ce qu'ils disent, en chœur : «Nous avions déjà exploré le tantra chacun de notre côté, quand nous nous sommes rencontrés voici trois ans. Deux aspects de notre relation nous étonnent et nous rapprochent chaque jour davantage. Le premier est que nous vivons de plus en plus notre sexualité comme une expérience sacrée. Elle est devenue notre méditation qui, curieusement, va de concert avec l'expansion du plaisir. Le deuxième est que nos conflits se transforment progressivement. D'inquiétants – au début – ils deviennent source de désir, de joie... et surtout de conscience. Nous recevons des couples en thérapie, et nous offrons de fréquents ateliers d'initiation au tantra, dont certains spécifiquement pour couples. Nous organisons également une formation en tantra de 21 jours répartis sur l'année.» Le tantra : un voyage à portée de presque toutes les bourses, pour autant que l'on apprenne à naviguer dans les eaux tantôt sages, tantôt tumultueuses du développement personnel. Car, comme dit Paule Salomon, le couple éveillé utilise l'énergie sexuelle et la fait éclore au niveau du cœur et de l'esprit...

«Mus par l'espoir de réintégrer, dans un tout vivant, sexualité et spiritualité, nous avons visité l'Inde plusieurs fois, afin de retrouver cette antique sagesse. Nous n'avons pas été déçus. Le tantra est devenu l'essence même de notre expérience amoureuse.

Les livres « coups de cœur » de Christine Lorand et Dominique Vincent

Le Culte de la féminité,
André Vanlysebeth, Éditions Flammarion

Passionate enlightenment,
Miranda Shaw,
Princeton Paperbacks Publishing

Le Livre des secrets,
Bhagwan Shree Rasjneesh,
Éditions Albin Michel

Le simple mot tantra éveille bien des fantasmes dans notre imaginaire : les scènes érotiques des sculptures de vieux temples indiens, des pratiques étranges de débauches sexuelles. Non, le tantra n'est pas une perversion ! Il est animé par le respect de soi et de l'autre dans une authentique recherche d'amour.

Le tantra est une tradition plurimillénaire qui plonge ses racines aux sources de la civilisation, dans les religions animistes et le culte de la déesse mère. À notre connaissance, il est une des rares traditions spirituelles qui reconnaissent aux femmes un rôle égal à celui des hommes. Il donne même prééminence aux valeurs féminines. Il est le seul qui octroie une place royale à l'expérience amoureuse sur la voie de l'accomplissement. Il affirme que les réalisations personnelles et spirituelles les plus élevées qui ignorent l'intimité et la sexualité resteront toujours incomplètes, à l'image d'un rosier qui ne fleurirait jamais. Il est aussi l'une des rares démarches traditionnelles qui acceptent sans jugement les émotions négatives comme moteurs importants de transformation. Le tantra prend d'emblée toute expérience humaine comme sacrée. Ses enseignements sont d'une actualité brûlante, au moment où les travaux de Sigmund Freud et de Carl Jung nous invitent à reconnaître, et à intégrer, notre inconscient et notre ombre, et où nous nous débattons dans des conflits incessants entre hommes et femmes. Il est aussi porteur de messages pour un monde qui s'enfonce dans la violence, qu'elle soit conjugale, terroriste ou raciste.

Le tantra nous propose une démarche et une méthodologie précise, qui s'harmonisent avec la plupart des approches actuelles de développement personnel et de thérapie. Les grandes lignes en sont :

- l'éveil des sens : il nous propose de reprendre possession de notre corps, et d'en réveiller toute la sensibilité et la sensualité ;
- un grand ménage psychoémotionnel : nous avons intérêt à rencontrer notre ombre, faite de tous les aspects négatifs de notre personnalité, que nous nous efforçons sans cesse de refouler ; la reconnaissance de nos conditionnements permet de libérer l'énergie emprisonnée ;
- le jeu des énergies subtiles que l'expérience amoureuse met en mouvement : ces énergies sont un merveilleux trésor, qui peut ouvrir nos chakras, et nous donner accès à de nouveaux états de conscience ;
- au point ultime de l'orgasme tantrique, l'extase divine nous attend, au-delà de tout effort et de toute pratique.

L'éveil des sens

« Celui qui cherche l'éveil
Doit pratiquer ce qui doit être pratiqué.
Renoncer aux objets des sens
C'est se torturer soi-même par ascétisme.
Ne faites pas cela !
Quand vous voyez une forme, regardez !

De la même manière, écoutez les sons,
Humez les parfums,
Goûtez les saveurs exquises,
Touchez les textures.
Servez-vous de tout ce que les cinq sens
peuvent appréhender,
Vous atteindrez rapidement l'éveil
suprême ! » (1)

Tout est dit ! Il s'agit de réveiller le potentiel de sensibilité de notre corps sans rien dénigrer. C'est le premier pas sur le chemin de l'expérience religieuse. Mon corps est intégralement divin. Il est la porte. Je ne peux atteindre aucune expérience extatique si je n'accepte pas les plaisirs qu'il me donne. Certes, le corps est aussi douleur, mais respectons-le, et écoutons-le. Jouissons consciemment de ce qu'il rend possible, il nous ouvrira des espaces où même la douleur physique inhérente à la nature humaine peut prendre un sens, et être dépassée.

Revenir à notre corps, c'est redevenir un enfant spontané et innocent. Si nous en sommes capables, si nous pouvons le vivre moment par moment, surtout dans l'expérience amoureuse, notre conscience s'élèvera peu à peu, du plus matériel au plus subtil. Les seuls ingrédients nécessaires sont la présence et l'acceptation de cœur. Par le corps, nous pouvons passer directement à la quatrième étape, et atteindre l'ultime. Cependant, dans la pratique, nous avons perdu cette innocence et cette spontanéité. Pour accéder à notre individualité et à la vie sociale, nous avons dû, dans une large mesure, les sacrifier. Il est indispensable d'identifier les conditionnements de notre éducation, afin de retrouver l'intégralité de notre nature.

Il est étonnant de constater la contradiction flagrante existant entre l'enseignement religieux traditionnel sur la sexualité et l'expérience vécue. Pour la religion, est impur celui qui nourrit des désirs sensuels. Cela le mène à la luxure et au péché. C'est un obstacle majeur à l'expérience du sacré. Notre observation est à l'opposé de cet enseignement. Plus quelqu'un refuse de sentir et de vivre sa sensualité, plus son regard est chargé d'une énergie malsaine, en particulier d'amertume, d'agression et d'obsession. Par contre, plus quelqu'un jouit de son corps naturellement et sans perversion, plus son regard est limpide.

Quand nous «tombons amoureux», nous faisons l'expérience de cet éveil des sens. La lune de miel nous permet de ressentir la saveur profonde, le véritable parfum de l'existence. Même si la fascination du premier regard est en grande partie projection et illusion, en réalité, à ce moment béni, l'énergie amoureuse est tellement forte qu'elle est capable de forcer tous nos barrages. Nous nous retrouvons comme deux enfants émerveillés et vulnérables, à la sensibilité exacerbée. Mais cette première découverte n'est pas la réalisation finale. Ces moments de grâce ont une fin. Bientôt, les besoins régressifs non satisfaits et les diktats de notre juge intérieur referont surface et ébranleront ce paradis, qui se transformera en un champ de bataille, et en lutte de pouvoir.

**Où écrire,
où téléphoner?**

Christine Lorand et Dominique Vincent
137, rue du Faubourg Saint-Denis
75010 Paris
Tél.: (1) 42.09.41.23
Fax/tél.: (1) 34.87.94.52
Courriel: vinc024@ibm.net (Dominique),
lorandch@club-internet.fr (Christine)

Que nous soyons jeunes amoureux animés du feu de la passion ou vieux couple blasé menacé par l'ennui, le tantra nous invite à donner tout le respect et tout le temps nécessaire à cet éveil des sens. Il est un don de la nature, de l'existence, du divin. Une difficulté majeure de l'intimité amoureuse, à notre époque, est que nous ne pouvons plus lui donner du temps. À quoi bon, dirons-nous! Or, la voie du plaisir savouré pleinement, y compris le plus charnel, est la première étape vers l'expérience mystique. Elle est le premier stade qui peut nous faire entrevoir et désirer la grande union avec la nature, l'univers. Elle est l'irruption du sacré dans nos vies. Elle ne révélera tous ses secrets que si elle est abordée en pleine conscience et dans une acceptation intégrale.

La puissance de l'ombre

Cette étape est capitale, mais il ne faut pas s'y enfermer. Elle apporte une forme de plaisir, celui de savoir que je fais ce qu'il faut pour me connaître, celui de découvrir qui je suis au-delà de ce qui a été plaqué sur moi, celui, aussi, de retrouver ma liberté intérieure. C'est une étape de nettoyage et d'intégration personnelle. Je prends conscience des scénarios qui déterminent mes réactions affectives, des interdits qui me limitent, de mes peurs, des deuils que je n'ai pas faits. Je dévoile tout ce qui a été repoussé dans l'inconscient, dans l'attente de pouvoir être guéri en toute lumière. Je reprends possession de l'énergie de l'ombre, celle qui est mobilisée par le refoulement de toutes les émotions et pulsions qui n'étaient pas permises. Il est temps maintenant de les accueillir, et de les mettre en pleine lumière. Je n'ai plus besoin de les refouler quand je peux les recevoir avec cœur et conscience. C'est le fait même de les recevoir ainsi qui

permet la libération et la transformation.

Dans toute relation amoureuse, nous traversons des moments difficiles parce que la relation éveille en nous le meilleur, mais aussi le pire. Elle nous fait vivre les émotions les plus nobles et les plus subtiles, le goût de s'ouvrir et de s'offrir. Mais elle réveille aussi nos démons endormis, nos besoins d'être pris en charge par l'autre, nos pulsions de revanche contre ceux qui nous ont déçus, nos jalousies et nos peurs d'être abandonnés. Ces moments difficiles peuvent être l'occasion d'une guérison et d'une intégration profonde. Pour cela, je dois leur faire face en étant conscient qu'ils sont une occasion de grandir. Quand quelque chose ne va pas, je me place en face de mon partenaire, je prends le temps de sentir ce qui se passe en moi, et je parle. Quand je sens de la rage, de la jalousie, de l'amertume, je ne le cache pas comme quelque chose de honteux. Je dis ce qui se passe, et j'écoute la réponse de l'autre. Si nécessaire, je décharge ma colère sur un coussin, je vais me promener ou je trouve tout autre moyen d'expression adapté. Certains se trouvent bien de danser, de peindre ou d'écrire. Cependant, la décharge, seule, n'est rien tant que je n'ai pas appris à dire exactement ce qui se passe en moi. Il suffit d'ailleurs que l'un des deux protagonistes en soit capable pour que la situation commence à se transformer.

L'illusion est de penser qu'il est nécessaire de trouver une solution à un conflit. Dans ce but, nous argumentons, nous blâmons, nous menaçons. En fait, il s'agit seulement de dire clairement et honnêtement ce qu'il en est, aussi douloureux ou effrayant que cela puisse paraître. Quand nous le faisons, nous pouvons constater combien nos émotions négatives obéissent à un mécanisme répétitif. Tout change quand nous comprenons que nous répétons, à chaque fois, un épisode de notre passé. Notre partenaire n'est que l'occasion de réveiller une vieille blessure, qui attend dans l'ombre d'être sentie pour guérir. Dès que nous touchons à cette blessure et que nous la partageons à notre partenaire, le conflit cesse, et l'amour coule de nouveau.

Dans le couple comme dans les arts martiaux, le combat est sacré car il me permet de me découvrir et de découvrir mon partenaire. Il ne s'agit surtout pas d'écraser mon opposant, mais d'apporter le plus de conscience possible à la situation. J'ai besoin d'un adversaire à ma taille. Les règles de ce combat, c'est de laisser à chacun le temps de se préparer et de dire ce qu'il a à dire. À la fin de la lutte, chacun doit pouvoir penser : «J'ai appris, donc j'ai gagné». Sinon le conflit rebondira sans cesse. Pour se battre ainsi, il faut beaucoup d'amour et de courage.

L'attitude tantrique pour traverser cette étape n'est pas la même que celle des thérapies classiques. Le but n'est ni la résolution des conflits, ni l'intégration psychologique, mais seulement le développement d'une présence non jugeante, et l'acceptation aimante de soi et de l'autre. Le piège, c'est que nous voulons nous améliorer, devenir plus intelligents, plus conscients, plus amoureux. Nous désirons être autres que ce que nous sommes. Le tantra nous dit : «Soyez juste ce que vous êtes, sans choix, sans rejet, sans jugement. Soyez ce que vous êtes, en y mettant un peu plus de conscience. Ne gaspillez pas vos énergies à essayer de changer. En face de votre partenaire, soyez tel quel, nu et vulnérable.» C'est tout simplement cela que nos conditionnements nous empêchent d'être. La présence suffit. C'est de cette présence que viendra l'intégration.

Les plaisirs subtils

Nos systèmes de croyances limitent notre expérience. Au fur et à mesure que nous nous en dégageons, des charges fabuleuses d'énergie se trouvent disponibles pour la transformation alchimique intérieure.

Dans cette étape de ma croissance spirituelle, j'apprends à observer tous les mouvements d'énergie qui s'animent en moi. J'entre dans un monde subtil où les plaisirs s'affinent et s'élèvent sans cesse. Le tantra nous offre une carte pour l'exploration du corps énergétique. Cette carte, fruit d'une expérience plurimillénaire, décrit les centres énergétiques, les différents chemins que l'énergie peut emprunter. Elle explique les étapes possibles du voyage avec leurs significations. Elle met à disposition des outils variés, sorte de yoga qui comprend une multitude d'exercices. Les différentes écoles tantriques ont élaboré leur pédagogie propre. De nouvelles méthodes voient régulièrement le jour. Citons les danses, les rituels, la récitation de mantras, de visualisations. L'ouverture et la maîtrise de la respiration sont des éléments clés, ainsi que l'écoute de toutes les pulsations qui font vibrer notre être.

La variété et la richesse des techniques ne doivent pas nous cacher l'essentiel. Tout ceci ne vise qu'à créer de plus en plus d'espace intérieur. Le lieu principal de la transformation, c'est le cœur. Or, l'ouverture du cœur est impossible si nous refusons de nous engager dans des relations intimes. Pour le tantra, ces relations ont une dimension cosmique. On y goûte la saveur même de l'existence.

« L'homme regarde la femme
comme une déesse,
La femme regarde l'homme comme un dieu.
En unissant le sceptre de diamant
et le lotus,
Ils doivent s'offrir l'un à l'autre
À part cela, il n'y a pas d'adoration. » (2)

Pour comprendre ce texte, il faut savoir qu'en langage tantrique le sceptre de diamant désigne l'organe mâle, et le lotus le sexe féminin. La qualité suprême est la réceptivité, l'attente sans attente. Je suis avec mon ou ma partenaire comme en face de l'existence, ouvert et vulnérable, disponible aux plus légères manifestations de la vie qui me traversent comme une brise ou comme un ouragan.

La dernière étape, l'orgasme total

Ceux qui le connaissent restent souvent muets. Les mots manquent, qui leur permettraient de partager leur vécu. De plus, personne ne peut saisir le sens de ces mots sans en avoir fait l'expérience personnelle. Nous ne savons pas ce qu'est l'illumination, cependant nous avons tous connu des moments de lumière, des instants sans début et sans fin, où tout est suspendu dans un temps qui n'existe plus. « Je ne cherche rien, je ne suis plus mais tout est là ». Écoutons les chants de joie de quelques femmes qui connaissent cet état. Peut-être nous encourageront-ils à poursuivre notre chemin. Peut-être feront-ils monter en nous le soleil de l'aube intérieure.

« Oh ! Magnifique !
Le pollen s'anime au centre du cœur de la fleur de lotus.
La fleur éclatante de lumière s'est libérée de la vase.
D'où viennent la couleur et le parfum de cette fleur ?
Pourquoi les accepter ou les rejeter ?

« Qui prononce le son de l'écho ?
Qui peint l'image dans un miroir ?
En quel lieu se déroule le rêve ?
Absolument nulle part.
C'est cela, la nature de l'esprit...

« Oh ! Magnifique !
Le vide, avec toute la maîtrise artistique de la conscience,
Crée des scènes magiques
Qui n'ont pas d'origine et pourtant apparaissent.
N'accepte ni ne rejette ce qui est parfait tel qu'il est...

« La conscience spontanée est le chemin suprême.
Nul besoin de marcher, c'est le fondement de l'existence telle qu'elle est ;
Nul besoin de pratiquer, cela s'accomplit sans effort. » (3)

Pour nous, qui sommes en cours d'évolution, il est possible de témoigner de ceci : la relation sexuelle devient de plus en plus silencieuse et pleine. Les moments de fusion dans l'immobilité peuvent se prolonger indéfiniment, et sont puissamment régénérateurs. Ce qui n'exclut pas, bien au contraire, des périodes de jeux amoureux tour à tour tendres et sauvages. Notre vie commune ressemble de plus en plus à deux flammes qui dansent ensemble, s'entremêlent, se séparent pour se retrouver et se fondre. Nous ne savons de quoi demain sera fait. Sans nul doute, nous traverserons d'autres zones de turbulences. Mais, sur ce chemin, quel bonheur !

Traditionnellement, le tantra se transmettait de maître à disciple. C'était une doctrine secrète. On l'appelait la tradition murmurée parce qu'elle circulait de bouche à oreille. Aujourd'hui, de nombreux éléments de cette transmission sont ouvertement disponibles. Tout s'accélère. Notre époque exige une transformation rapide. C'est une question de vie ou de mort. Alors, vous pouvez commencer dès ce soir. Asseyez-vous en face de votre partenaire, ou étendez-vous ensemble. Regardez-vous dans les yeux et prenez le temps de sentir ce qui se passe. Regardez bien. La personne qui vous fait face est la manifestation de quelque chose de magique, de divin. Même si vous vivez avec elle depuis hier, dix ans, cinquante ans, vous ne la connaissez pas dans son essence. Elle reste un mystère à découvrir, à recevoir, à savourer avec gratitude. Vénérez-la, adorez-la, approchez-vous d'elle avec un respect infini. Si elle vous aime, si c'est le moment juste, vous allez vous unir à elle une fois de plus. Soyez présent, faites l'expérience de l'unité cosmique retrouvée.

CHRISTINE LORAND
ET DOMINIQUE VINCENT

Les citations, traduites de l'anglais, sont extraites de *Passionate enlightenment* de Miranda Shaw.

(1) **Extrait du Candamaharosana-tantra, enseignement tantrique du VIIIe siècle de notre ère.**
(2) **Candamaharosana-tantra.**
(3) **Ancien texte tibétain.**

À lire

Le Couple sur la voie tantrique, Christine Lorand et Dominique Vincent, Éditions Altess

À vivre

Les ateliers et séminaires que Christine Lorand et Dominique Vincent animent régulièrement au Québec: l'éveil des sens, massage tantrique, sons et voix tantriques, les chakras. Contact: (514) 990-8899 (de Montréal), ou (800) 228-3246 (autres régions au Québec), ou (418) 522-0106, (888) 603-0106 (région de Québec).

CES AMOURS SPIRITUELLES…

Allons, mes sœurs,
courage, mes frères
Au loin scintille la lumière
Du couple uni après la guerre
Quel long chemin, quelle belle victoire
Pour l'homme lunaire,
la femme solaire !
Quel pari fou, quelle drôle d'histoire
Quelle voie divine, si pleine d'espoir !
Suivons ces guides d'une nouvelle ère
Conscientisons leurs sains repères
Sachons, ensuite, nous détacher
Laissons l'amour nous libérer !

PAULE SALOMON

La sainte folie du couple

PHOTO : COLLECTION DE L'AUTEURE

L ire Paule Salomon, c'est exaltant ; la rencontrer, c'est déterminant. Car l'atout majeur de Paule, qui n'est probablement pas étranger à son foudroyant succès, est sans doute d'adhérer corps, âme et esprit au message qu'elle nous transmet. Deux bestsellers : *La Sainte Folie du couple* et *La Femme solaire* (Éditions Albin Michel) ont fait de Paule une femme lumière... Cap sur l'hôtel où notre messagère de l'amour se détend entre deux émissions télé. Ambiance feutrée, suite capitonnée... Douce et féline, Paule Salomon m'invite à poser mon popotin sur un délicat sofa, et s'installe elle-même confortablement, les jambes gracieusement

repliées sous son corps joliment revêtu d'une robe à volants. Comtesse de Ségur ? Pas si sûr...

P : Paule Salomon, vous faites la passerelle entre le masculin et le féminin, aujourd'hui embourbés dans la quête d'identité...

P.S. : Entre le masculin et le féminin, mais aussi entre l'éveil et le sacré... car l'essentiel de mes recherches est axé sur la conscience de l'être, sur la sensation de tout découvrir à partir de soi, notamment par la respiration et le lâcher prise, qui permettent de retrouver créativité et vie intérieure. La magie vient alors de ce qu'on réinvente du plus profond de soi des choses déjà trouvées par d'autres...

P : Sommes-nous à l'aube d'une civilisation androgyne ?

P.S. : Nous ne sommes qu'au début de cette étape ! La femme se masculinise – ou se «solarise» – tandis que l'homme se féminise – ou se «lunarise». Il y a des signes avant-coureurs. Cependant, les femmes bougent plus facilement que les hommes, et viennent plus volontiers à mes ateliers. Ce sont en majorité des femmes lunaires dominantes... que je reconnais à une terrible fermeture, et à un problème d'image. À l'instar de l'homme macho, elles dominent dehors parce qu'elles sont fragiles dedans. Madonna est l'exemple type de la femme lunaire : elle revêt une panoplie de costumes de façon extrêmement virile...

P : Doit-on nécessairement traverser les sept étapes décrites dans *La Sainte Folie du couple* pour devenir un homme lunaire ou une femme solaire ?

P.S. : Dans l'ordre ou dans le désordre, ces différents stades caractérisent notre évolution... Aucune femme ne peut, par exemple, faire l'économie de l'étape lunaire dominante. Du point de vue collectif, nous n'avons d'ailleurs pas encore traversé cette époque. Les couples évolués, quant à eux, voyagent d'un stade à l'autre... sans rester prisonniers d'aucun d'eux.

P : Peut-on dire que la créativité naît de cette réconciliation entre les pôles féminin et masculin que l'on porte en soi ?

P.S. : Tout à fait : une intense créativité correspond toujours à des retrouvailles intérieures. C'est le couple intérieur plus ou moins en harmonie.

P : Pourrait-on parler de « passion constructive » dans une relation ?

P.S. : Le terme « passion » évoque une dépossession de soi... Un des partenaires désinvestit de lui-même et est absorbé par l'autre ;

Les livres « coups de cœur » de Paule Salomon

Rubât Yat,
Djalâl od Din Rumi, Éditions Albin Michel
La plus que vive,
Christian Bobin, Éditions Gallimard
L'Art d'aimer,
Erich Fromm
Les 112 méditations tantriques,
traduction Pierre Feuga, Éditions L'Originel

c'est le principe du creux et de la bosse, la blessure de l'un correspondant à la blessure de l'autre. Néanmoins, si l'être est centré, il peut éprouver une passion pour un autre être, sans vivre une dépossession.

P : L'adage veut qu'en cas de conflit, on se réconcilie sur l'oreiller...

P.S. : C'est une erreur : faire l'amour pour fuir un conflit est une façon de « gérer la coupure » de soi avec soi... et de soi avec l'autre. Toute crise est une tentative pour rétablir quelque chose de plus unifié, et naît de la non-reconnaissance mutuelle, du fait que l'on s'enferme dans des rôles figés. Associer la quantité de sexe et le quota de disputes est une manière de vivre dans la violence, qui mène, invariablement, à l'évitement.

P : Existe-t-il des couples incompatibles ?

P.S. : Il n'existe pas, à mon sens, de couples incompatibles... mais plutôt des moments incompatibles. Ainsi, une femme rebelle, traversant une phase de « masculinisation », se révoltera contre un mari oppressant. Le couple sera en état provisoire d'incompatibilité, car la femme, par exemple, se refusera sexuellement, ce qui engendrera automatiquement la fureur de son partenaire. Le dialogue ne pourra être « réinstauré » qu'à partir du moment où chacun se sera suffisamment isolé pour clarifier ses besoins. Seule façon de comprendre l'autre, et de ne plus se « hérisser » de peur ou de colère. L'important est d'être conscient du problème, et de s'engager sur un chemin d'autonomie. Ainsi, les plages de solitude sont indispensables, parce qu'il faut du temps pour connaître son talon d'Achille et se préserver. Enfin, il arrive qu'un couple ne puisse fonctionner... parce que les blessures des partenaires sont trop profondes.

P : Quel piège revient le plus fréquemment dans le couple ?

P.S. : L'homme qui demande à sa partenaire d'endosser le rôle de mère... La femme qui demande à son conjoint d'être son père... voilà le lieu de toutes les ingérences. Jouer à papa et maman, c'est bien quand on ne s'attarde pas dans un rôle... qui devient dangereux lorsqu'il est figé. Dans le couple, il faut laisser libre cours à tous ses personnages intérieurs, à toutes ses facettes, savoir entrer et sortir d'un rôle.

P : Et rester ouvert à d'autres partenaires ?

P.S. : L'attirance sexuelle amène le désordre... La flèche d'Éros cause des blessures mais agrandit l'âme. L'amour charnel est dangereux ; cependant, pour évoluer, nous avons besoin de beaucoup de figurants.

P : Une telle affirmation risque de heurter les partisans de la fidélité...

P.S. : La fidélité n'est pas le seul ciment du couple... L'important est surtout de rester fidèle à soi-même ! Si j'éprouve du désir pour l'autre, je n'ai pas à me censurer. Sachant aussi que, plus je m'érotise, plus j'ai l'occasion de me recharger... à ma manière. Les couples réellement fidèles ont une intimité qui ne peut se partager avec d'autres. Leur fidélité provient d'un choix, d'un désir, d'une

noblesse d'âme, et n'est aucunement liée à une peur, à une obligation sociale ou morale. Ce qui n'empêche pas que l'on puisse de temps en temps éprouver une amitié amoureuse pour un autre partenaire... car le masculin et le féminin sont toujours en train de se chercher.

P : Qu'est-ce qu'un couple évolué ?

P.S. : Un couple dans lequel les partenaires sont solitaires et solidaires ; ne servent pas de béquille à l'autre ; ont un niveau élevé de conscience ; et une conjonction d'âmes, qui fluctue cependant au quotidien. Elle peut faire faux bond un jour, et réapparaître le lendemain. Le couple connaît des circonvolutions ; son parcours n'est pas en ligne droite ou en flèche (apanage de l'ego), mais les partenaires sont toujours en train de tourner, d'user la violence de l'ego.

P : Les jeux de pouvoir sont-ils mortifères ?

P.S. : Les jeux de pouvoir sont mortifères... quand les rôles sont arrêtés. Des partenaires tyranniques sont invivables, à la fois pour l'autre et pour eux-mêmes, et atteignent vite les limites de la non-remise en question. On peut vivre des rapports de force, sans pour autant arriver à la démesure ! Le véritable pouvoir, quant à lui, provient de l'autonomie personnelle.

P : On dit que le sexe est le baromètre de l'affect...

P.S. : Avant tout, nous sommes des êtres de plaisir ! Un problème sexuel traduit souvent un malaise, un déséquilibre dans un autre pan de vie. Nous risquons de nous fourvoyer si nous nous limitons au côté visible des choses.

Où écrire, où téléphoner ?

Centre d'Éveil
Paule Salomon
146 chemin de l'Adrets
06530 Cabris (BP6)
Tél.: (4) 93.60.61.58 - (1) 42.33.70.46 (Paris)
Fax: (4) 93.60.56.13

P : Le choix des mots est-il capital pour vous ?

P.S. : La simplicité, la clarté sont essentielles... mon rêve était de traduire Jean-Paul Sartre, de le rendre accessible pour une majorité de gens. Le poids des mots m'interpelle : j'ai horreur du show et je peux m'arrêter au beau milieu d'une émission de radio si je m'aperçois que l'on fait de l'esbroufe.

P : Une dernière question... que pensez-vous de notre projet de lancer des passerelles entre éditeurs, auteurs et grand public ?

P.S. : Faire le trait d'union entre plusieurs mondes est une excellente initiative... et il y a beaucoup de pain sur la planche. Le schéma est classique : un petit groupe prépare la tendance, l'éveil des consciences... la société digère ; les médias prennent alors le relais, permettant à la chose de s'incarner dans la société. Même médiatisées, popularisées, certaines révélations apportent beaucoup de bonheur. Le danger ne réside pas dans la « popularisation » de découvertes, mais dans leur « bâtardisation ». Enfin, il faut être très « dualitaire » soi-même pour servir de porte-parole... être en même temps dans les médias, dans l'image, et dans un univers plus spirituel... dans l'horizontalité et dans la verticalité... mais surtout dans une énergie d'amour. Je suis convaincue qu'il y a une place solaire pour votre média !

À lire

La Sainte Folie du couple, Paule Salomon, Éditions Albin Michel
La Femme solaire, Paule Salomon, Éditions Albin Michel
La Brûlante Lumière de l'amour, Paule Salomon, Éditions Albin Michel
Les hommes se transforment, Paule Salomon, Éditions Albin Michel
Le Couple intérieur, compilation dirigée par Paule Salomon, Éditions Albin Michel

À vivre

Les séminaires de Paule Salomon

Le créateur : 4 modules de 5 jours, une synthèse des outils de développement personnel, un travail sur la transformation des blessures, le passage de la victime au créateur, la connaissance de soi ancrée dans le corps. Une formation annuelle.

Femme solaire 1 et 2 : deux modules de 5 jours réservés aux femmes pour une approche spécifique de l'identité féminine. Les héritages culturels et personnels, les possibilités actuelles. De la déesse sauvage à la femme solaire ouverte sur l'amour et la créativité en passant par la femme soumise, révoltée et éclairée. Stages d'été (juillet et août).

Homme lunaire : réservé aux hommes, ce module de 5 jours permet une approche consciente de l'identité masculine en pleine mutation. Comment favoriser l'émergence d'une nouvelle virilité par l'intériorisation du féminin et une confiance retrouvée dans le masculin (avril et septembre).

Homme lunaire, femme solaire : l'apprentissage tantrique de l'art d'aimer, la sainte folie du couple. Cinq jours dans la beauté et l'amour, l'intensité de la vie et l'élévation de l'énergie (mai et novembre).

Carpe diem : l'approche tantrique par la joie et l'intériorisation des 5 sens (juillet).

La sainte folie du couple

Un nouveau jeu de l'oie

Le couple apparaît, aujourd'hui, comme une équation insoluble : période romanesque teintée d'illusions, suivie d'un brusque retour à la réalité ; adaptation résignée à cette dernière pour les uns, fuite dans le maquis pour les autres... La quadrature du cercle ou, plutôt, d'une triade infernale qui, sous la plume géniale de Paule Salomon se transforme en trois victorieux. Car le malentendu est là, énorme et grotesque : à force de chercher frénétiquement le un (la fusion) ou le deux (le complément) à l'extérieur de soi (la moitié d'orange), on en oublie de développer le trois... Or, le trois (véritable amour) ne peut pointer son nez que si l'on a soi-même réconcilié le un et le deux (également principes féminin et masculin) qui sommeillent en chacun de nous. Simple en apparence, mais fichtrement complexe dans la vie de tous les jours, n'est-ce pas ?

Cette équation-là, on ne nous l'apprend pas à l'école, et elle est pourtant essentielle, vu le nombre de familles dysfonctionnelles que compte notre époque... C'est que notre société entre dans sa phase thérapeutique, opère un magistral retournement des valeurs, tente cahin-caha de réconcilier les contraires, et d'harmoniser son anima et son animus. *Il est presque temps !* se disent ceux qui ont planché sur l'équation, l'ont retournée dans tous les sens, en ont fait leur grigri... et, tout heureux de l'avoir comprise, le thème de livres, stages ou sé-minaires.

Parmi eux, Paule Salomon, porte-parole de Cupidon, nous livre le fruit de ses calculs et de son expérience dans deux livres sublimes : *La Femme solaire* et *La Sainte Folie du couple*. Dans *La Femme solaire*, l'auteure brossait brillamment l'évolution de la femme, de l'homme et du couple au fil des âges, puis au cours d'une vie, nous entraînant, ainsi, dans une fasci-nante relecture de l'histoire, de la religion et des mythes. Avec *La Sainte Folie du couple*, elle approfondit l'étude des rapports de domination homme-femme, et analyse, en sept étapes, la relation amoureuse qui mène du couple archaïque que nous rejouons tous, au couple éveillé vivant l'amour en conscience. Un véritable parcours du combattant... mais quelle victoire pour ceux qui arrivent en bout de piste !

Que sont donc ces sept cycles, qui nous tiennent haletants, le cœur palpitant ou en écharpe, et par lesquels nous sommes amenés à passer et à repasser, encore et encore, jusqu'au moment où nous nous stabilisons dans un état d'ouverture heureuse à l'autre? Tournez manège; le carrousel démarre, et le tour sera long... c'est à qui attrapera la floche!

Allô maman, bobo...

Nous brûlons d'amour pour notre mère, souvent en toute inconscience; nous lui apposons, nous lui opposons d'autres visages, d'autres amours, mais ce que nous cherchons dans ces rencontres, c'est retrouver cette troublante symbiose primitive et charnelle.

Notre mère est pour nous une déesse, qui nous donne la vie... et peut aussi nous la re-prendre. Elle nous dispense à son contact un plaisir immense, mais nous remplit d'une détresse noire lorsqu'elle n'est pas là et que nous avons faim, peur ou mal. Ce double pouvoir fait d'elle une créature d'ombre et de lumière, envers qui nous nourrissons des sentiments ambivalents de vénération et de crainte. Elle est notre première mémoire, notre premier univers, notre terre d'accueil; nous absorbons goulûment son lait, fusionnons avec elle. C'est l'amour-cannibale.

Difficile pour le fils qui a eu une relation forte et exclusive avec la mère d'être satisfait, plus tard, par une autre relation féminine, ou d'avoir envie de s'engager dans une intimité dangereusement englobante... en ce cas, bonjour la galère! Éternel nourrisson, il recherchera la «mama» dont il sucera voluptueusement le sein... se mirera, tel Narcisse, dans une femme lointaine et idéalisée... ou encore, don Juan butinant, fera, devant ces dames, moult courbettes, avant de prendre la poudre d'escampette.

En cas de rébellion, le petit d'homme se rangera du côté de son père, et reniera sa mère et la féminité... pour prendre modèle sur Terminator ou Rambo, et ligaturer sauvagement ses émotions. Tragique amputation; qui n'est pourtant qu'apparente, car la féminité imprègne le garçon dans ses premières années d'existence, et l'attend patiemment pour le rejoindre dans la courbe descendante, au moment même où la femme devient plus masculine, et commence à porter la culotte (en effet, l'inconscient a toujours la teinte de l'autre sexe, et se manifeste inéluctablement avec l'âge)...

En conclusion, pour être soi-même, mieux vaut dépasser l'imitation, et la révolte; et connaître sa blessure à la mère, pour ne pas la projeter sur son compagnon ou sa compagne. Tout un programme.

Rambo roule des biscoteaux

La difficulté du petit garçon vient du fait qu'il doit pouvoir dire «non, je ne suis pas maman» sans blesser son féminin intérieur (sur le plan biologique aussi, l'embryon est d'abord XX, c'est-à-dire féminin, et le masculin XY se construit contre cette féminité première). Pour résoudre ce casse-tête, le petit d'homme choisit souvent d'affirmer sa supériorité dans l'action : vas-y que je piétine mon yin ! Patatras ! il tombe dans le piège : il n'agit plus, mais réagit contre sa crainte initiale... et renforce sa dépendance sans y voir que dalle, ignorant qu'au fond de Terminator, sommeille un garçonnet apeuré, rêvant du temps où il courait emmailloté. De même, plus Rambo camoufle sa femme intérieure, plus elle devient criante, et, tôt ou tard, finira par percer la cuirasse du guerrier. Milliard, tous ces efforts pour des queues de poire !

Aujourd'hui, l'esprit masculin tient encore la dragée haute dans nos sociétés : il s'accroche rageusement à l'idéologie, à la politique, au sport, à la science, au rationnel, à l'intellect, à la domination du cosmos, au côté visible (solaire) des choses... et, finalement, à la maîtrise de son propre refoulement, écrasant à grand-peine sa femme intérieure, qui lui parle d'intuition, d'émotion et de sentiment. En niant son existence, il confirme ses peurs. D'où viennent ses craintes ? de la différence et du désir... qui est l'expression d'un manque ; pour y pallier, je dois absorber ce qui me fait défaut, donc je dois dominer l'autre.

Antidote : comprendre qu'on est une personne à part entière – et non une moitié de personne – toujours susceptible de reprendre sa liberté...

Moi pas vouloir toi

Lasse d'être traînée par les cheveux, la femme-femme se révolte contre Rambo, qui se met à résister jusqu'à la tyrannie (non mais, qui commande ici ! sois belle et obéis...) L'exacerbation des deux pôles : féminin/lunaire, masculin/solaire, conduit au conflit ouvert ou fermé... qui se répercute d'ailleurs à grande échelle. Aujourd'hui, les neuf dixièmes de l'humanité sont encore englués dans des relations teintées de compétition, de domination, de lutte... La planète Terre vit dans la guerre économique, psychologique, et même amoureuse !!! S.O.S., elle cherche un passage au niveau du cœur...

Récapitulons. Un couple d'amoureux vit d'abord son stade fusionnel : je me berce d'illusions et je me fonds en toi. Puis, vient l'étape de la différenciation : je reprends mon espace, récupère mes amis, mes passions. Pour beaucoup, c'est un moment de désenchantement, de peur de perdre l'autre, d'installation d'un rapport dominant/dominé. Certains font éclater le couple dès la fin de la fusion, et recommencent ainsi plusieurs fois jusqu'à ce que la nécessité de la différenciation soit comprise (exemple type : une vedette bien connue de la chanson)...

Ensuite, au stade du conflit, plusieurs cas de figure : si j'ai le diplôme de l'enfant sage et soumis, je serai avec joie ton Spartacus ; si j'ai appris dans ma famille et à l'école que l'homme est supérieur à la femme (ou le contraire), je reproduirai fidèlement le schéma dans ma vie d'adulte ; si j'entretiens un état de révolte larvée avec mes parents, je vais m'empresser de l'introduire dans le couple... Le conjoint – dont le problème est complémentaire au mien – endosse alors le rôle de mauvaise mère ; je le relaie quand il fatigue, et c'est parti pour la valse sadomaso. Je suis tantôt bourreau, tantôt victime.

Au stade du conflit, on privilégie la pensée dualiste d'exclusion, un pôle au détriment de l'autre : je refuse d'intégrer ce que tu m'apportes, je reste sur mes positions, je te dévalorise, je te culpabilise, je fais du chantage, des menaces, j'ai raison et tu as tort, j'ai peur de toi donc je fais pression, je veux que tu changes, j'envoie des doubles messages, je te manipule, je répète de façon compulsive mon histoire, mes humiliations, etc., etc. Le couple infernal pousse au paroxysme la différence, et fonctionne sur l'opposition. Chacun s'isole dans sa peur, et se perçoit comme la victime de l'autre qui devient son écran de projection. Le masculin et le féminin sont sur le ring, la guerre des sexes bat son plein. De temps en temps, une oreille tombe, comme celle que le boxeur Mike Tyson a dévorée, et qui se vend, moulée en chocolat, dans les super-marchés.

Ceci dit, aucune relation n'échappe totalement au stade du conflit, mais la difficulté sera d'autant mieux surmontée qu'elle sera anticipée, et dédramatisée.

Antidote : comprendre qu'on crée soi-même son bourreau, qu'on en devient complice, qu'on a besoin de sa dépendance pour exister. Que les jeux de pouvoir constituent une défense contre les peurs inconscientes et anesthésient une question fondamentale : «Qui suis-je, moi, derrière ce rapport de force?» (Je te domine, donc j'existe, tu me domines, donc j'existe)...

Le jeu de pouvoir est terriblement mortifère ; il tue la capacité d'amour, mais a ceci de particulier qu'il porte en lui la possibilité de guérison des deux partenaires. Car en acceptant de perdre le contrôle de l'autre, on peut gagner – ô joie – le contrôle de soi...

On sort du bac à sable

La femme lunaire/féminine tend maintenant au mode actif, et l'homme solaire/masculin au mode passif. La contradiction intérieure est bien là, et pousse à consulter des thérapeutes, à lire des livres, à s'engager dans une voie d'évolution, à prendre enfin le risque de se remettre en question.

Trois pas en avant, deux pas en arrière : courage mon popotin, ma tête avance... On sait ce qu'on ne veut pas, mais on ne sait pas encore ce qu'on veut! Certaines parties de soi sont évoluées, d'autres en plein archaïsme, et ces écarts font un cocktail détonant. On comprend qu'on se sert de l'autre pour s'empêcher de bouger, pour projeter son passé, pour alimenter un conflit intérieur... On tâtonne comme un nouveau-né, mais on abandonne péniblement son hochet. L'harmonie à deux est entraperçue comme une oasis. Toutefois, les anciens comportements sont encore là, tapis dans l'ombre, prêts à resurgir aux premières peurs ou blessures... alors, on appuie sur la gâchette!

La femme éclairée exerce un métier, a une indépendance financière, cherche à trouver un équilibre avec l'homme, mais retombe souvent dans ses vieux schémas (la «femme qui aime trop»). L'homme éclairé clame son amour du féminin, et prend la clé des champs quand une histoire devient sérieuse (le «Peter Pan» ou «phobique de l'engagement»)...

Le couple éclairé est bancal : un partenaire penche encore vers l'autre – par peur ou par contrôle – expédiant ainsi Éros aux orties (désir et contrôle ne font pas bon ménage).

Mais le serpent ne mue pas sans secousses ! Le fait même que la tension soit à son paroxysme est annonciateur de changements... Nous sommes à la veille d'une mutation profonde et unique ; comme si l'humanité s'était déjà essayée à une civilisation de mère, puis à une civilisation de père, et tendait maintenant vers un saut qualitatif : une civilisation du père et de la mère, de l'homme et de la femme (tant de siècles depuis Cro-Magnon pour en arriver là) !

Anima, animus, où êtes-vous ? Tout l'amour de soi est suspendu à cette libre circulation d'énergie, à cette communication entre les deux polarités féminine/masculine, adulte/enfant, logique/intuition, cœur/intellect... et l'amour de l'autre aussi, parce que chaque fois que quelqu'un suscite en nous un rejet, c'est, probablement, qu'il fait surgir une partie de nous que nous ne nous autorisons pas à vivre...

La femme «cosmo» tombe dans le panneau

La femme émerge dans le couple, tandis que l'homme entre dans une profonde remise en cause de lui-même. Déstabilisé entre ses habitudes d'hier et la recherche de comportements différents auprès d'une compagne qu'il ne reconnaît plus, il se sent perdant, à la recherche d'une identité de nouveau père, ou d'homme au foyer. Souvent au chômage pendant que sa femme poursuit son ascension professionnelle, il tente cahin-caha d'intégrer son masculin (tâche difficile car le père est souvent manquant). Ce déséquilibre femme dominante/homme dominé est tout aussi mortel pour l'harmonie du couple que le déséquilibre patriarcal : il conduit immanquablement à la révolte du dominé, et au conflit.

La femme lunaire dominante se sert de son pouvoir féminin dans un esprit de revanche inconsciente, ou par goût du pouvoir. Femme «cosmo», sorcière, fatale, blessée et venge-resse, elle manipule, renonce à relier le sexe au cœur, ou le cœur à l'esprit. Sa complexité vient du manque d'harmonie de ses pôles masculin et féminin : il y a en elle quelque chose d'inhumain. À la fois perverse, frivole, charmante, calculatrice, Madonna subit son pouvoir, allume tout ce qui bouge, cultive son narcissisme, se conduit en castratrice et geôlière, est un danger aussi bien pour elle que pour son partenaire. Elle craint l'amour... et l'homme, qu'elle déguste voluptueusement comme un millefeuille, sans jamais assouvir son sentiment de vide, car sa vie intérieure est un champ de ruines. À long terme, sa cruauté fait place à une solitude désertique. Charmant tableau, pourtant bien en vogue aujourd'hui...

La trajectoire de réconciliation d'un fils de la mère avec lui-même passe par ses retrouvailles intérieures avec le principe masculin et paternel (créativité, action, réali-sation...) Quant à la femme lunaire dominante, sa réconciliation avec elle-même passe par la résolution de sa blessure au père, et l'écoute de son corps (symptômes fréquents : grippe qui ne guérit pas, grosseur au sein, douleur d'estomac)... Au lieu d'adopter des armes masculines pour être l'égale de l'homme (et renforcer le déséquilibre masculin/féminin en se trahissant elle-même), sa force proviendra de l'alliance harmonieuse entre son anima et son animus.

Un plus un égale trois...

L'homme et la femme sont à la fois solaires et lunaires, solitaires et solidaires, forts et vulnérables. Ils partagent un idéal, une conception de l'existence, et chacun représente pour l'autre un peu de cet idéal. Ils s'enrichissent mutuellement de ce qu'ils sont, de ce qu'ils font. Ils vivent la coopération, la cocréation ; leurs pôles, leurs rôles évoluent, suivent le mouvement de la vie et des cycles. Ils reconnaissent en eux toutes les identités... L'enfant intérieur gazouille, l'ego rompt ses résistances et se fracasse dans la multiplicité de ses facettes.

La femme solaire a conscience de sa nature bisexuée, de sa force et de sa douceur, de son corps et de son sexe ; elle rayonne d'amour, d'authenticité et a harmonieusement intégré son animus, dont elle connaît le visage. L'homme lunaire a « traversé » la mère ; il s'est enrichi du féminin, à partir duquel il a rejoint son masculin. Très séduisant pour une femme, il est à la fois souple, bienveillant, fort et doux (Rambo s'affole...) Il peut s'engager profondément dans une relation, mais une partie de lui reste solitaire et sauvage, en contact avec son anima.

L'homme lunaire et la femme solaire sont à la fois amis et amants ; ils sont leurs doubles inversés plutôt que leurs compléments... ils peuvent pencher vers leur partenaire à certains moments, se redresser à d'autres... l'amour ne menace plus leur intégrité. Ils sont bien seuls, et ils sont bien avec l'autre. Le couple devient cellule privilégiée d'évolution, de conscience et de confiance. Le mystère de l'être (dans l'appel de sa complétude) reste présent dans le couple, et alimente une quête qui ne saurait cesser, renforcée par l'alliance respectueuse, et sans cesse réactualisée, de deux libertés.

Un devient deux, deux devient trois, et du trois sort l'un comme quatrième... l'équation résolue. L'unité retrouvée, mais venant d'une expansion, non plus d'une régression. Pour la première fois, on peut parler d'amour !

Le grand réveil

Le couple éveillé utilise l'énergie sexuelle et la fait éclore au niveau du cœur et de l'esprit... car la sexualité, pour révéler ses secrets, ses pouvoirs et ses merveilles, a besoin de s'accompagner d'un développement intérieur (Rambo patauge...)

Nous vivons dans une espèce de constipation collective, qui a mis le sexe en situation de répression constante ; or, le désir englouti dans les eaux de l'inconscient ne disparaît jamais, mais resurgit obstinément, et est la chance d'évolution de l'être.

Le couple éveillé sait que toute passion est l'occasion d'une initiation... et source d'évolution. Allons jusqu'au bout de nos délires, car ils nous tiennent un langage souterrain, plus intime, et nous révèlent à nous-mêmes : forces brutes, feux intérieurs, qui une fois chevauchés, canalisés, nous mènent à l'éclosion.

Et Paule Salomon de conclure : «Le couple éveillé est un peu comme une forme invisible, qui planerait au-dessus de tous les couples et s'incarnerait à des moments privilégiés (...) L'autre m'échappe, il n'est jamais là où je crois le trouver. Mais en même temps j'ai cette merveilleuse capacité humaine de pouvoir me projeter, m'identifier à lui, ressentir ce qu'il ressent (...) La folie de l'amour, c'est de vouloir devenir l'autre, et devenir l'autre, pour s'oublier soi-même. La sagesse de l'amour, c'est de savoir entrer et sortir. Je deviens toi, je reviens à moi. J'acquiers comme une légèreté de l'être à me démultiplier, et paradoxalement c'est ainsi que je me rapproche le plus du sentiment d'unité qui est mon horizon et ma nostalgie (...) Les questions deviennent plus importantes que les réponses...»

PIERRETTE

À lire

La Sainte Folie du couple, Paule Salomon, Éditions Albin Michel
Le Féminin de l'être, Annick de Souzenelle, Éditions Albin Michel
Femmes qui courent avec les loups, Clarissa Pinkola Estès, Éditions Grasset
La Déesse sauvage, Joëlle de Gravelaine, Éditions Dangles
XY de l'identité masculine, Elisabeth Badinter, Éditions Odile Jacob
L'un est l'autre, Elisabeth Badinter, Éditions Points
Masculin/féminin, F. Héritier, Éditions Odile Jacob
Pitié pour les hommes, Marie-Odile Briet et Valérie Hénau, Éditions Calmann-Lévy
Le Parcours de l'héroïne, ou la féminité retrouvée, Maureen Murdock, Éditions Dangles
Comprendre les femmes, Pierre Daco, Éditions Marabout

GUY CORNEAU

La véritable aventure de l'amour

PHOTO : JEAN-FRANÇOIS BÉRUBÉ

personnel dans divers coins du globe. Il est fondateur des Réseau Hommes Québec et Réseau Femmes Québec, dont la formule s'est répandue dans plusieurs pays francophones.

Animé par un constant désir d'ouverture et de compréhension, Guy Corneau a récemment mis sur pied les Productions Coeur.com, une équipe composée d'artistes, de thérapeutes et de techniciens réunis dans un effort commun pour créer de nouveaux types de conférences, de stages et de séminaires qui visent à stimuler l'expression créatrice et l'ouverture du cœur. Par cette action, Guy Corneau souhaite inspirer un nouvel élan de vie à ceux et celles qui sont en quête de sens au tournant du siècle.

On pleure beaucoup quand on est seul. On pleure aussi quand on est deux. Contre toute attente, l'amour nous met sur le chemin dérangeant de la connaissance de soi. L'auteur de *L'Amour en guerre* nous livre quelques pistes de réflexion.

A.M. : Comment expliquer que l'on tombe amoureux d'une personne plutôt que d'une autre ?

Psychanalyste diplômé de l'Institut Carl Gustav Jung de Zurich, Guy Corneau est l'auteur de deux best-sellers : *L'Amour en guerre* (Éditions de l'Homme), également paru sous le titre *N'y a-t-il pas d'amour heureux ?* (Éditions Robert Laffont), et *Père manquant, fils manqué* (Éditions de l'Homme), traduit en neuf langues. L'auteur prévoit la publication d'un troisième ouvrage intitulé *La Guérison du cœur*, à paraître début 2000 chez les mêmes éditeurs. Au cours des quinze dernières années, Guy Corneau a donné des centaines de conférences et animé de nombreux ateliers de développement

G.C. : En réalité, je pense que l'on pourrait tomber amoureux de beaucoup de monde ! Dans la vie, on agit consciemment, mais on porte aussi beaucoup d'inconscient en nous. Pour se connaître vraiment, il faut que cet inconscient-là nous soit révélé. Comment ? Eh bien, à travers quelqu'un d'autre ! C'est là que se fait le choix amoureux. Je suis attiré par quelqu'un d'autre que je ne connais pas ; en même temps, je suis attiré par ce que je ne connais pas de moi-même et de mon propre univers, et qui me sera révélé par l'amour et les frictions qui se produisent dans une relation. Dans le couple, ce que je perçois d'abord comme des différences se révélera tranquillement à moi pour ce dont il s'agit : des reflets de moi-même auxquels je résiste de toutes mes forces.

A.M. : Comment expliquez-vous que l'on se retrouve souvent avec le même genre de partenaires ?

G.C. : L'amour m'aide à résoudre ce qui n'a pas été résolu auparavant. Il vient peser sur tous les boutons de mes résistances. Par exemple, si vous avez eu une mère dominatrice ou un père violent, et que vous avez pu négocier cette chose-là dans l'enfance, vous ne rencontrerez pas ce genre de personne dans votre vie amoureuse, parce que vous avez intégré l'expérience. Si, au contraire, pour survivre et trouver un peu d'amour dans ce milieu familial, vous avez dû nier cette violence en adoptant une attitude conciliante et plaisante, des éléments du passé se retrouveront chez vos premiers partenaires. Vous rencontrerez des gens qui réveilleront d'anciennes blessures. Changer de partenaire ne servirait donc à rien ; vous auriez toutes les chances d'en choisir un autre du même type.

A.M. : Cette répétition des schémas est-elle une fatalité ?

G.C. : C'est une fatalité tant que vous n'acceptez pas de la reconnaître. À partir du moment où vous êtes prêt à reconnaître que la fatalité émane de vous, que vous attirez ce destin-là, vous avez un espoir. Dans le fond, la véritable aventure de l'amour est la connaissance de soi. Il faut parfois recommencer dix fois la même expérience pour réaliser ce qui se joue

Les livres « coups de cœur » de Guy Corneau

Décidément, tu ne me comprends pas !
Deborah Tannen, Éditions Robert Laffont

Les Nourritures affectives,
Boris Cyrulnik, Éditions Odile Jacob

Le Soin de l'âme,
Thomas Moore, Éditions Flammarion

d'inconscient dans une relation. Tant qu'il n'y a pas cette prise de conscience, on répète les mêmes schémas. L'amour est comme un laser très fin qui fait exploser nos attitudes. Qu'est-ce qu'on en fait après ? On décide de se prendre en main, ou on reste dans l'illusion que le prochain partenaire nous rendra heureux. On pense souvent que l'amour nous mènera droit au bonheur ; dans un premier temps, ce n'est pas forcément le cas. L'autre ne peut être la source de mon bonheur. Vous allez nécessairement attirer les gens dont vous avez besoin pour vous révéler. S'il y a une fatalité ou un destin, c'est donc celui-là. La fatalité c'est que, dans le fond, on ne peut passer à côté de l'amour. Mais ce n'est pas l'amour dans le sens habituel, c'est un amour qui propose une plongée en soi-même.

A.M. : Si l'amour doit nous révéler à nous-même, quelle attitude adopter pour que les expériences soient plus faciles, ou plus profitables ?

G.C. : Je crois que ce qui rend l'amour plus facile est la connaissance de soi. C'est oser rencontrer ses propres ombres, ses nœuds émotifs, ses rigidités, ses hypocrisies, ses mensonges et ses illusions. Ce qui rend l'expérience plus profitable, c'est d'accepter d'être ce qu'on est. Ce qui signifie que l'amour oblige à s'aimer soi-même et à s'aimer comme on est. L'estime de soi est la base.

A.M. : Quelles seraient les questions à se poser après une rupture ?

G.C. : Il faut sûrement se demander quelles émotions ont été mises en jeu. Les émotions sont comme des signaux qui nous indiquent ce qu'il est important de comprendre.

Où écrire, où téléphoner ?

Productions Coeur.com
Guy Corneau
627, rue Querbes Outremont (Québec)
Canada H2V 3W6
Tél.: (514) 271-6222
Fax: (514) 271-3957
Pour l'Europe: 32.67.84.43.94
Site Internet: www.productionscoeur.com

Quand, après une rupture, on se trouve en crise, c'est qu'on est en plein dans l'émotion. Il est très important de profiter de ce moment-là pour observer ce qui résonne avec ces émotions : les souvenirs, les pensées, les sentiments, les croyances dont je me berce. Que peuvent m'apprendre ces résonances sur moi-même et sur mon passé ? Que dois-je dépasser, remettre en question ? Je peux aussi regarder derrière ces émotions, et retrouver mes besoins fondamentaux non satisfaits. Quand on connaît bien ses besoins, on a plus de chance d'attirer un partenaire qui puisse y répondre, mais on a plus de chance aussi d'y répondre soi-même.

A.M. : L'amour-toujours est-il possible ?

G.C. : L'amour peut être le tremplin d'une grande communion, non seulement de l'un par rapport à l'autre, mais aussi de chacun par rapport à l'univers. Évidemment, les relations se font et se défont plus rapidement de nos jours. Ce qui est sans doute mieux que d'endurer le même malaise pendant trente ans. Nous sommes en train d'expérimenter d'autres types de relations, dans lesquelles le choix et la liberté ont plus d'importance. Il est vrai que l'on renonce parfois trop vite, et que l'on ne profite pas de notre relation de couple pour explorer nos propres difficultés. Mais, de toute façon, que ce soit avec un seul partenaire ou avec une centaine, vous serez un jour amené à effectuer le même travail sur vous. La question est plutôt de savoir si la relation présente est suffisamment nourrissante et stimulante – dans le sens de frictions agréables et désagréables – pour continuer le chemin ensemble. Si la réponse est oui, il faut bien sûr rester ensemble.

A.M. : Le couple idéal existe-t-il ?

G.C. : Pour moi, chaque couple est idéal. Ce qui est idéal, c'est l'occasion de se rencontrer, de s'explorer. Bien sûr, il ne s'agit pas du couple idéal avec les petites fleurs. L'amour nous projette au-delà de nous-mêmes. Quand on éprouve du désir pour quelqu'un, quelque chose s'active en soi qui nous amène au-delà de ce que l'on connaît habituellement de soi. On se retrouve plus généreux, plus enthousiaste, on a plus d'élan, on peut passer des nuits blanches. Ce quelque chose, que l'on appelle «tomber en amour», active un archétype très fort qui stimule une énergie spéciale, et nous porte à nous ouvrir, à explorer d'autres parties de nous. En dernière analyse, l'amour sert à nous révéler que l'on est amour. Nous portons en nous-même la chose que nous cherchons chez l'autre.

A.M. : On dit souvent que les femmes sont plus ouvertes que les hommes en termes de relations. Certaines lectrices se demanderont sans doute où trouver des hommes prêts pour le type de relation que vous décrivez...

G.C. : Il est vrai que les femmes sont plus enracinées dans le monde de la relation ; leur sens de l'éros étant plus raffiné et développé que celui des hommes. Cela dit, il se produit actuellement une revalorisation du sens des rapports et des relations. Nous vivons un moment très important. Dans ce contexte, il est vrai que les hommes semblent encore coincés dans une sorte de rigidité et de sclérose encouragées par la culture masculine. D'un autre côté, le fait que les femmes se sentent plus compétentes peut poser problème, surtout si elles s'octroient le droit de gérer la relation amoureuse. Elles sont alors convaincues que ce que leur copain dit ou pense de l'amour, du couple, de l'éducation des enfants, est moins valable. Il se produit une disqualification a priori de ce que les hommes ressentent. Inculper les hommes d'immaturité relationnelle se justifie sociologiquement (nous avons tout de même connu 4000 ans de conditionnement !) ; mais ce n'est pas réaliste d'un point de vue psychologique. Un nombre croissant d'hommes viennent à des conférences sur l'amour, ou font des ateliers en couple, ce qui n'était pas le cas voici une dizaine d'années. Les choses changent. Où rencontrer des hommes prêts pour une vraie relation ? Il faut peut-être aborder le problème autrement. Je pense qu'il convient de reprendre contact avec l'essence profonde de l'amour, et de cultiver l'ouverture. Ce mouvement d'expansion ne peut qu'inviter l'amour. C'est exactement ce qui se passe dans l'univers : des masses d'énergie sont en mouvement, et obéissent à des principes d'attraction et de répulsion.

Comment expliquer que certaines femmes pas particulièrement belles soient très attirantes ? Comment expliquer que certains gourous qui vivent dans une grotte attirent des foules autour d'eux ? Ces gens ont développé une relation avec l'amour, avec cette essence qui est commune à tous, et que les gens reconnaissent. Ils vivent en permanence dans un état amoureux. L'amour émane d'eux, et attire l'amour. Vous voyez donc que la réponse à une telle question est le chemin de la découverte de soi. Il faut parcourir ce chemin intérieur, et se renvoyer soi-même à un devoir d'intériorité.

A.M. : Percevez-vous un changement d'attitude général concernant le couple ?

G.C. : Oui, certainement. Même si beaucoup d'entre nous sont encore à la recherche de « recettes », on peut dire que les modèles ont explosé. La façon que l'on avait de former des couples jusqu'à aujourd'hui a toujours été basée sur une injustice à l'égard des valeurs féminines, tant chez les femmes que chez les hommes. À présent, une nouvelle liberté s'offre à nous. Nous réalisons qu'il ne peut y avoir d'intimité réelle avec l'autre sans intimité avec soi, et que l'intimité avec soi-même est sans cesse stimulée par l'intimité avec l'autre.

Propos recueillis par Annabelle Mimouni, et extraits de *Guide ressources*, février 1999

À lire

Père manquant, fils manqué,
Guy Corneau, Éditions de l'Homme

L'Amour en guerre,
Guy Corneau, Éditions de l'Homme

N'y a-t-il pas d'amour heureux ?
Guy Corneau, Éditions Robert Laffont

À vivre

Le programme international 2000 des Productions coeur.com

ÉVÉNEMENTS SPÉCIAUX

Maître et disciple de soi-même, une vision pour le troisième millénaire:
avec la participation de Guy Corneau, et de plusieurs intervenants de Coeur.com.
11 mars, Montréal (Québec)

La fête du passage du millénaire: journée
et soirée festives réunissant Guy Corneau et son équipe, le 13 mai, Belgique (lieu à confirmer)

TOURNÉE DE CONFÉRENCES: LA GUÉRISON DU CŒUR

À l'occasion de la parution de son troisième livre, Guy Corneau donne une série
de conférences publiques au Québec en février et mars 2000,
suivie d'une tournée en Belgique, en France et en Suisse en avril, mai et juin.

Montréal: 6-11-14 février – Autres villes du Québec : à venir – Nice : 5 avril –
Paris : 18-20-25-27 avril – Le Mans : 28 avril – Namur : 2 mai – Bruxelles : 4 mai et 5 juin –
Louvain-la-Neuve : 9 mai – Liège : 10 mai – Bordeaux : 15 mai – Toulouse : 16 mai – Challans : 18 mai –
Nantes : 19 mai – Brest : 23 mai – Lorient: 25 mai – Grenoble : 14 mai – Clermont-Ferrand : 15 mai –
Lausanne : 20 juin – Genève : 22 juin – Montpellier : 26 juin – Marseille : 27 juin –
Festival Tendresses d'Avignon : 1-2 juillet.

SÉMINAIRES

Mort et renaissance: le mythe d'Isis et Osiris : séminaires résidentiels animés
par Guy Corneau et une équipe d'artistes et de thérapeutes
8 au 12 juin: Borzée (Belgique)
30 août au 3 septembre: Caulet (France)
25 au 30 juillet: Saint-Michel-des-Saints (Québec)

Au cœur de l'Égypte: pour clôturer l'an 2000 et conclure le travail sur Isis
et Osiris, voyage-séminaire animé par Guy Corneau, Pierre Lessard
et d'autres intervenants de Coeur.com, du 21 octobre au 4 novembre 2000.

STAGES, ATELIERS ET AUTRES CONFÉRENCES

26 au 28 novembre, Amonimes (Belgique) : Enjeux amoureux,
stage résidentiel coanimé par Éric Mat et Christine Tourneur

21 au 23 janvier, Amonimes (Belgique) : Le triangle dramatique,
stage résidentiel coanimé par Bettina De Pauw, Pol Marchandise et Louis Parez

21 au 23 janvier, Bruxelles (Belgique) : Sens et sensations,
stage non résidentiel coanimé par Thomas d'Ansembourg et Patricia Olive

28 au 30 janvier, Liège (Belgique) : Danse et massage,
stage non résidentiel coanimé par Marie-Christine Kaquet et Patricia Olive

4 au 6 février, Amonimes (Belgique) : De soi vers soi,
stage résidentiel coanimé par Bettina De Pauw et Alexiane Gillis

5 février, Bruxelles (Belgique) : Comme l'homme nomme,
atelier animé par Thomas d'Ansembourg

8 février, Bruxelles (Belgique) : Naître à soi-même, naître à son corps :
conférence de Marie-Lise Labonté

18 au 20 février, Borzée (Belgique) : La relation père-fils,
stage résidentiel coanimé par Louis Parez, Pol Marchandise et Thomas d'Ansembourg

10 au 12 mars, Fontaine (France) :
Danse et massage, stage non résidentiel coanimé par Patricia Olive et Marie-Christine Kaquet

24 au 26 mars, Fontaine (France) : Sens et sensations,
stage non résidentiel coanimé par Patricia Olive et Thomas d'Ansembourg

24 au 26 mars, et 12 au 14 mai, Amonimes (Belgique) :
Naître à soi-même, naître à son corps,
stage résidentiel de deux week-ends coanimé par Marie-Lise Labonté et Louis Parez

30 juin au 2 juillet, Amonimes (Belgique) : La relation mère-fils,
stage résidentiel coanimé par
Bettina De Pauw et Alexiane Gillis.

N.B. : La fleur représentée en arrière-plan du calendrier international des Productions Cœur.com est un chrome intitulé Flower, un acrylique de l'artiste-peintre Corno.

PERLA SERVAN-SCHREIBER
L'intimité dans le couple

PHOTO : SACHA POUR MARIE-CLAIRE

Dans *La Féminité, de la liberté au bonheur* (Éditions Stock, 1994), Perla Servan-Schreiber pose un regard neuf sur la féminité, et dépeint la voie peu fréquentée qui va de la liberté – ambition politique du féminisme – au bonheur intime de la féminité. De la plume délicieusement raffinée, parfumée et pointue qui la caractérise, Perla nous fait l'exquise esquisse du couple de l'an 2000 ; à l'instar de Paule Salomon, de Jacques Salomé, de Guy Corneau et de notre caravane de conférenciers militant pour l'intimité, l'auteure arrive à la même équation subtile : un plus un n'égale plus deux, mais trois. Comme Troisième Millénaire. Le défi du couple, qui, décidément, y retrouve sa spiritualité, son désir, et peut enfin, en conscience, se «nourrir de plaisir»...

Les Éditions Stock nous ont aimablement autorisés à reproduire ce passage de *La Féminité, de la liberté au bonheur*, qui décrit l'évolution du couple dans l'intimité et la durée.

«L'intimité est le lieu de travail de l'amour, celui où il grandit, où il lève, comme on le dit de la pâte dont on fait le pain. Elle est l'écologie du couple, cet environnement qui, selon l'attention qu'on lui porte, la conscience qu'on a de son importance, de la subtilité et de la fragilité de ses équilibres, détermine son épanouissement ou, au contraire, son dépérissement et sa défaite. Car, sans intimité, le couple s'éteint, ou mieux, se transforme en un partenariat entre un homme et une femme assurant la gestion du quotidien. Le couple a certes besoin d'amour, mais cela se concrétise en temps, gestes et paroles d'amour. Or, ce temps et cet espace ne sont pas codifiés, à la différence du temps et de l'espace social ; ils sont toujours à inventer, ils n'existent que par la volonté, le désir, la pensée de l'homme et de la femme. Et il y aurait de la naïveté à croire qu'ils «vont de soi» : l'amour est un univers complexe, fait non seulement d'instinct et de sentiment, mais aussi d'une attitude volontariste spécifique. Contrairement à une idée reçue, dont on peut se demander si elle n'est pas tout simplement l'alibi de la paresse ou de la désinvolture, une attitude volontariste n'implique ni l'insincérité ni la contrainte, mais, d'abord, le respect de ce que l'on construit, et le désir de durée.

Tout comme le jeu de rôles, l'intimité doit être une création du couple. Mais reconnaissons que toutes deux entretiennent une connivence particulière avec féminité : grande consommatrice de temps, d'énergie et d'imagination, l'intimité est la vertu féminine par excellence, celle à laquelle les femmes portent la plus grande attention. Les hommes ont rarement ce même besoin vital d'intimité. Ils peuvent goûter ces moments, parfois même les improviser, mais rares sont ceux qui peuvent les penser comme prioritaires dans leur mode de vie.

Aussi, dans l'éclipse de la féminité par le féminisme, le couple s'est trouvé en panne d'intimité. C'est-à-dire en panne tout court puisque c'est là qu'il se régénère. Elle est le lieu où l'unité se restaure, pour pallier l'éparpillement, la dispersion désormais communs aux hommes et aux femmes. Mais, il faut le savoir, l'intimité est gourmande et s'accommode mal d'un second choix, des «restes» d'un quotidien morcelé. Elle se veut au centre d'une vie personnelle, c'est-à-dire d'une vie pensée, construite comme un objet singulier et unique – le contraire du prêt-à-vivre.

Or, son temps et son espace sont toujours les premiers à être grignotés par tous : les enfants, le travail, les amis, les prétendus impératifs sociaux, et bien d'autres choses encore. Exigence démesurée? Conception irréaliste, voire insolemment luxueuse? Sûrement pas : dire que l'intimité organise la vie du couple pose simplement un principe qualitatif, induit une priorité et, à partir de cette priorité, des hiérarchies.

L'intimité a été la grande sacrifiée de ces dernières années : les femmes sont trop occupées, et les hommes ont toujours compté sur les femmes pour y penser. Moyennant quoi, les couples sautent au rythme des bouchons de champagne un soir de fête! Manque de temps? Manque de désir? Changement de priorité? Tout se tient : en accordant la priorité à la vie professionnelle, les femmes, débordées, ont le sentiment d'avoir moins de temps. C'est tout aussi vrai pour les hommes. Dans un cas comme dans l'autre, ce sont les modes de vie qui décident des hiérarchies, et non l'inverse. Cela s'appelle l'aliénation.

Il est d'ailleurs intéressant de noter qu'au moment où les femmes, grâce à la contraception, ont libéré leur corps, elles ont, par leur travail, perdu leur disponibilité. Il n'est que temps pour elles de redécouvrir, ou peut-être de découvrir, la richesse des instants d'intimité.

En fait, cette intimité-mode de vie est un phénomène nouveau. C'est même probablement la première fois que, dans l'histoire, les conditions à la fois techniques et psychologiques sont réunies pour qu'il soit possible d'en faire le choix. Il s'agit bien ici de l'intimité du couple, celle qui crée son espace au sein de la famille, si enfants il y a. Mais elle est différente de l'intimité familiale, et autonome par rapport à elle. En d'autres termes, le couple a une double vie : la sienne propre et une vie familiale. Or, qui dit vie, dit temps, espace et désir, et tous trois demandent à être créés pour exister. Par qui? Désormais par l'homme ET la femme, sachant qu'à cette place, la féminité est le maître, et l'homme le disciple. (...) Le couple qui a pour seul but de fonder une famille est un jeu qui dure, mais un jeu fini. Dès que la famille existe, on change alors de jeu. La famille prend le relais du couple centre de vie. Le couple dure, mais dans un autre projet que lui-même, et devient une des composantes de la famille.

Le couple qui est à lui-même son propre projet – ce qui évidemment n'exclut pas simultanément de fonder une famille – redevient un jeu infini, qui rebondit à chaque obstacle surmonté.

Souvent considérée comme l'ennemie du couple, la durée est pourtant, au même titre que l'amour et le désir, une composante du couple, et non un élément extérieur ou contradictoire qui viendrait en opposition avec lui. Là réside le principal malentendu : il ne s'agit pas de concilier le couple et la durée, la seconde intervenant comme une sorte de principe de réalité dont il faudrait s'accommoder. La durée est au contraire le fondement même du projet de vie à deux. Sans projet de durer, il n'y a pas de couple, il y a accouplement, et c'est le fait de désirer et de penser la durée qui fait la différence entre l'animalité et l'humanité.

Un couple donc, pour durer. Mais combien de temps ? A priori, toute la vie, même s'il arrive que la vie en décide autrement. Reste que c'est l'attitude initiale et la foi qui la porte, qui font la différence entre un couple qui dure et un couple éphémère. Et c'est tout autre chose de dire : « pour la vie » avec un scepticisme intérieur qualifié de réalisme, et de dire « pour la vie » avec le désir d'y parvenir, avec la conscience d'une dimension sacrée, comme dans tout ce qui touche à la vie. L'alternative n'est donc pas entre idéalisme et réalisme, mais entre le sens du sacré et l'absence de valeurs, de hiérarchie, l'esprit du « n'importe quoi ». Or, le sens des valeurs est en l'homme, Jean-Marie Pelt (*) le dit : « La seule loi que la nature nous enseigne, c'est que le n'importe quoi n'existe nulle part, et que chaque espèce a véritablement son patrimoine génétique, et son génome qui détermine son comportement, et qui fait que ces comportements ne sont jamais désordonnés. Ils correspondent à la loi de l'espèce. Or, l'homme prétend s'être libéré de la nature et donc être en-dehors de toute loi qui s'imposerait à lui (...) L'homme a une loi intérieure qui est la loi de son espèce et il faut qu'il lui obéisse. Cette loi intérieure est un code de valeurs qui se résumerait dans « ne fais pas aux autres, ce que tu ne veux pas qu'on te fasse à toi-même. »

Cet axiome, qui est celui de toutes les grandes religions, présuppose la reconnaissance et le respect de l'autre dans sa différence. Sans cette reconnaissance, l'autre n'existe pas, et le couple encore moins. « Un monde où le "moi" est hypertrophié, ajoute Jean-Marie Pelt, est un monde où le "nous" n'a plus sa place » : pour en rester à la question du couple et de sa durée, l'augmentation du nombre des divorces témoigne de l'anarchie de l'actuelle représentation du « nous ». Nous vivons au siècle des divorces, des unions éphémères et des détresses de solitude. Entendons-nous bien : il est nécessaire que le divorce existe, il est même parfois préférable « pour les enfants », ces otages de tant de désastres cachés. Le propos est ici de souligner que nombre de divorces procèdent d'une absence quasi totale de réflexion sur le sens et les modalités de la durée, tant au moment où le couple se fonde qu'à celui où il décide de se rompre, au nom d'une pseudo-liberté. On en vient à douter qu'il existe, chez certains, le moindre sens de la responsabilité et la moindre perception de la véritable liberté, celle qui inclut dans sa définition la reconnaissance de l'autre dans sa différence.

C'est cette réflexion qui fait du couple le lieu du sacré – entendu, on l'a dit, comme valeur qui transcende la simple addition des particularismes individuels ou des conventions sociales. Le sacré, c'est la rencontre du mythe et de la réalité, du mythe amoureux de la communion fusionnelle et de la réalité de la différence. Ce sacré ne relève d'aucun dogmatisme, il est le secret de chaque couple et se manifeste dans les gestes les plus simples et les plus archaïques.

Chaque culture et chaque époque produisent des «valeurs» qui organisent les comportements, en ce sens, du «sacré» : consommer, être en forme, être connu. Et si l'on est, à juste titre, choqué par cette équivalence posée entre «sacré» et consommation ou notoriété, qu'on s'interroge donc sur ces phrases du langage courant qui, si souvent, en disent plus sur l'état d'une société que tous les sondages : «Pour moi, la voiture (ou le sauternes avec le foie gras, ou le "body-building" du vendredi soir, ou l'émission de X), c'est sacré!»

Il ne suffit bien évidemment pas, par un tour de passe-passe de vocabulaire, de nommer «sacré» ce qui est «n'importe quoi», et rituel ce qui est généralement appelé routine, pour vivre autrement. Mais il y a dans la prise de conscience de l'importance du «faire pour quoi», comme préalable à l'action, une attitude humaniste et morale qui prédispose au bonheur – car je ne connais rien de plus moral que le bonheur –, et ce projet accompagne la féminité.

Dans le rituel, on a le sentiment heureux de réinventer chaque fois un geste ou une situation pourtant identiques, avec en plus, quelque chose de l'ordre de la fête, puisque l'instant ritualisé est lié au souci de l'autre. Dans la routine, au contraire, le sentiment dominant est celui d'être contraint par autrui ou par les circonstances. On n'agit plus alors que dans un bégaiement robotisé de gestes non désirés, non pensés, non sentis. Cette différence, chacun de nous la connaît. Elle marque les gestes les plus quotidiens, qu'il s'agisse de faire la cuisine ou de faire l'amour.

Or, une vie de couple est faite de rituels, et si l'amour vient à manquer, on s'enlise dans la routine ; l'ennui ou la violence tiennent lieu de mode de vie, et durer devient un non-sens.

Le mythe du couple qui me séduit le plus est celui qui incarne la durée : le mythe de Philémon et Baucis. Il n'a apparemment rien d'extraordinaire, nulle tragédie ne le marque. À côté des sommets lyriques de Roméo et Juliette, ou héroïques de Tristan et Iseult, on pourrait le trouver bien banal ou, pour tout dire, terriblement petit-bourgeois. Eh bien, loin de le considérer comme tel, je le tiens pour une aventure dont l'intensité fait pâlir Siegfried et tout l'or des Niebelungen. Il rend compte de ce que peut être une vie de couple accomplie. Philémon et Baucis vivent à la campagne, très simplement. Chacun occupe sa place, l'un au jardin, l'autre au foyer. Couple généreux et hospitalier, il y a entre eux cette volonté de grandir, de se développer, et cette dimension spirituelle fait du quotidien

Où écrire, où téléphoner?

Perla Servan-Schreiber
Éditions Stock
27, rue de la Cassette, Paris 6e
Tél.: (1) 42.84.87.00
Fax: (1) 42.84.87.20

une fête. Un jour, ils sont alors bien vieux, Jupiter et Mercure viennent frapper à leur porte. Philémon et Baucis accueillent avec joie ces visiteurs inconnus. Lorsque les dieux révéleront leur identité, ils demanderont à leurs hôtes de formuler un vœu : mourir le même jour, disent-ils.

Ainsi fut fait. Et Philémon et Baucis furent métamorphosés en arbres, l'un en chêne, l'autre en tilleul. Pourquoi pas en un seul arbre ? Parce que, précisément, ils incarnent le mythe du couple et non celui de la passion fusionnelle. Ils sont ensemble, mais différents. À chacun son identité, sa liberté et de la reconnaissance de la singularité de ces deux êtres naît le couple. Au temps de l'«empire de l'éphémère» selon le beau titre du livre de Gilles Lipovetsky, y a-t-il un mythe plus fort que celui qui maîtrise la durée, dans l'absolue reconnaissance de la liberté et de la différence ?

Un plus un font trois, telle est l'équation singulière qui fonde le couple, et, pour faire trois, il faut non seulement s'aimer, il faut aussi durer.

© *La Féminité, de la liberté au bonheur*, Perla Servan-Schreiber, Éditions Stock.

(*) Jean-Marie Pelt est professeur de biologie végétale à l'université de Metz. *Au fond de mon jardin*, Éditions Fayard.

À lire

La Féminité, de la liberté au bonheur, Perla Servan-Schreiber, Éditions Stock
Et nourrir de plaisir, Perla Servan-Schreiber, Éditions Stock

CLAUDIA RAINVILLE

Vivre des relations saines

PHOTO : STÉPHANE DUMAIS

Qui ne connaît Claudia Rainville ? Théra-peute, conférencière, auteure de cinq ouvrages qui font le tour de la terre, Claudia parle d'amour, de santé, de croissance per-sonnelle aussi aisément que d'autres res-pirent. Clarté, simplicité sont les maîtres mots d'une ambassadrice de charme qui nous rappelle volontiers que le gourou est en nous. Avec Claudia, l'amour devient un jeu de piste dont les règles sont aussi sim-ples qu'étonnantes : lâcher prise, écouter sa petite voix et se laisser guider vers le livre, la personne ou l'émission télévisée qui répondront à nos questionnements du mo-ment. C'est ainsi qu'arrive l'âme sœur, avec qui, le cœur en bandoulière, nous allons vivre l'amour qui nous attend, là, juste au tournant.

P : Claudia, comment expliques-tu le nom-bre croissant de séparations et de divor-ces ?

C.R. : Au temps de nos parents, la vie était plus simple. Les gens vivaient selon les tra-ditions familiales, religieuses ou sociales. L'effondrement des schèmes de valeur qui avaient cours à cette époque a entraîné, par ricochet, l'éclatement de bien des couples que les qu'en-dira-t-on retenaient ensemble. Aujourd'hui, ces contraintes ayant disparu, il devient beaucoup plus facile d'amorcer une relation ou de la terminer ! Ce qui donne lieu, parallèlement, à des exigences extrêmes : quand on ne trouve pas ce qu'on souhaite avec un partenaire, on espère le découvrir avec le suivant !

P : Comment définis-tu cette loi de pola-rité, qui fait qu'une personne est attirée vers une autre ?

C.R. : On dit très souvent : « qui se ressemble s'assemble » ou : « les contraires s'attirent ». Cela peut sembler paradoxal... et pourtant ce ne l'est pas. Prenons par exemple nos mains : ne se ressemblent-elles pas ? Et, en même temps, ne sont-elles pas complémen-taires ? Il en va de même pour la loi d'attrac-tion : selon la fréquence vibratoire à laquelle nous sommes « syntonisés », nous attirerons des personnes vibrant à cette même fré-quence. Ces fréquences correspondent à nos croyances, à nos pensées, à ce que nous de-

Les livres
« coups de cœur »
de Claudia Rainville

Les hommes viennent de Mars,
les femmes viennent de Vénus,
John Gray, Éditions Logiques

De l'amour du pouvoir à la puissance de l'amour,
Jean-Jacques Crèvecœur, Éditions Le Troisième Iris

Le Parcours de l'héroïne, ou la féminité retrouvée,
Maureen Murdock, Éditions Dangles

vons dépasser ou développer, aux leçons que nous devons intégrer pour notre évolution. Les personnes que nous attirons sont souvent nos miroirs. Ainsi, si j'attends la perfection de l'autre, viendra vers moi une personne qui me demandera, aussi, d'être parfaite. D'autre part, plus je suis dans un extrême, plus mon partenaire sera dans l'autre. Par exemple : l'un parle beaucoup, l'autre ne dit pas un mot ! L'un dépense beaucoup, l'autre se prive. On retrouve très bien ce jeu de polarités chez les visuels et les auditifs.

P : Que se passe-t-il lorsque deux partenaires rejettent leurs natures différentes ?

C.R. : Si deux partenaires ne comprennent pas leurs natures différentes et n'apprennent pas à composer avec celles-ci, il y a de fortes chances pour que l'un cherche à changer l'autre, afin qu'il pense et agisse comme lui. C'est de là, très souvent, que naissent la critique, le blâme et les résistances. Et c'est alors que l'énergie du couple, qui était au départ convergente, devient divergente, et tend à éloigner les partenaires.

P : Quels sont les reproches les plus courants que s'adressent visuels et auditifs ?

C.R. : L'auditif reproche souvent au visuel de ne pas être suffisamment pratique, et de se

compliquer l'existence par des détails. Le visuel accuse l'auditif de ne pas l'écouter lorsqu'il lui parle : l'auditif n'a, en effet, pas besoin de regarder l'autre pour l'entendre ! Le visuel, n'étant pas observé, croit forcément que l'autre ne l'écoute pas ! L'auditif reproche au visuel d'aller trop vite, de prendre des décisions trop rapides, tandis que le visuel reproche à son partenaire auditif de mettre trop de temps à se décider. L'auditif en veut au visuel pour ses excès de véhémence ; lorsqu'il est en colère, le visuel dit en effet tout ce qu'il a sur le cœur, sans ménagement, pour le regretter ultérieurement. L'auditif, quant à lui, tend à refouler sa colère, et aura besoin de beaucoup de temps pour se libérer des blessures que le visuel a ravivées en lui. Le visuel lui reproche alors d'être rancunier ! Ce sont là quelques exemples, car il y a long à dire à propos des visuels et des auditifs !

P : Quel partenaire attire-t-on lorsqu'on craint l'abandon ou le rejet ?

C.R. : On attire presque toujours, dans ce cas, un partenaire qui a peur de perdre sa liberté... et qui craint également d'être abandonné ! Ainsi, quand l'un s'éloigne, l'autre se rapproche. Si ce dernier se rapproche trop et devient accaparant ou étouffant, l'autre le fuira par peur de perdre sa liberté. C'est le couple abandonné-fugitif. Mais ne nous y trompons pas : abandonné et fugitif sont les deux revers d'une même médaille ! Ainsi, tous deux ont un énorme besoin de plaire, et la hantise de déplaire. Tous deux ont tendance à se nier, à se manquer de respect, à craindre de s'affirmer pour plaire à l'autre. Les deux mécanismes de survie, par contre, sont différents : tandis que l'un s'accroche, supplie, mendie l'amour par crainte de revivre l'abandon, l'autre joue l'indépendant, laissant croire qu'il n'a pas besoin de son partenaire. Il peut même arborer un masque de suffisance... qui n'est qu'un stratagème pour ne pas ressentir sa propre souffrance d'avoir été abandonné!

P : Pourquoi endosse-t-on le rôle de sauveur?

C.R. : Tout comme pour le couple abandonné-fugitif, le couple victime-sauveur présente également les deux côtés d'une même médaille. Ainsi, on peut très bien agir en sauveur dans son travail... et en victime dans sa relation amoureuse! Car, en s'occupant des problèmes des autres, on oublie les siens, on retrouve un sentiment d'exister, on acquiert de la valeur aux yeux de ceux qui s'en remettent à nous! C'est bien, en effet, ce que recherche la victime : le droit d'exister! Si on la regarde, si on s'occupe d'elle, si on prend soin d'elle, on lui «donne» en quelque sorte le droit d'exister! Ainsi, le sauveur fournit à l'autre ce dont il a besoin lui-même. Ce qui l'aide, d'autre part, à dépasser un sentiment d'impuissance, lié à l'impossibilité de se libérer de la douleur qui l'habite.

P : Pourquoi les gens répètent-ils constamment les mêmes scénarios dans leur vie sentimentale?

C.R. : À l'instar du film qui projette toujours les mêmes images à l'écran, nous demeurons, tant que nous ne changeons pas nos mécanismes internes, sur les mêmes fréquences vibratoires qui attirent à nous les expériences correspondantes. Par exemple, si nous entretenons la peur de perdre les êtres que nous aimons, et que cela induit en nous une attitude exigeante, étouffante ou accaparante, nous ferons constamment fuir ceux qui s'approcheront de nous, nous retrouvant ainsi, perpétuellement, confrontés à des scénarios de rejet, d'abandon ou de fuite (on peut, par peur, quitter avant d'être quitté!). C'est seulement en prenant conscience de ces scénarios, parfois complètement inconscients, que nous pourrons entreprendre un processus de transformation de nos mécanismes internes, afin d'atteindre de nouvelles fréquences vibratoires, qui attireront d'autres types de personnes et situations.

Où écrire, où téléphoner?

Claudia Rainville
Carrefour thérapeutique de Métamédecine
153, rue du Sommet
Stoneham (Québec) G0A 4P0
Tél.: (418) 848-6030
Fax: (418) 848-5946

P : Comment se fait l'évolution dans un couple?

C.R. : À tout niveau, l'évolution se déroule de manière cyclique. Ainsi, la nature revient toujours aux mêmes phases que sont la naissance, la croissance, la dégénérescence et la renaissance. La mort n'est, en définitive, que la transition entre la dégénérescence et la nouvelle naissance. On retrouve ce phénomène dans la respiration. On inspire (naissance), on expire (dégénérescence), et on fait une pause avant la nouvelle inspiration (mort). Ce sont les cycles de la vie. Dans une relation de couple, il y a au départ l'attirance (la naissance), le développement du lien affectif (la croissance), puis arrivent les difficultés (la dégénérescence). Si le couple ne traverse pas ces difficultés, la mort suit son cours, et c'est là que survient la séparation ou le divorce. Si, au contraire, le couple franchit cette étape nécessaire à sa croissance, cette mort amène une nouvelle naissance, pendant laquelle les partenaires sont à nouveau unis, très forts, très amoureux. Cette phase dure jusqu'à ce que survienne la dégénérescence, sous la forme d'une difficulté neuve à surmonter. C'est ainsi que le couple est toujours amené plus loin dans son évolution. Beaucoup de personnes sont découragées à l'idée de traverser ces phases ; c'est comme si on ne voulait vivre que le printemps ! Or, chaque saison fait partie du cycle de la vie, de même que l'attraction et l'éloignement appartiennent au cycle des relations amoureuses.

P : Peut-on, à ton avis, concilier quotidien et passion ?

C.R. : Oui... à condition de donner la place à chacun ! Certaines personnes recherchent la passion, et vont d'un partenaire à l'autre, pour ensuite aspirer à la quiétude du quotidien. Après quoi, elles se lassent, et souhaitent retrouver la passion ! C'est alors qu'elles prennent un amant ou une maîtresse. Sans le savoir, ces personnes oscillent entre les deux extrêmes, car elles n'ont pas su donner la place à la passion dans leur quotidien. Or, il faut parfois peu de choses pour entretenir la passion : on peut dîner aux chandelles, écouter de la musique romantique, prendre un bain à deux, s'évader comme des écoliers pour courir dans les champs, faire l'amour dans un wagon-lit... Ce qui tue la passion, ce sont la routine, les inquiétudes du quotidien, le blâme, les reproches, les rancunes et les limites que le couple s'impose. À titre d'exemple, un couple qui ne se permet pas de vacances ou de sorties pour payer rapidement sa maison peut laisser mourir la flamme. Ce qui nourrit la passion : la tendresse, l'appréciation du partenaire, l'encouragement, l'ouverture à la nouveauté, une disponibilité à vivre les fantaisies, les surprises, le goût d'avoir du

plaisir ensemble, la capacité de lâcher prise pour retrouver l'enfant en soi.

P : Que signifie l'engagement, selon toi ?

C.R. : L'implication. La différence entre une faible implication et une totale implication se mesurera aux résultats, toujours proportionnels au niveau d'engagement. La réussite est d'ailleurs le résultat d'une implication totale, qu'il s'agisse d'une entreprise, d'une carrière, ou d'une relation amoureuse.

P : Pourquoi craint-on tant de s'impliquer dans une relation amoureuse ?

C.R. : À cause de nos peurs. La peur de perdre sa liberté, d'être abandonné, d'être exploité, de ne plus exister pour soi-même, mais de vivre pour les autres, de perdre le pouvoir que l'on croyait posséder...

P : Pour quelle raison se sépare-t-on alors qu'on s'aime encore ?

C.R. : C'est bien souvent l'incompréhension de leur nature différente – pourtant complémentaire – qui pousse deux personnes à se séparer. Le simple projet de vouloir que l'autre change pour répondre à nos attentes est déjà un jeu de pouvoir qui engendre les conflits, dont l'accumulation provoque bien souvent l'éloignement, puis la rupture.

P : Les hommes et les femmes sont-ils différents dans leur manière de penser et d'agir ?

C.R. : Absolument. Voici un exemple. Une femme pense : « On peut toujours s'améliorer » ce qui explique que l'on retrouve beaucoup plus de femmes dans les instituts de beauté, ou dans les centres de croissance personnelle. Les difficultés surgissent quand elles veulent aussi que leur conjoint s'améliore, car un homme pense : «S'il n'y a pas de problème, pourquoi en créer?» Ce que la femme considère comme une amélioration représente souvent, pour l'homme, un problème. Je me souviens de ce couple très uni, dont le mari me partageait qu'il n'arrivait pas à comprendre comment sa femme pouvait lui reprocher de manger du chocolat, après tout ce qu'il faisait pour elle. Il en était venu à s'acheter du chocolat en cachette. Si sa femme trouvait l'emballage dans la voiture, c'était le drame. Pour lui, c'était un fait anodin. Ce qui comptait à ses yeux, c'est qu'il n'avait jamais trompé sa femme, qu'elle ne l'avait jamais vu s'enivrer et qu'ils n'avaient pas d'ennui d'argent. Quant à sa femme, elle se disait que, s'il mentait pour une tablette de chocolat, il pouvait aussi bien dissimuler des choses plus graves. Je demandai au mari pourquoi il n'avouait pas avoir mangé du chocolat. Il me répondit : «Elle me fera toute une leçon sur la nécessité de bien s'alimenter, et sur les kilos que je n'arrive pas à perdre.»

P : Les besoins des hommes et des femmes sont-ils les mêmes?

C.R. : Dans l'ensemble, oui. Cependant, les besoins qui sont primaires pour une femme seront secondaires pour un homme, et vice-versa. Toujours la loi des polarités.

P : Quels sont donc les besoins primaires pour l'homme et la femme?

C.R. : Une femme a besoin d'affection, de compréhension, d'accueil dans ce qu'elle partage, surtout au niveau des sentiments. Elle veut être rassurée, respectée, elle désire qu'on lui manifeste de l'intérêt. L'homme, lui, a surtout besoin de se savoir accepté tel qu'il est, qu'on lui fasse confiance, qu'on l'apprécie. Il a besoin d'être approuvé dans ses actions, d'être encouragé dans ses projets et dans ses décisions, d'être valorisé dans ses réalisations. Rien n'est pire pour un homme que la critique. Rien n'est pire pour une femme que l'indifférence. Cela ne veut pas dire que l'homme n'a pas besoin d'affection, et que la femme se soucie peu qu'on la valorise... Mais que l'homme pourra apprécier l'affection, la compréhension, l'accueil, etc., lorsque ses propres besoins primaires auront été satisfaits. Idem pour la femme, qui goûtera davantage la confiance que son mari lui offre si elle se sent aimée.

À lire

Vivre en harmonie, Claudia Rainville, Éditions FRJ
Métamédecine des relations affectives, guérir de son passé, Claudia Rainville, Éditions FRJ
Métamédecine du couple, réussir sa vie amoureuse, Claudia Rainville, Éditions FRJ
Participer à l'univers, Claudia Rainville, Éditions FRJ
Rendez-vous dans les Himalayas, Claudia Rainville, Éditions FRJ
Métamédecine, Claudia Rainville, Éditions FRJ

CLAIRE REID

Fusionnel ou solitaire ?
le nouveau couple

PHOTO : STÉPHANE DUMAIS

Nouvelle coqueluche en Occident, Claire Reid débarque avec son livre et ses ateliers, qui proposent une vision neuve du couple version 2000. *Êtes-vous fusionnel ou solitaire ?* (Éditions Face à Face), est à la fois explosif de bon sens, et joliment nuancé de spiritualité. Éducatrice, détentrice d'une maîtrise en sexologie, conférencière et thérapeute, l'auteure intervient, depuis de longues années, auprès d'organismes publics ou privés, et anime, en sus, le Centre d'harmonisation des relations amoureuses : Les nouveaux couples, au Québec. Car Claire se dit réellement engagée... dans la quête de ses noces alchimiques. Et rejoint, ainsi, nos ambassadeurs internationaux ouvrant la voie du mariage intérieur.

P : Claire, qu'est-ce qu'un fusionnel ? un solitaire ?

C.R. : Le fusionnel et le solitaire ont deux manières de percevoir, de ressentir, et d'expérimenter la relation amoureuse, fondée sur les choix inconscients de l'enfance. Ce sont deux pôles réactionnels complémentaires, reliés à la perte et/ou à l'absence du lien privilégié à maman et papa. Pour s'assurer de ne jamais revivre la souffrance de la séparation, le fusionnel recherche l'amour et le lien fusionnel. C'est sa quête première, l'objectif ultime auquel il subordonne tous les autres choix. Pour préserver le lien à l'autre, à travers lequel il se nourrit, il est prêt à tout. Il y sacrifie sa relation à lui-même, ses propres besoins de différenciation reliés à l'énergie de sa polarité masculine. Le solitaire, quant à lui, négocie autrement avec les émotions difficiles de la séparation. Il a pris la décision de ne plus retourner dans l'univers de la fusion, donc il évite le lien amoureux et le monde de l'intimité. Il se focalise sur sa relation à lui-même, sur des réussites personnelles, professionnelles ou sociales, sacrifiant du coup la dimension de la relation à l'autre, reliée à l'énergie de sa polarité féminine.

P : Qu'appelles-tu l'ancien couple ?

C.R. : Dans l'ancien couple, les partenaires reproduisent les choix inconscients du passé. La relation se base sur les manques de chacun, sur ses peurs et émotions occultées, sur ses attentes d'arriver, à travers l'autre, à éviter sa souffrance d'amour. Dans ce couple, le fusionnel espère que l'autre pourra l'alimenter dans ses besoins de rapprochement, alors que le solitaire s'attend à ce que son partenaire respecte ses besoins de distance.

P : Et le nouveau couple ?

C.R. : Dans le nouveau couple, la relation se vit dans la conscience et l'ouverture à l'amour. Chaque partenaire accepte de revenir à lui-même pour y reconnaître son manque, et entrer dans le processus de guérir sa propre blessure d'amour. Les deux choisissent de s'accompagner et de se soutenir sur cette voie, où chacun apprend à s'aimer, à réaliser son mariage intérieur. Le couple devient ainsi le laboratoire où chacun découvre la route qui le ramène à son cœur.

P : Comment fonctionne la loi d'attraction ?

C.R. : Prisonnier de l'énergie de sa polarité féminine, le fusionnel ne peut avoir accès aux ressources de son pôle masculin, dont il s'est coupé. Il sera donc attiré par un solitaire, quelqu'un qui porte sa polarité masculine toujours latente. Ainsi, le solitaire se verra attiré par un fusionnel, soit une personne très en contact avec son énergie féminine, partie de lui-même qu'il a occultée. Si les énergies de ces deux pôles s'attirent, c'est qu'elles sont complémentaires et essentielles aux besoins fondamentaux de l'être humain. Chacun est appelé à en faire un mariage en

Les livres « coups de cœur » de Claire Reid

L'Amour, énergie subtile de la guérison,
Léonard Laskow, Éditions Dangles

Creating union: the pathwork of relationship,
E. Pierrakos et J. Saly, Pathwork Press

Love and awakening,
John Wellwood, Harper Collins

soi. Mais, dans une première étape d'évolution, on croit pouvoir réussir cette synthèse à travers l'énergie de quelqu'un d'autre. C'est ce qui est à la base de l'attrait qui me propulse vers l'autre.

P : D'où vient la fascination mutuelle ?

C.R. : La fascination éprouvée face à l'autre provient du fait qu'il me révèle à moi-même ma face cachée, ma beauté à naître. Ainsi, je suis séduit par sa grande sensibilité et sa sensualité, son ouverture aux autres et sa capacité d'écoute, son intuition. Ou alors, c'est son autonomie qui me fascine, sa capacité de matérialisation et ses réussites, son leadership ou encore son esprit d'analyse et de structure. Fusionnel ou solitaire, dans les débuts de la relation, je suis ébloui par ces facettes lumineuses de l'autre.

P : Quels sont les besoins et les peurs du fusionnel, du solitaire ?

C.R. : Derrière ces masques de force, chacun protège aussi sa vulnérabilité et ses terreurs les plus secrètes. Comme ses peurs viscérales sont d'être abandonné ou rejeté (répétition du scénario initial), le fusionnel sollicite la présence constante de l'autre. Son partenaire, un solitaire que le lien amoureux terrorise, se sent dépassé par la demande et panique à l'idée d'être envahi, ou de perdre sa liberté. Plus il se retire, plus le fusionnel se sent «insécure», et plus il multiplie les demandes de rapprochement.

P : Quelles sont leurs stratégies de survie ?

C.R. : Même si la guerre n'a pas été déclarée ouvertement, chaque partenaire est dans sa survie et recourt à des stratégies différentes pour forcer l'autre à lui donner ce qu'il attend. Dans l'énergie de sa polarité féminine, le fusionnel utilise d'abord la gentillesse et l'oubli de soi comme arme de manipulation. En se taisant, en faisant plaisir, en se donnant, il croit que l'autre se fera plus attentif ou présent. Le solitaire, quant à lui, préserve son espace par un contrôle plus manifeste. Il sait dire «non» et se mettre en colère. Il provoque des conflits et surtout s'organise pour être absent, occupé à courir à droite et à gauche afin d'éviter les demandes de son partenaire. La situation demeure stationnaire tant que le fusionnel réussit à s'accommoder des miettes que l'autre lui ménage. Mais, sitôt que sa souffrance lui devient insupportable, il va basculer à son tour dans sa polarité masculine. La guerre est alors ouverte, car les deux partenaires sont dans l'énergie sombre de leur pôle masculin.

P : Comment les partenaires peuvent-ils s'ouvrir au changement ?

C.R. : Après avoir désespérément tenté de fuir sa souffrance par le choix d'un autre partenaire, la nourriture, le sexe, les drogues, le travail, les enfants... on réalise un jour qu'elle finit toujours par nous rattraper et qu'on va devoir accepter de la regarder en face. Mais cette souffrance représente aussi tout ce qu'on n'a pas voulu assumer depuis

des années, et elle nous terrifie... Pour le fusionnel, cristallisé dans sa polarité féminine, le travail consiste à explorer les énergies de son pôle masculin, jusqu'alors projetées sur son partenaire. Identifié à son pôle masculin, le solitaire fera le choix de s'ouvrir aux énergies de sa polarité féminine. Dans le défi de se «réapproprier» les énergies de sa polarité latente, chacun est appelé à entrer dans la verticalité de son être, pour se mettre à l'écoute de ses ressentis. Quand les partenaires acceptent de s'engager à vivre le nouveau couple, tout ce que chacun ressent et expérimente avec lui-même et dans la relation est partagé dans un espace d'amour, et sert à alimenter le lien entre eux.

P : Quelles sont les résistances au changement ?

C.R. : Accepter d'abandonner la sécurité de ce qui est connu suscite de grandes résistances chez les partenaires. Le défi du fusionnel sera de faire face à son propre bourreau intérieur dont il se sent victime. Cette partie de lui-même qui le juge, le dévalorise, le critique sans cesse et le paralyse devant l'action. Pour le solitaire, qui rend facilement les autres, l'univers, ses parents ou son partenaire responsables de ses difficultés, l'épreuve consiste à entrer dans ses propres émotions pour accepter de les vivre. Étant donné que c'est souvent le fusionnel qui «initie», malgré lui, le processus de changement, il est facile pour le solitaire – sentant qu'il perd son contrôle – de le blâmer pour son propre malaise intérieur.

P : Comment explorer son ombre ?

C.R. : L'ombre, c'est l'énergie de l'autre polarité toujours refoulée, et occultée en nous. C'est l'énergie qui est portée par mon partenaire. Donc, je me suis attiré un maître en sa personne. Quelqu'un que je peux observer, qui va me révéler à moi-même, et de qui j'accepte d'apprendre. Les besoins du fusionnel qui entre en polarité masculine se résument par la phrase : «J'ai envie d'être seul, de m'éloigner de toi pour me découvrir, et m'exprimer dans ma différence car, quand je suis près de toi, je m'oublie et je me perds en toi». Quant au solitaire, qui accepte la plongée dans sa polarité féminine, son besoin passe par l'autre, par la reconnaissance de sa dépendance : «J'ai envie de me rapprocher de toi, pour me rapprocher de moi». L'autre, qui s'éloigne pour se mettre au monde, va forcer le solitaire à contacter son manque, ses peurs jusque-là occultées d'être abandonné, rejeté ou trahi.

P : Quel est le rôle de la sexualité dans la croissance du nouveau couple ?

C.R. : Toutes les difficultés sexuelles peuvent s'expliquer à partir de ce jeu d'énergie en soi-même, et avec le partenaire. Ainsi, le fusionnel est réveillé par le désir de l'autre, qui prend l'initiative de l'échange sexuel. Mais le partenaire en polarité masculine, qui s'est coupé de son corps pour ne pas ressentir les émotions et la souffrance, éprouve beaucoup de difficultés à se laisser porter par le mouvement de l'énergie. Par son mental, il contrôle, provoque l'excitation et la jouissance. Dans l'ancien couple, les rôles sont figés. Les partenaires étant incapables de changer de pôles, la routine s'installe, le désir se meurt, et l'insatisfaction grandit. Un problème sexuel est toujours l'indice que l'un des partenaires est prêt à entrer dans l'énergie de l'autre polarité, sans toutefois en être conscient. En période de changement, quand le fusionnel pénètre sur le territoire de sa polarité masculine, il aura besoin de récupérer toute l'énergie investie en son partenaire pour passer à l'action, se mettre au

Où écrire, où téléphoner?

Sylvie Breton, organisatrice des activités de Claire Reid
6859, rue Beaubien, app. 11
Montréal (Québec)
Tél.: (514) 253-2290
Fax: (514) 253-6966

monde. Donc, il sera sexuellement indisponible, et pourra se sentir coupable de ne plus être attiré par l'autre. Le solitaire, lui, a toujours utilisé sa sexualité comme un moyen de garder le contrôle sur l'autre, et sur ses propres émotions. Dans le nouveau couple, il sera amené à identifier ses urgences sexuelles comme une porte d'entrée lui permettant l'accès à ses ressentis émotionnels.

P : Comment répondre aux besoins des quatre corps : physique, émotionnel, mental et spirituel ?

C.R. : Le changement sollicite l'énergie de tous nos corps. En s'engageant dans le processus, c'est à la partie de nous qui sait, notre grand Soi, que l'on accepte de faire confiance. C'est elle qui mène le jeu de la transformation. Mais notre mental panique à l'idée de perdre le contrôle qu'il détient sur nos vies depuis «toujours». On sera, ainsi, confrontés aux peurs et aux limites qui réduisent notre zone de liberté ; donc appelés à transformer nos vieilles croyances. Puis, le corps physique, qui sert d'interface au corps émotionnel, va nous forcer à ressentir ces peurs, à les accueillir, pour libérer leurs énergies cristallisées. C'est en donnant voix à son «enfant intérieur» que l'on pourra retrouver le chemin vers la liberté, la spontanéité, la joie de vivre. Comme ces corps sont «interreliés», le travail sur l'un d'eux se répercute automatiquement sur les autres. L'objectif ultime est qu'ils vibrent en harmonie avec l'énergie de notre source.

P : Qu'appelles-tu la loi de l'alternance ?

C.R. : Les deux énergies féminine et masculine, qui sont à la base du mouvement de la vie, sont déjà actives en nous. Selon nos choix inconscients, l'une de ces énergies régit notre vie affective, alors que l'autre alimente notre vie sociale et professionnelle. Mais cet état de séparation intérieure est à la base de nos difficultés relationnelles, de notre incapacité à créer et maintenir un lien amoureux honorant à la fois nos besoins de rapprochement, et nos besoins de distanciation. Plus on sera cristallisé dans l'un ou l'autre de ces pôles, plus notre partenaire nous reflétera l'autre pôle, dans son extrême. Il est le miroir de cette autre partie de moi que j'ai besoin de voir, d'accueillir et d'explorer. Prendre conscience est la première étape du changement. Cependant, le savoir, seul, est un leurre qui peut même freiner notre épanouissement intérieur. Seule l'expérience vécue permet d'intégrer ces connaissances dans les

corps physique et émotionnel. C'est pourquoi on pourra avoir besoin de plusieurs expériences avant d'accepter de se regarder dans le miroir de l'autre qu'on s'attire. Mais, plus on s'engage dans le processus, moins les miroirs sont fortement polarisés, et plus il devient facile de passer d'une énergie à l'autre avec la même personne, et dans l'ouverture de l'amour.

P : Le nouveau couple est-il... un idéal accessible ?

C.R. : Je perçois le nouveau couple comme une nécessité évolutive, un chemin d'éveil personnel et planétaire. On n'a plus le loisir de voyager au Tibet ou aux Indes pour s'ouvrir à l'amour... car le temps nous presse. On a une planète à transformer, et on ne peut soutenir des changements extérieurs qui ne soient d'abord le fruit de nos transformations intérieures. Chacun est appelé à participer à la création de cette ère de lumière et d'amour. C'est dans le quotidien, dans nos couples et dans le secret de nos cœurs que l'aventure commence !

À lire

Êtes-vous fusionnel ou solitaire ? Claire Reid, Éditions Face à Face

À vivre

Les activités hiver-printemps-été 2000 de Claire Reid

QUÉBEC
Janvier : 2 conférences à confirmer
22-23 janvier : Week-end de séminaire de base : Créer la relation d'amour à soi-même
Juillet : Week-end de séminaire de base : Créer la relation d'amour à soi-même
Août : Résidentiel vacances de 5 jours : Pour renaître à l'amour

FRANCE
Annecy
16 février : Conférence: Réinventer sa façon d'aimer
19-20 février : Week-end de séminaire de base: Créer la relation d'amour à soi-même
Tél. : (4) 50.69.32.50 (Sylvianne Senty)

Paris
1er mars: Conférence : De la codépendance au nouveau couple
4-5 mars : Week-end de séminaire de base : Créer la relation d'amour à soi-même
Tél. : (1) 39.89.63.69 (Élisabeth Demay)

BELGIQUE
10 au 19 mars : Séminaire : Nouveau couple
Tél. : 32.81.46.15.31 – Fax: 32.81.46.11.22

SUISSE
29 mars au 3 avril : Salon médecines naturelles à Lausanne
3 mai: Conférence : Renaître à l'amour, le nouveau couple
6-7 mai : Week-end de séminaire de base : Créer la relation d'amour à soi-même
Tél./fax: 41.21.784.20.33 (Nital Brinkley)

Jura/Delemont
10 mai: Conférence Nouveau Couple
13-14 mai : Week-end de séminaire de base, Créer la relation d'amour à soi-même
Tél. /fax: 41.32.423.13.28 (Chantal Mobarrez)

Genève
20-21 mai : Week-end de séminaire de suite : Entretenir la relation d'amour à soi-même
Tél. /fax: 41.21.784.20.33 (Nital Brinkley)

À noter : À Pâques, Claire Reid commencera en Europe les formations à l'approche Fusionnel/ Solitaire, pour professionnels et non professionnels.

ARNAUD DESJARDINS
Pour un amour réussi

PHOTO : COLLECTION DE L'AUTEUR

films à l'ORTF, Arnaud Desjardins, caméra au poing, explore les ashrams de l'Inde et en ramène des documents exceptionnels sur des hommes et des femmes remarquables, dont un seul regard, parole ou sourire peut changer une vie : Ma Anandamoyi, Swami Ramdas, Swami Sivananda... Faisant sienne la parole du Dr Jacques vigne : « La psychothérapie guérit le mental, la voie spirituelle guérit du mental », Arnaud suit son chemin intérieur, auprès de Swâmi Prajnanpad, maître bengali, dont il nous rapporte l'enseignement : la vie de couple n'est pas un cul-de-sac, mais bien une marche en commun vers la libération... Écoutons donc. Surtout, n'oublions pas de vivre, car nul ne peut, sans dommage, faire l'économie d'une évolution !

« Swâmi Arajnanpad m'avait un jour énoncé cinq critères grâce auxquels on peut reconnaître la valeur profonde d'un couple. Il est étonnant que, dans ces cinq critères, on ne retrouve pas le mot « love », qui signifie « amour ». Cela m'a surpris tout d'abord. Ensuite, je me suis souvenu que Swâmiji n'utilisait le mot « love » qu'avec une grande solennité. Que de fois nous employons le mot « amour » pour ce qui est simplement émotion, attraction – et l'attraction comporte toujours son aspect contraire, la possibilité de détester ce qu'un instant auparavant nous adorions.

Le premier de ces critères est, en anglais, « Feeling of companionship », le sentiment d'être deux compagnons. Effectivement, on dit parfois en français « ma compagne, mon compagnon ». Et on peut se poser la question :

D'emblée, comme chacun des auteurs présentés, Arnaud Desjardins accepte le jeu proposé : que tous se donnent la main, peu importe leur chemin. Belle ouverture... Car Arnaud Desjardins, ne l'oublions pas, est, en matière de spiritualité, l'un des instructeurs les plus respectés qui soient. Entendons-nous : nous parlons de la spiritualité vraie, c'est-à-dire la plus rare, non exploitée par les gargarismes de faux gourous, et préservée des prédicateurs de la « gouroumania ». Faux prophètes, ne vous aventurez pas... Né en 1925, Arnaud découvre vite les livres de Jean Herbert, spécialiste des spiritualités vivantes de l'Inde, qui le propulsent dans la voie de l'accomplissement intérieur. Devenu réalisateur de est-ce que ce sentiment est là : je ne suis plus seul ou seule ? Avoir un compagnon, c'est ne plus se sentir seul ou seule.

Or, je pense que vous serez d'accord avec moi, beaucoup d'hommes et de femmes mariés – ou vivant comme s'ils étaient mariés – se sentent toujours seuls. J'ai entendu jaillir du cœur d'hommes ou de femmes mariés ou ayant au contraire vécu plusieurs amours intenses dans leur vie : « Je suis seul » ; « J'ai toujours été seule ». La souffrance de cette solitude, qui peut être née de l'enfance, n'est pas effacée par une relation amoureuse. L'attirance amoureuse, bien sûr, c'est l'espérance de ne plus se sentir seul, c'est l'illusion de ne plus se sentir seule. Est-ce que cela va être durable ? Toute la question est là.

Ce que je veux dire aujourd'hui est toujours en fonction d'une durée, d'un chemin à suivre ensemble. « To grow together », croître, grandir, s'épanouir ensemble, progresser ensemble sur la voie de la maturité, de la plénitude, sans les émotions mesquines et infantiles de l'ego qui viennent corrompre, amenuiser, rapetisser l'existence.

Le mari ou la femme doit être aussi notre meilleur ami. L'épouse doit pouvoir jouer pour l'homme tous les rôles qu'une femme peut jouer pour un homme ; et le mari doit pouvoir jouer pour sa femme tous les rôles qu'un homme peut jouer pour une femme. L'homme – ou la femme – se sent comblé et n'éprouve pas la nostalgie de trouver ailleurs ce qui ne lui manque plus. Est-ce que je peux considérer mon mari ou ma femme comme mon meilleur ami ? C'est une question simple. Le mot « amour » n'intervient pas, ce mot « amour » qui vous dupe et vous trompe tellement !

Or, vous remarquerez qu'une amitié ne s'use pas au cours des années. Il est arrivé que la vie nous sépare d'un ami ou que nos intérêts divergent. Mais le plus souvent, celui qui était notre meilleur ami à l'âge de vingt ans l'est toujours lorsque nous en avons soixante-dix. On se souvient d'avoir vécu ensemble tel moment heureux ou difficile, on a un langage commun, une profonde complicité. Pourquoi dans le monde moderne y a-t-il des amitiés indestructibles sans qu'on ait à faire un effort spécial de fidélité, alors que tant d'amours s'usent et qu'au bout de deux ans, trois ans, on recommence à regarder autour de soi et à s'intéresser aux autres femmes et aux autres hommes ?

Si ce sentiment d'avoir trouvé un véritable compagnon existe, il s'enrichit avec les années, avec les expériences partagées, avec les souvenirs, il ne cesse de s'enrichir, contrairement à la passion amoureuse ordinaire condamnée à perdre son intensité comme un feu qui se consume et s'éteint.

Le deuxième critère est encore plus simple : « Ateaseness ». « At ease » veut dire, mot pour mot : « à l'aise », et « ness » en fait un substantif. Aisance : le fait que les choses soient faciles, aisées. Il est intéressant de voir que le mot « disease » en anglais signifie « maladie » et qu'« at ease » concerne aussi une santé parfaite. On ne souffre nulle part, on se sent bien. « Ateaseness », c'est se sentir parfaitement bien : tout est aisé, tout est facile. Or, trop souvent, dans la fascination amoureuse, il y a émerveillement, il y a des moments intenses, des instants « divins » – sinon la fascination amoureuse ne serait pas si puissante – mais il n'y a ni aisance ni facilité.

Je rencontre souvent l'un ou l'autre des partenaires d'un couple dont l'entretien avec moi est essentiellement consacré à leur relation homme-femme et qui sont aux antipodes de cette facilité, cette aisance. «Je l'aime, mais il me fait souffrir!» «Je l'aime, mais elle me torture!» «Je l'aime mais je suis à bout!» «Je l'aime mais je n'en peux plus...» Comment voulez-vous considérer qu'une telle relation, aussi stimulante, aussi intense soit-elle, puisse conduire à la vérification de cette parole: «Ils ne seront plus qu'une seule âme et une seule chair», communion réelle, dépassement de la limitation de l'ego, plénitude.

Ou encore une certaine facilité de relation s'établit, mais elle s'établit dans la routine, dans la monotonie et il reste au cœur un manque; ce n'est pas ce qu'on avait rêvé lorsqu'on était adolescent et on demeure susceptible d'un nouveau coup de foudre contre lequel on luttera plus ou moins suivant qu'on est plus ou moins marqué par une éducation religieuse, plus ou moins animé par un sentiment paternel ou maternel et qu'on fait passer l'intérêt des enfants avant le sien.

Quand on aime, on est enclin à dire: «Pour toujours, c'est pour toujours» quand ce n'est pas: «Nous nous sommes connus dans toutes nos vies passées et nous nous retrouverons dans toutes nos existences à venir», ou «nous serons unis pour l'éternité». Ce «pour toujours» est-il une parole correspondant à une réalité?

Troisième critère: «Two natures which are not too different»; «deux natures qui ne soient pas trop différentes». C'est tout simple mais ce qui fait pour moi la valeur de ces critères, c'est que je n'ai pas cessé depuis quinze ans au moins d'en vérifier la valeur.

Deux natures qui ne soient pas trop différentes. Il y a là un point qui est évidemment fondamental. Il est normal qu'il y ait une différence et une complémentarité entre un homme et une femme. Nous ne trouverons jamais notre alter ego: un autre nous-même qui, à chaque instant, soit uniquement l'incarnation de notre projection du moment. Nous ne trouverons jamais une femme qui sera toujours exactement ce que nous voulons, aura exactement l'humeur ou l'état d'âme que nous souhaitons, l'expression de visage et le timbre de voix que nous espérons et prononcera les mots que nous attendons – jamais. Et cela, il faut le savoir. C'est une demande infantile, indigne d'un adulte, destructrice de toute tentative de couple, de vouloir que l'autre soit un autre moi-même, que ma femme soit uniquement le support de mes projections et réponde à chaque instant à ce que, mécaniquement, dans mon ego et dans mon émotion, je demande. C'est une illusion que vous devez réussir à extirper par la conscience et la vigilance. L'autre est un autre. Et, même si cette communion s'établit, «une seule âme et une seule chair», l'autre n'aura jamais notre inconscient, notre hérédité. Il y aura toujours une différence.

Ce qu'on peut constater, c'est que dans un couple véritable, à travers les années, une communion de plus en plus profonde s'établit, surtout si l'on partage tout ensemble et qu'on vit vraiment en commun, au point qu'on en arrive presque à lire les pensées de l'autre. Et il est arrivé, peut-être l'avez-vous remarqué, qu'au terme d'une longue vie conjugale, un homme et une femme finissent par se ressembler, arrivent à penser ensemble, ressentir ensemble, que cette différence diminue de plus en plus et que chacun se soit élargi à la dimension de l'autre, enrichi des possibilités de compréhension de l'autre.

Mais cela, c'est un long chemin, tout autre chose qu'une passion amoureuse intense, éblouissante, inoubliable peut-être, mais brève.

« Deux natures qui ne soient pas trop différentes ». Or, la fascination amoureuse ne tient aucun compte de ce critère. L'inconscient de l'un réagit à et sur l'inconscient de l'autre, un trait du visage, un sourire, une coiffure, un regard touche une empreinte dans la profondeur de notre psychisme et nous sommes attirés. Il arrive même qu'un homme puisse retrouver un père chez une femme ou qu'une femme puisse retrouver sa mère chez un homme. Pour l'inconscient, un détail peut devenir tout-puissant : juste le regard, par exemple.

Donc, l'inconscient est brusquement fasciné par une apparence ou une attitude et, si ce mécanisme est réciproque, deux êtres attirés l'un par l'autre considèrent qu'ils s'aiment. Mais, si leurs natures sont trop différentes, aucune vie commune n'est possible et cet amour sera battu en brèche par la réalité. Les cas extrêmes vous paraîtront évidents. Si un homme est plutôt solitaire, aime les longues marches dans la campagne, la vie dans la nature et qu'une femme ne rêve que de mondanités, de dîners brillants, de réceptions, il est certain que les natures sont trop différentes. Et, pourtant, cela n'empêche pas de tomber amoureux.

Deux natures qui ne sont pas différentes, cela n'existe pas. « Deux natures qui ne soient pas trop différentes ». Il faudrait être bien plus avancé sur le chemin de la liberté intérieure pour pouvoir former un couple paisible avec un partenaire dont la nature est radicalement différente de la nôtre. Abandonnez la demande infantile que « l'âme sœur » sera vous-même en tout. Un jour, vous rentrerez tout heureux du travail : « Je suis en retard parce que je suis passé à l'Opéra municipal et j'ai pris deux billets pour le concert de ce soir. » Et votre grand amour, au lieu de s'écrier : « Quel bonheur ! » répondra : « Ah non, pas ce soir, je n'ai vraiment pas envie de sortir. » « Quoi ! » Eh oui. Il arrive, quand on se croit très amoureux, qu'un petit incident insignifiant comme celui-ci provoque une blessure. « Je me suis trompé ; ça n'est pas « elle » ; nous ne sommes pas faits l'un pour l'autre ». Quel infantilisme, mais c'est malheureusement vrai.

N'oubliez pas cette vérité : la fascination amoureuse ignore superbement l'incompatibilité de deux natures. On croit de bonne foi s'aimer, mais il n'y a pas de possibilité d'une véritable entente. Vous ne pouvez ajuster ensemble deux pièces de mécanique qui ne se correspondent pas. La complémentarité de l'homme et de la femme repose sur la différence mais elle repose aussi sur la possibilité d'association, d'imbrication, de complicité.

**Les livres
« coups de cœur »
d'Arnaud Desjardins**

La Sagesse et la destinée, Maurice Maeterlinck

Fragments d'un enseignement – inconnu

La Crise du monde moderne, René Guénon

Quatrième critère : «Complete trust and confidence». «Trust» et «confidence» signifient tous les deux «confiance». On pourrait traduire «trust» par «foi», la perfection de la confiance. Est-ce que cette confiance existe? Ceux qui se demandent : «Sommes-nous faits l'un pour l'autre» peuvent se poser cette question : «Est-ce que je sens en moi cette confiance complète? Est-ce que cet homme, cette femme a su m'inspirer confiance?» Je vois vivre des couples dont l'homme n'a pas vraiment confiance en sa femme, ni la femme en son mari. il n'y a pas confiance parce qu'il y a peur. Ayez le courage de le voir et comprenez que sur cette fondation aucun amour durable, susceptible de croître, de s'épanouir, n'est possible.

Bien sûr, beaucoup d'hommes et de femmes aujourd'hui sont blessés jusqu'au fond de leur inconscient par des trahisons passées, vécues à l'âge de deux mois, six mois. Swâmiji me citait le cas d'un de ses vieux disciples qui avait vécu dans un malaise dont l'origine était apparemment insignifiante. Quand cet Indien, bébé, tétait, il avait mordu le sein de sa mère et celle-ci l'avait arraché d'elle brusquement et l'avait frappé. Et ce bébé, qui jusque-là n'avait connu que l'euphorie de l'amour maternel et la joie du sein, son suprême bonheur, avait été si trau-matisé que l'adulte avait ensuite vécu dans la peur inconsciente de la trahison. Ce genre de blessure existe très souvent dans votre inconscient et ne facilite pas la communion, l'approche ouverte, le don mutuel de soi dans l'amour. C'est pourquoi ce critère est si important.

Est-ce que cette femme a su m'inspirer une réelle confiance? Du fond de moi monte ce sentiment : elle peut faire des erreurs, elle peut se tromper, elle peut même accomplir une action qui me créera une difficulté momentanée et que j'aurai à résoudre, mais elle ne peut pas me faire du mal. Fondamentalement, ce qui domine c'est cette certitude. Et la parole de Swâmiji est très forte : «Complete trust and confidence.» Vous connaissez en français l'expression : «Je t'ai juré ma foi». C'est une vieille expression du langage amoureux. C'est pourquoi je traduis «trust» par «foi», en sachant tout ce que ce mot a de dense, de riche, de grave. Il y a un aspect religieux dans l'amour.

Le mariage ne peut pas être une voie spirituelle vers la sagesse si cette confiance et cette foi n'existent pas, si vous vivez dans la peur. Vous avez à être plus forts que votre infantilisme et à ne pas détruire vous-mêmes une relation précieuse par une méfiance qui n'est en rien justifiée. Il faut que les partenaires ne soient plus totalement infantiles, aient une certaine compréhension de leurs propres mécanismes et décident de les dépasser, d'être plus adultes. Même si vous êtes très amoureux de votre compagne, du grand amour de votre vie, vous pouvez, au cours d'une réception, la voir discuter avec un autre homme, porter un certain regard sur lui, peut-être même, pour pouvoir parler plus tranquillement si vous êtes chez des amis – une soirée où il y a un peu de monde

– aller avec lui à l'écart, sans que la peur ne se lève en vous : «Qu'est-ce qui se passe? De quoi est-ce qu'ils parlent?» Seule cette confiance complète élimine le poison de l'amour, la jalousie.

Il est bien rare qu'un amoureux soit exempt de jalousie. Je ne dis pas que c'est un vice ou un péché, c'est une émotion particulièrement infantile dans laquelle le mental invente ce dont il n'a aucune preuve. Rien n'est plus destructeur de l'amour que cette jalousie. La femme dont le mari est jaloux ne se sent plus respectée. Dans la discipline amoureuse habituelle, il y a quelque chose de flatteur à voir cette jalousie : «Tant qu'elle est jalouse, ça veut dire que je suis le plus fort, que je la tiens; le jour où cela lui sera égal que je fasse la cour à une femme, c'est que j'aurai perdu mon pouvoir sur elle.» Mais dans le couple en tant que voie spirituelle, la jalousie ne peut pas avoir sa place.

Dernier critère : «Strong impulse to make the other happy», «forte impulsion spontanée à rendre l'autre heureux». C'est moins simple que ça en a l'air. Et cela exige aussi une approche adulte du couple. La demande d'être heureux grâce à un autre est naturelle, normale, légitime chez un homme ou une femme qui n'a pas atteint le bout du chemin et dont le bonheur n'est pas encore purement une expression de l'Être, chez celui ou celle qui se sent encore incomplet. Mais il y a une manière tout à fait égoïste de vouloir rendre l'autre heureux, dans laquelle l'autre n'est pas vraiment en question. C'est l'autre tel que je le vois à travers mes projections, mes demandes à moi, que je cherche à rendre heureux en lui offrant ce que j'ai envie de lui offrir, en faisant pour elle ce que j'ai envie de faire pour elle, et sans tenir compte de ses véritables demandes. C'est un critère sur lequel les confidences de mon prochain m'ont amené à revenir bien souvent.

Vouloir rendre l'autre heureux se situe encore dans la dualité de moi et de l'autre – l'autre et moi. C'est considérer que l'autre attend quelque chose de moi, que nous n'avons pas encore établi la parfaite communion de l'Être, au-delà de toute question d'Avoir. Chacun attend de l'autre le bonheur. Or, ce bonheur est aussi une réalité simple, quotidienne, faite d'une accumulation de petits détails, et pas seulement de s'entendre dire «Je t'aime» par celui ou celle que nous aimons.

Swâmi disait : «There is no giving without receiving». «Il n'y a pas d'action de donner sans action de recevoir». Si vous donnez mais que l'autre n'a pas reçu, c'est comme si vous n'aviez pas donné. Et si vous ne donnez pas ce que l'autre attend, consciemment ou inconsciemment, ce qui lui est nécessaire, vous ne lui avez pas donné.

Que de parents, du fond du cœur, affirment : «Mais je n'ai vécu que pour mes enfants, je me suis sacrifié pour eux, je leur ai tout donné... » Et les enfants pleurent (parfois ça sort de leurs entrailles comme le cri du cœur) : «Je n'ai rien reçu» – le cri de la frustration. Il n'y a pas d'action de donner sans action de recevoir. C'est vrai en ce qui concerne la relation des parents avec les enfants ; c'est vrai dans toutes les relations humaines ; et c'est vrai dans celle qui nous préoccupe aujourd'hui, le couple.

Donner, ce n'est pas donner ce que nous avons envie de donner au partenaire tel que nous voulons qu'il soit, mais au partenaire tel qu'il est et tel que nous avons à apprendre à le voir, à le comprendre et à le ressentir. Ici intervient cette intelligence du cœur que voilent les émotions. S'il n'y a pas, dans un couple, ce sentiment d'être deux compagnons, deux vrais amis, cette confiance complète, cette facilité, cette aisance, si les natures sont trop différentes avec des situations orageuses, en un mot s'il y a trop d'émotions, l'intelligence du cœur est aveuglée. On croit avoir fait beaucoup pour sa femme, pour son mari – et l'autre n'a pas reçu. Quel déchirement, quelle souffrance !

J'ai entendu des épouses m'expliquer – et leur point de vue à elles était indiscutable – tous les sacrifices qu'elles avaient faits pour leur mari. Et le mari, lui, n'était que regret et déception. Inversement, j'ai entendu des hommes me décrire tout ce qu'ils avaient fait pour leur épouse et la femme, elle aussi, n'était que frustration, et cherchait encore le grand amour dont elle rêvait depuis l'âge de seize ans.

Que de mariages dans lesquels cette impul-sion à vouloir rendre l'autre heureux a dis-paru. C'est une motivation, une animation qui est morte. Vous ne voulez pas «lui» faire de mal, mais vous avez perdu – ou vous n'avez jamais eu – la disponibilité pour sen-tir ce qui peut lui faire plaisir à elle, quel geste vous pouvez faire, quelle parole vous devez dire, quelle décision vous allez pren-dre, quelle activité vous pouvez organiser, quel cadeau vous voulez offrir. Cette envie de rendre l'autre heureux ne se fabrique pas artificiellement, elle est là ou elle n'est pas là. «Comment, je lui ai offert une bague splen-dide!» Ce n'est pas cela qui évitera le cri de frustration que j'ai trop souvent entendu mais l'accumulation de petits dons, de petits gestes. Un être a besoin de respirer chaque minute, et il a besoin de respirer l'amour tous les jours.

«Une forte impulsion à rendre l'autre heu-reux» est un sentiment permanent, comme celui qu'une mère ressent pour son enfant quand il est encore petit et dépendant : «J'existe pour lui, que puis-je faire pour lui?» Cette intelligence du cœur s'éveillerait très naturellement en vous si vos émotions ne venaient pas corrompre la possibilité d'un véritable sentiment.

Ces critères sont simples. Mais s'ils sont réunis, croyez-moi, tous les autres en dé-coulent, y compris l'entente sexuelle. Si les cinq autres critères sont satisfaits, l'atti-rance sexuelle viendra de la profondeur de l'être et non plus de la fascination de surface. Elle ne cessera de grandir. Chacun des cinq critères est le stimulant d'une sexualité qui conduira aisément à la fidélité. L'attirance fondée sur des attributs éroti-ques purement physiques ne conduira jamais qu'à une sexualité limitée, alors que, si ces cinq critères sont remplis, c'est la certitude d'une sexualité de plus en plus riche, de plus en plus profonde, qui ne fera que grandir à travers les années.

La vérité c'est que, sauf rares exceptions, un couple durable ne peut unir que deux êtres humains suffisamment adultes. Il y a des couples qui ont été heureux, certainement heureux, et dont pourtant l'homme et la femme n'étaient pas pleinement adultes, donnaient des signes d'infantilisme dans d'autres domaines, ou même dont les infantilismes se complétaient bien, des couples névrotiques dont les psychologues et les psychanalystes ont si peur que l'analyse les détruise – puisque ces couples sont faits de la correspondance de deux névroses. De tels couples ne peuvent pas constituer un chemin de croissance, d'épanouissement.

Autrement dit, un commencement de maturité sur la Voie, un commencement de sagesse, un peu moins d'infantilisme, un peu moins de vulnérabilité émotionnelle sont nécessaires pour réussir une vie à deux. Et l'illusion, que certains ont traînée toute leur vie, c'est de croire que les choses vont changer si eux ne changent pas, de croire qu'il sera possible de réussir une vie de couple comme on la rêve, tout en restant menés par leur mental et leurs émotions.

La beauté du couple est la complémentarité. Nous sommes loin d'une passion amoureuse sans suite. Un yoga à deux prend du temps. Croître ensemble, c'est aussi croître dans la relation avec les autres. Le couple véritable ne peut aucunement être ce qu'on appelle en français l'égoïsme à deux. Quand l'homme et la femme ensemble s'ouvrent au monde, quand l'homme épanouit en lui la dimension féminine de l'existence et sa femme la dimension masculine, quand l'homme peut trouver sa joie à sentir que sa femme va vers les autres avec amour, quand la femme peut trouver sa joie à sentir que son mari va vers les autres avec amour, alors le couple est destiné à grandir, alors il ne peut plus être ravagé par les émotions. C'est le passage vers l'élargissement de l'ego et la diminution de la séparation. Le mari est imprégné intérieurement de son épouse et l'épouse est imprégnée de son mari. »

© **Pour une vie réussie, un amour réussi, Arnaud Desjardins, Éditions La Table Ronde**

À lire

Pour une vie réussie, un amour réussi, Arnaud Desjardins, Éditions La Table Ronde

CES AMOURS
CRÉATIVES...

Si l'Amour était créatif,
Sans doute finiraient les dérives.
Si dès l'école nous apprenions
Que la raison, vite, se morfond,
Nul ne serait en perdition.

Les idées nourrissent la passion,
Le jeu nous lie, nous rajeunit,
Le rire guérit, nous rend la vie.

Que sont nos âmes devenues?
Pourquoi, soudain, n'osons-nous plus?

Il n'est pas trop tard aujourd'hui
Pour découvrir la fantaisie;
Sus à l'ennemi, sus à l'ennui
Notre couple, c'est sûr, va refleurir!

Jouons ensemble!

À deux, à tâtons, nous découvrons *L'Amour, dans tous ses états!* Rebondissant, comme les chats, à chaque obstacle. Tour à tour forts, tendres, drôles, sensibles, gais ou tristes, nous vivons nos humeurs. Jeunes, nous sommes dans le flux, dans l'alternance des rôles et des couleurs.

La « Jeu-nesse » est un état d'esprit, une surprise, un pari, une gourmandise, un lâcher prise, un hologramme d'émotions, une incarnation de soi, de son idéal.

Oui, avec toi, j'ai « en-Vie » de jouer. De découvrir mes facettes cachées. De te révéler, à mon tour, ta richesse enfouie.
Dans la mouvance, le plaisir, la conscience élargie.

Tu seras mon « maître », et mon compagnon de jeu. Je serai ta « maîtresse », et aussi ta muse. Apprends-moi l'art, je t'enseignerai le fond. Nous jouerons, comme deux félins espiègles, élégants et souples. Respectant, chacun, leurs espaces et leurs routes.

C'est un merveilleux risque, menant à cette assurance : nous sommes sûrs, quoi qu'il advienne, de traverser nos peurs et de grandir.

Vivons la Vie comme un Jeu... et nous pourrons longtemps, sans imposture, dire : « Jeu t'aime ». Tu me suis ?

PIERRETTE

JEAN-CLAUDE MAROL
Traits d'humour, traits d'amour

PHOTO : COLLECTION DE L'AUTEUR

Si c'était... un art, ce serait un dessin ;
Si c'était... un passe-temps, ce serait un jeu d'enfant ;
Si c'était... un animal, ce serait un poisson qui fait des bulles ;
Si c'était... un personnage historique, ce serait un troubadour ;
Si c'était... un sentiment, ce serait l'amour, mais dans tous ses états !
Vous avez reconnu Jean-Claude Marol, porte-parole de l'enfant intérieur, écrivain, conteur, illustrateur, qui rallie les voies et les cœurs... par le langage universel qu'est le dessin humoristique. *Jeu t'aime* (Éditions Jouvence) décrit l'amour dans 58 états, s'étirant d'un extrême à l'autre, passant par toute la gamme des jeux à deux, divins ou dangereux. Des clés nouvelles pour faire l'amour sans (se) faire la belle. Nul besoin de mots pour dire « Jeu t'aime »...

P : Qui est Jean-Claude Marol ?

J.-C.M. : J'ai commencé par être architecte : j'ai notamment un peu exercé ce métier en Inde. Sur les documents qui présentent mon travail, on me dit tantôt humoriste, tantôt écrivain, tantôt illustrateur ou conteur ; à vous de choisir ! Pour ma part, j'ai longtemps cherché à en dire le moins possible ; en cela, les dessins humoristiques sans parole m'ont beaucoup aidé.

P : L'amour semble te fasciner... tes autres livres en parlent déjà abondamment ?

J.-C.M. : L' « Amour » demande à être vu sous des angles inattendus. Secouons les lettres du mot «Amour». Nous trouvons aussi «aum-or». Après avoir rédigé des contes pour enfants, j'ai sorti, voici dix ans, un livre intitulé *Pli urgent* (qui sera prochainement réédité), et qui contemplait les mots amoureusement. Ah ! Les lettres d'amour... Je me suis enhardi, ensuite, à écrire des contes, à monter un spectacle à la Villette mettant en scène un chevalier amoureux, à évoquer dans trois livres cette dame de l'Inde Ma Anandamoyi, à parler d'enfance... tous, à mes yeux, des miroitements d'un même amour premier. Mes derniers ouvrages concernent l'Amor selon les troubadours. Mais à aucun moment, je ne peux oublier qu'amour rime avec humour. C'est d'ailleurs le message de mon livre humoristique : *Jeu t'aime.*

P : Pourquoi présenter l'amour en traits – ou en bulles ?

J.-C.M. : Mes personnages sont joueurs de nature. Plus la situation est complexe (c'est souvent le cas en amour), plus ils trouvent facilement le lieu du dénouement, par le rire. Pour bien vivre en amour, il faut, me semble-t-il, une grande mobilité d'esprit. L'esprit – avec un petit « e » – ne nuit pas au grand amour !

P : Vivons-nous dans des bulles ?

J.-C.M. : Le monde moderne, qui disserte volontiers sur la communication, la mondialisation, la « connectique », sécrète aussi des cœurs isolés à foison. Chacun de nous tend à être une petite île déserte, éventuellement suréquipée en technologies de communication. Partager un sourire, un regard, va-t-il devenir une prouesse ? Je connais un langage universel : le sourire. Il devrait nous aider à mieux aimer.

P : Si l'autre pénètre trop vite ou trop fort dans ma bulle, il risque de prendre mes protections à la figure...

J.-C.M. : Nous sommes à l'ère du « préservatif » ; je crains qu'on ait aussi inventé des préservatifs pour les sentiments ! Nous nous rencontrons souvent, les uns et les autres, comme si nous étions en autos tamponneuses !

P : Un dessin vaut-il mieux qu'un long discours ?

J.-C.M. : Le dessin montre. Voir vraiment est toujours libérateur. Soyons voyants ! Une situation, aussi complexe soit-elle, devient simple une fois qu'elle est décryptée. C'est de ce « simple d'esprit » que nous parle peut-être Jésus. Ainsi, le dessin m'aide à être un simple d'esprit.

P : La vie de couple est-elle comparable à une bande dessinée ?

J.-C.M. : Une vie de couple est un long récit animé comme les meilleurs contes d'embûches, de drames, de retrouvailles, de réconciliations. Essayons, avec tous ces épisodes, d'en faire une belle histoire. Un couple est lié, selon la phrase usuelle : « pour le pire et le meilleur » Le pire demande à être intégré, et pourquoi pas, de façon souriante... Un jour peut-être, quand nous serons sages ! Le pire est un merveilleux terreau où des plantes rares pousseront peut-être. Le pire et le meilleur sont comme des étirements de l'amour.

P : Tu illustres l'amour dans tous ses états...

J.-C.M. : Dans *Jeu t'aime*, il y a 58 situations d'amour à deux (restons à deux pour simplifier). *Jeu t'aime* est une sorte de jeu de l'oie : on va de case en case, on revient sur la case antérieure, qu'on croyait dépassée depuis longtemps... C'est la vie !

Les livres « coups de cœur » de Jean-Claude Marol

« Difficile de choisir ! » nous dit-il. À part cela :

Les Romans de la Table Ronde,
Chrétien de Troyes (Éditions Folio/Gallimard)

Le Chant de l'ardent désir,
Ibn Arabi (Éditions Sinbad)

La rose est sans pourquoi,
Silesius (Éditions Arfuyen)
Et tant d'autres...!

Où écrire,
où téléphoner?

Jean-Claude Marol
10, rue d'Orchampt
75018 Paris
Tél./fax: (1) 42.64.75.82

P : Tu préconises, à ta façon, un retour à « l'enfant intérieur » ?

J.-C.M. : L'enfant intérieur est, je crois, d'une certaine façon le joueur libre de chacune des cases qu'il traverse. Il a une vision panoramique du jeu, donc il le transcende.

P : Qu'apporte la spontanéité dans le couple ?

J.-C.M. : La spontanéité dans le couple permet de préserver cette part d'enfance, de laisser en nous le petit Poucet aider ses frères égarés à retrouver leur chemin.

P : Tu dis : « L'amour se déclare, se chante, se joue... C'est normal, aimer est grave. »

J.-C.M. : Dans les anciennes civilisations, le jeu, la danse, le chant servent le plus indicible de la vie, le plus sacré. Dire gravement le sens sacré de la vie risque d'être une redondance. Chanter nous met plus en phase avec l'énorme Force de la Vie ! (j'ajoute des majuscules !) Quand je dis « grave », je lie le mot à la gravitation. Sans le savoir, nous participons à la gravitation universelle qui fait tournoyer les galaxies. Nos moindres mouvements sont connectés à cette énorme danse. Il se pourrait bien que l'amour – en tout cas les anciens sages le disent – soit un des noms de cette gravitation fondamentale. En sanskrit, le terme de « guru » est l'étymologie de « grave ». Nous sommes encouragés, je pense, à redécouvrir le « guru universel ». Mais ce guru-là nous anime déjà.

P : Le jeu, dis-tu, est un mode efficace de redécouverte de notre gravitation fondamentale...

J.-C.M. : La nature profonde de toute matière est un jeu insaisissable. Le jeu a souvent des règles précises, mais s'invente en permanence. Rien n'est jamais sûr, même si on connaît les noms des joueurs des deux équipes de foot qui se rencontrent. La vie n'est pas dans la dénomination des joueurs, mais dans le jeu, dans le risque du jeu.

P : Pourquoi notre culture refoule-t-elle le jeu amoureux ?

J.-C.M. : Notre société voudrait un « risque zéro ». Bien entendu, la précarité n'a jamais été effacée, au contraire ! Ainsi, en amour, on a toujours voulu fabriquer un « risque zéro » avec la famille ; ce qui, souvent, masque un massacre de l'amour, nous le savons tous. À l'inverse, accepter le risque est peut-être plus conforme à l'amour et à sa pérennité.

P : Pourquoi « se préserver » est-il devenu le mot d'ordre des temps actuels ?

J.-C.M. : Plutôt que se préserver, préservons l'amour ! Laissons-le vivre, ce qui implique notre propre abandon, et notre capacité d'inventer !

P : L'humour et la poésie sont-ils des recours précieux ?

J.-C.M. : La poésie est une parole qui renouvelle. L'humour, aussi, fait voir de façon neuve. Les troubadours utilisaient souvent le mot « nouveau » pour parler d'amour. Les amoureux sont des personnes neuves. Ce n'est pas étonnant qu'elles rient et se fassent des déclarations qui riment !

P : Comment réactiver l'amour qui sommeille en nous et dans le couple ?

J.-C.M. : Se bousculer, changer mutuellement de position, se parler et se regarder autrement, se réveiller enfin... Car la vie, elle, change sans cesse ! «L'amour meut le monde», disait Dante. L'amour est un mouvement formidable !

P : La créativité est-elle l'une des clés d'épanouissement du couple ?

J.-C.M. : La créativité est ce qui nous lie au plus près à la Création, au monde. Le geste d'aimer est créateur. Il nous recrée sans cesse ; un couple ainsi se réinvente, se redécouvre dans la nouveauté.

P : Quelle serait ta définition de l'amour ?

J.-C.M. : L'amour est bouleversement... soyons donc bouleversants ! Et laissons-nous bouleverser.

P : Ton «état» après la sortie de *Jeu t'aime* ?

J.-C.M. : J'ai fait une petite bulle de plus dans mon aquarium !

À lire

La Fin'Amor,
Jean-Claude Marol, Éditions Seuil
*L'Amour libérée
ou l'érotique initiale des troubadours,*
Jean-Claude Marol, Éditions Dervy
Le Rire du sacré,
Jean-Claude Marol, Éditions Albin Michel
Jeu t'aime,
Jean-Claude Marol, Éditions Jouvence
Vie en jeu,
Jean-Claude Marol, Éditions Accarias/L'Originel
Au cœur du vent,
Jean-Claude Marol, Éditions Accarias/L'Originel
La mise en demeure,
Jean-Claude Marol, Éditions Accarias/L'Originel
Tout reprendre à zéro,
Jean-Claude Marol, Éditions Dervy

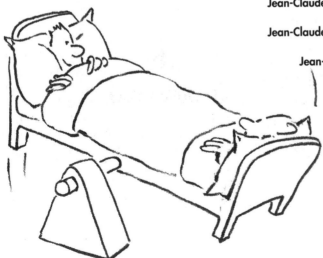

JULOS BEAUCARNE

L'amour en chanson

PHOTO : JOHANNE MERCIER

P : Tu es collectionneur d'arcs-en-ciel... quelle est, pour toi, la couleur de l'amour ?

J.B. : La couleur de l'amour, c'est l'ARC-EN-CIEL ! C'est toutes les couleurs, toutes les races, toutes les différences, tous les drapeaux... dont l'union donne le blanc !

P : Que sont pour toi le coup de foudre ou le grand amour ?

J.B. : Il y a des accords secrets qui nous échappent... Parfois, on aime quelqu'un, mais chimiquement ça ne colle pas. Par exemple, on peut aimer la peau mais pas les odeurs... L'accord d'esprit existe aussi ! Néanmoins, l'accord parfait au niveau physique et au niveau de l'esprit est extrêmement rare ! Il y a encore les amitiés entre hommes et femmes, qui s'arrêtent avant l'étape physique. Je trouve que ce genre d'amitié est très belle ! On dirait que le corps lui-même a son langage propre ; c'est un mystère... Le problème, c'est que dans notre culture on a séparé l'âme et le corps. Quand un enfant naît, il a tout un projet de vie en lui. Par l'éducation, l'environnement, la société, il est séparé peu à peu de son projet initial. Il devient calibré selon les normes, les modèles de la société... Alors, quand il a 15 ou 18 ans, ses rencontres amoureuses sont faussées au départ : ce n'est plus l'âme et son projet initial qui agissent, mais des modèles calibrés... Le jeune ne se dit pas : « Cette femme est particulière, elle est unique au monde.. » Comment veux-tu que des mariages tiennent s'ils sont basés sur de

Un peigne en bois suspendu à une ficelle multicolore qui traverse la porte par un petit trou et actionne une clochette de l'autre côté...

Le ton est donné : la ficelle arc-en-ciel jette une première passerelle entre le dehors et le dedans ! Julos nous ouvre toute grande la porte de sa tanière... Julos est chanteur, musicien, poète, clown, constructeur de pagodes et de tours, collectionneur, saltimbanque des mots, du terroir et des galaxies... Il pose sur le monde son regard doux et sévère, tendre et rebelle... « 20 ans depuis 40 ans », titre son dernier album : Julos garde quelque chose de cette jeunesse de cœur qui explose en grands éclats de rires tout au long de notre rencontre.

faux critères, sur des modèles de magazines! Or, une société n'est riche que par les différentes personnes qui la composent, dans ce qu'elles ont de particulier.

P : Que faire pour retrouver son âme ?

J.B. : Si tu veux être toi, tu es obligé d'être un «résistant», et tu es accusé de te marginaliser. Parce que tu es au service de la Vie, on te considère comme un marginal! Quant au mariage... en convolant, on espère changer l'autre, et on perd beaucoup d'énergie! (rires...) Il faudrait, pour se marier, être d'abord autonome...

P : L'amour, ce ne sont donc pas deux moitiés qui s'assemblent...

J.B. : On a chacun un «projet initial» qu'il faut révéler à l'autre. Chacun devrait donc déjà le connaître! Ni l'un ni l'autre ne doit être serviteur du chemin de son partenaire, sinon ça casse!

P : Comment retrouver son «projet initial» ?

J.B. : Nous sommes des êtres cosmiques et nous ne le savons pas! Nous devrions nous promener plus souvent... Dehors, on est en contact avec tout ce qui vibre... c'est beaucoup

plus large que de rester confiné dans une pièce où l'on respire toujours le même air! On a chacun un projet spirituel à réaliser. Albert Einstein disait que l'on utilise seulement 10 % de notre cerveau, et que si l'on s'attachait à développer les autres 90 %, on serait tout à fait heureux, car on serait pleinement dans sa voie, dans son projet.

P : Chacun de nous a-t-il une «âme sœur» ?

J.B. : Nous avons chacun notre projet à vivre, et c'est une grande chance quand ton projet rencontre le projet de quelqu'un d'autre. Alors, tu peux faire avec lui un bout de chemin. Quand on est d'abord «l'amant de la vie», tout ce que l'on reçoit est un cadeau de surcroît. C'est comme si deux chemins parallèles se rejoignaient à tel moment. Ensuite, ils se séparent. Et, parfois, plus tard, les deux chemins redeviennent parallèles. Mais, quoi qu'il arrive, un amour est toujours éternel, car on porte en soi la personne que l'on a aimée.

P : Comment définis-tu l'amour ?

J.B. : L'amour est un espace de liberté. Si l'on n'a pas la liberté, l'amour devient une cage, même si c'est une cage dorée! L'amour, c'est une disposition d'esprit, qui crée le sens.

P : Tout est écrit à l'avance : rencontres et «séparances» ?

J.B. : Un bel hasard vaut mieux qu'un mauvais rendez-vous! (rires...) Il s'agit de se laisser aller par le Temps, par la Vie qui nous conduit et nous prend par surprise... La rencontre arrive au moment où tu t'y attends le moins, quand tu n'attends plus rien! Il suffit d'être en état d'ouverture à la Vie, à ses vibrations... C'est aussi un retour à la télépathie... Il y a des gens qui attendent et qui cherchent toujours quelque chose ; ils ne

Les livres « coups de cœur » de Julos Beaucarne

Les livres de Jacques Salomé!

Les livres de Christian Bobin (poète contemporain)

Les livres de Philippe Delerm

Gaspard des montagnes, Henri Pourrat

Où écrire, où téléphoner?

Julos Beaucarne
2, rue des Brasseries
1320 Tourinnes-la-Grosse
Tél.: 32.10.86.69.43

se laissent pas aller. Ils mettent toute leur énergie dans l'attente. Ça fait comme un rayon laser qui s'élance devant eux... Alors, la personne qui voudrait venir vers eux est bloquée par ce laser... Si tu n'es pas disponible, la rencontre n'a pas lieu!

P : Comment concilier cet amour de l'autre et sa présence avec ce besoin de liberté et d'accomplissement de son projet initial?

J.B. : Ça dépend de l'architecture de la maison (rires)... L'idéal est que chacun ait son espace bien à lui. Par exemple, tu as ici une pièce à toi, où la personne que tu aimes ne peut venir que si tu l'y invites. Et là, tu vis tes secrets, ton chemin à toi, tu fais ce que tu aimes. Et l'autre a aussi sa pièce, où tu ne peux aller que s'il t'y invite. Et, au milieu, il y a une sorte de «no man's land», un territoire commun, la cuisine, un salon. Chacune de ces pièces a une porte qui donne sur l'extérieur; chacun peut donc entrer, sortir, recevoir des gens sans entraver le territoire ou la liberté de l'autre. De même pour la décoration, les objets : si tu aimes un objet que l'autre n'aime pas, tu le mettras dans ta pièce à toi... Les objets nous aident à vivre : ils captent notre énergie et nous la rendent quand nous en avons besoin. C'est à ça qu'ils servent. C'est important! C'est dans cet espace de liberté que l'amour est toujours préservé... Il faut de l'espace pour être amoureux! Et si l'autre, malgré tout, ne respecte pas cet espace et fait entrave à ta liberté,

alors il vaut mieux qu'il habite deux rues plus loin! (rires)...

P : «L'éternité, c'est long, surtout vers la fin...»

J.B. : C'est un peu comme la façon de regarder la mort... Chaque instant est éternel, tout est sacré, chaque instant est sacré... L'amour commence à se «déglinguer» dès qu'on pense à l'avenir, dès que l'on commence à calculer... Souvent, on a peur : peur d'être abandonné, parce que l'on n'a pas suffisamment confiance en soi. Et ça, c'est une autre histoire : arriver à vivre seul avec soi-même! Car il s'agit de ne pas être un poids pour les autres; plus on est autonome, plus on est léger! Il faut que chacun vive SON histoire! Dès le moment où ton amoureux commence à avoir une emprise sur toi, à t'imposer sa loi, ce n'est plus de l'amour, c'est du pouvoir... alors, il est temps de «se barrer» (rires)!

P : La relation d'amour aide-t-elle chacun à réaliser son projet?

J.B. : Chacun émet des vibrations. L'amour est une vibration. L'amour multiplie les vibrations de deux êtres... C'est comme quand on chante en chœur dans une chorale : les vibrations se multiplient! Beaucoup de parties du corps sont vibratoires; pas seulement les zones érogènes! Plus on connaît son corps, plus on est capable de donner du plaisir à l'autre! Connaître son corps, c'est être capable de le mettre en vibration, par exemple en se baladant dans la forêt, en dansant, en chantant, en le faisant masser par quelqu'un, en recourant à "l'acupressing..." Qu'il n'y ait pas un seul endroit de ta peau, de ton corps que tu n'aies pas touché, apprécié... Car si tu n'apprécies pas ton corps, tu ne peux apprécier le corps de l'autre! C'est ce côté frisson qui manque le plus... Et, plus tu vas travailler cette vibration, plus tu seras capable de donner cette vibration à l'autre; tu vas ainsi l'éveiller à lui-même! Le véritable amour – que l'on nomme à la légère « amour physique » – en fait, est très spirituel; c'est très sacré, l'amour! La preuve: on peut même faire un enfant! Les vibrations sont alors extraordinaires... et plus il y a de qualité vibratoire, plus la relation augmente et devient forte! Ça va dans le sens de la Vie! La qualité vibratoire que tu atteins te reste même si l'amoureux lui, s'en va...

P : Devenir soi, est-ce intégrer « sa mâlitude et sa féminitude »?

J.B. : On est chacun et chacune un couple en soi; chacun, homme et femme à l'intérieur... Quand je parle de s'aimer soi, je parle d'aimer le contraire de ce que l'on est en soi, de pouvoir jouer dans l'imaginaire des deux tableaux...

P : Devenir androgyne?

J.B. : Je n'emploierais pas ce mot-là, car il est trop à la mode et dégage une mauvaise connotation... C'est plutôt retrouver la source. Reconnaître que la femme est première, que la femme est la base de tout. On est tous, hommes et femmes, sortis du sexe d'une femme! L'homme, alors, est en admiration devant la femme : il la respecte comme le commencement du monde! C'est le bonheur de retrouver son origine! Souvent, les femmes sont les premières victimes dans un monde de violence et de croquemorts. Le monde changera quand les hommes se rendront compte qu'ils sont aussi des femmes; quand ils retrouveront leur origine, qui est une femme...

P : Un remède à la violence...

J.B. : On est entourés d'une aura de violence : télévision, médias... Tous, nous sommes un peu médiums, donc nous percevons ce climat... Plus nous sommes créatifs, plus nous sommes « en chemin », et plus cette violence glisse sur notre cuirasse! En même temps, nous sommes chacun des émetteurs de pensées qui ont une influence mondiale : envoyons des pensées d'amour dans le monde pour en contrebalancer la violence! Emparons-nous des médias pour diffuser des pensées d'amour! Ce qui nous tue et nous perd, ce sont les « à quoi bon? »

P : L'amour survit-il à la mort?

J.B. : L'amour dépasse la mort. C'est quelque chose de plus fort que les souvenirs... Quand ma Loulou est morte, je me suis senti comme un enfant dans le ventre de sa mère, qui entend des bruits à l'extérieur... La Vie, l'Amour sont des vibrations... Quand on est mort, on n'est plus QUE vibration! La vibration est là, elle reste... je « reconnecte » avec cette vibration d'amour; c'est un moment merveilleux de méditation et de silence!

P : Si amour rime avec toujours, rupture rime-t-elle avec blessure?

J.B. : Ça dépend comment on a vécu l'amour... Si je pense à la Vie en sachant que je peux mourir aujourd'hui, je goûte le moment présent, je suis pleinement dedans... Il y a toujours une rupture, parce qu'inévitablement on va tous mourir... Alors tu souffres, bien sûr, mais cette souffrance devient une sorte de carburant pour ton moteur psychique, quelque chose qui te donne plus de force...

P : Et si l'amour était une fleur ?

J.B. : Ce serait une fleur de lotus ! Une fleur merveilleuse à la surface de l'eau, qui plonge ses racines dans la boue !

À lire

L'avenir change de berceau, Julos Beaucarne, Éditions Louise Hélène France

À voir

La cassette vidéo Julos/Guy Corneau, à commander aux Éditions Louise Hélène France, tél.: 010/86.69.43 – 081/63.36.77

Créativité amoureuse

Avertissement : lisez ces pages en plusieurs étapes et à votre rythme,
sous peine d'être noyé sous un condensé d'informations !
Car vous disposez là d'un matériau consistant qui,
par son application, devrait vous permettre
de faire un saut amoureux !
N'ayez crainte de perdre votre spontanéité : au contraire,
le jeu qui suit, en vous garantissant un cadre relativement
sécurisant de « croissance à deux », vous permet toutes les fantaisies.

Voici un jeu destiné aux :

- drogués de l'amour ;
- phobiques de l'engagement ;
- célibataires endurcis ou ambivalents ;
- couples en dérive et désireux d'améliorer leurs relations ;
- et à tous ceux qui veulent en apprendre plus sur eux-mêmes et vivre une relation de croissance.

Oubliez dès maintenant – et pour la durée du jeu – vos vérités toutes faites sur le couple, style :

- raison et passion sont incompatibles ;
- comme par hasard, les «bons» numéros sont tous casés ;
- notre bonheur dépend de la rencontre du partenaire idéal ;
- l'amour nous «tombe» dessus par chance et ne s'apprend pas ;
- nous voulons l'intimité, ce sont les autres qui prennent la fuite ;
- les hommes sont tous des salauds, les femmes toutes des garces.

Faites, temporairement, une croix sur vos anciens schémas :

- saboter allègrement vos relations ;
- vivre par cœur en attendant de «tomber amoureux» ;
- fuir dans le travail, le sport, les drogues, les aventures d'un soir ;
- répéter consciencieusement les mêmes boulettes, toutes porteuses du même message...

Enfin, adoptez ces règles de base :

L'AMOUR :
- ne peut exister à sens unique ;
- se cultive et évolue sans cesse ;
- commence par un travail sur soi ;
- est lâcher prise et non acharnement ;
- est exaltant quand on bouge ensemble... ;
- se sclérose quand il est définitivement acquis ;
- a une dynamique qu'il faut connaître pour bien le vivre ;
- est ouverture (progression) et non fermeture (régression) ;
- oscille constamment entre rapprochement et distanciation ;
- que l'on donne à autrui est proportionnel à l'amour que l'on se porte.

Et retenez que :

- toute expérience est enrichissante ;
- refaire connaissance peut être palpitant ;
- l'autre ne peut nous rendre l'estime de soi qui nous manque ;
- les stratégies amoureuses n'éliminent pas les causes des déséquilibres ;
- chaque relation est unique et comporte son mystère... mais une compréhension des forces en jeu permet de dépasser les crises et de progresser vers l'harmonie ;
- ce qui détruit n'est pas de l'amour (pour les masos : quand la douleur prend le pas sur le plaisir, il est temps d'agir) ;
- l'évolution réside dans l'alternance dynamisante des contraires : sécurité/insécurité, sagesse/ passion, etc. ;
- ce qui nous attire a priori chez l'autre nous en éloigne si nous refusons de l'intégrer.

Nanti de ces prémices, vous voilà fin prêt à vivre un jeu inédit, exaltant et libérateur !

Conditions préalables :

- vous êtes en cheminement personnel ou en phase thérapeutique ;
- vous commencez une relation... que vous souhaitez authentique, différente et non enfermante ;
- comme le Zèbre, vous décidez de reconquérir votre conjoint sans tomber dans la banalité du quotidien.

À ce stade, il est particulièrement important de voir si votre partenaire potentiel ou confirmé correspond à ce que vous recherchez !

Astuce :

Établissez une liste de critères incontournables (en laissant de côté la pointure, les goûts vestimentaires ou la couleur des cheveux), et voyez si votre promis(e) satisfait aux conditions requises.

Ensuite, imaginez la lettre que vous pourriez rédiger, comme entrée en jeu et en matière...

Mon cher X,

Dans ce pli, tu trouveras mon idée de jeu, pour lequel je souhaite un partenaire ludique, spirituel, créatif, courageux, authentique, gourmet, séduisant, inspirant, tolérant, diablement ambivalent, et supérieurement intelligent. (Passé accidenté souhaité).

Si tu te reconnais dans ce portrait, et si tu te sens prêt à relever un défi de taille en compagnie d'une dame espiègle et désireuse de transcender des patterns usagés, je te propose de vivre une belle aventure, qui pourrait faire la une médiatique et inspirer nombre de gens en recherche.

Autrement dit, ceci est une invite à :

- unir nos forces pour le bien de nous-mêmes d'abord, de la communauté ensuite ;
- tenter d'autres options que les « recettes pour faire soi-même son propre malheur », auxquelles nous avons voluptueusement goûté par le passé.

Personnellement, j'en garde des nausées... et ambitionne de remplacer ces recettes finalement peu goûteuses par des nourritures terrestres et spirituelles génératrices de santé. À l'aide d'un jeu que nous pourrions, si tu l'acceptes, expérimenter pas à pas, et en totale complicité. Histoire d'explorer notre humanité. De sublimer les facettes de nos multiples personnalités. Et, qui sait ? de prendre vraiment goût à nous fréquenter !

Je te propose ici :

Le jeu d'hommes et de dames
qui préfèrent les réussites aux échecs et ne veulent plus être des pions

Les protagonistes

Deux personnalités
fortes
ambivalentes
hypersensibles
hypercomplexes
expertes en sabotages
semblables et complémentaires.

Les enjeux

Rien à perdre : le pire est vécu. Tout à gagner.
Faire table rase du passé et des comportements programmés.
S'extraire des dramatisations, des blocages et de la culpabilité.
Devenir responsable : être dans l'action, plus dans la réaction.

Le coût

néant, si ce n'est :
L'audace d'oser vivre libre.
L'envie d'accepter et de comprendre.
Le courage d'être vrai envers soi et envers les autres.

Les règles du jeu

On se donne un cadre d'acceptation sécurisant, ici et maintenant.
On joue dans le même camp : il s'agit d'une victoire sur soi, pas sur l'autre.

Chacune des parties

Prend son temps.
Se focalise sur son ressenti.
Tolère silences, erreurs et tâtonnements.
Tente, graduellement, de lâcher ses défenses.
Voit les difficultés comme des cases du jeu de l'oie.
Respecte le rythme, les secrets et les replis de l'autre.
S'abstient, autant que possible, des pollutions relationnelles.

Choisit de croire au bonheur pour avoir une chance de le vivre.

Considère l'autre comme elle veut... mais aussi comme un miroir.

Permet à l'autre de grandir, sans faire sa thérapie (ou lui faire la morale !).

S'autorise à traverser ses peurs, ses chagrins, ses besoins, ses lubies, ses complexes, ses envies... avec ceux de l'autre comme limites.

Les défis

Guérir pour construire.

Aller jusqu'au bout de soi.

Retrouver l'enfant intérieur.

Torpiller les croyances négatives.

Remplacer la stratégie par le jeu partagé.

Se changer soi plutôt que changer l'autre.

Se convaincre qu'on a le droit d'être heureux.

Démarrer l'aventure dans le seul engagement de grandir.

Renverser l'adage : pourquoi faire simple quand on peut faire compliqué ?

Retrouver la joie, le plaisir, l'intimité avec soi et avec l'autre... en cumulant réflexion et action.

Découvrir de nouvelles relations hommes-femmes, évolutives, passionnantes et authentiques.

L'aide : le mémo

Enregistrement quotidien des victoires personnelles, sur un « pense-bête ».

L'accord

Relation de jeu, de plaisir, de réflexion, de croissance.

Renouvelable si succès.

Basé sur la confiance.

La maxime

Exit les théories, vive la pratique.

Le plus

L'expérience enrichissante d'une relation hors normes, et non formalisée.

La découverte de dimensions insoupçonnées, de soi et de l'autre.

La chance

Deux parties de forces égales (intelligence, dynamique, pouvoir de séduction), connaissant toute la panoplie des stratégies belliqueuses à somme nulle des deux sexes. Seule issue à la défaite mutuelle : la victoire sur soi... qui abolit les passions ravageuses – les luttes d'ego – mène au bonheur, à l'amour de soi, et donc, à celui des autres.

Deux parties ayant suffisamment d'intérêts communs pour garantir, dans les bonnes phases, des conversations inépuisables.

L'image

«Imaginez deux oiseaux qui volent ensemble dans la même direction... si on leur attache les ailes, ils sont toujours ensemble mais ils ne volent plus!»

(ANTOINE DE SAINT-EXUPÉRY)

L'hypothèse de base

La vie est un jeu dont il vaut mieux comprendre les règles pour lui garder son piment, sa profondeur et le charme de ses mystères.

La convention

DE RELATION ÉVOLUTIVE
À DURÉE DÉTERMINÉE DE TROIS MOIS

entre : ....

et : ....

Qui sont leurs «doubles inversés» (symbolisés par : vous ajoutez deux animaux qui vous représentent), et donc potentiellement très complémentaires.

Il a été décidé ce qui suit :

X et Y procèdent à un échange clé, équilibrant, sécurisant et harmonisant pour chacun d'eux, et correspondant à leurs évolutions respectives :

- *X fournit à Y l'occasion de (par exemple : oser créer l'emploi qui lui ressemble, par tel ingénieux procédé) ;*

- *Y fournit à X l'occasion de (par exemple : se réaliser dans sa vie de femme, en lui apprenant à parler aux fleurs, à s'équiper pour la cuisine, à grignoter autre chose que des noisettes, à nourrir les plantes autrement qu'avec du Coca Cola, etc., etc.)*

Indépendamment de cet échange, X et Y souhaitent conclure un accord – sous forme de jeu – leur permettant de s'extraire de patterns affectifs destructeurs, et de trouver une passerelle communicative, afin de vivre une ou des relations épanouissantes à l'avenir.

La présente convention sera en vigueur dès le ...., et se terminera le ...., avec reconduction possible pour trois ou six mois si les parties s'estiment satisfaites des résultats, évoluent et prennent du plaisir à être ensemble.
Elle sera éventuellement réaménagée selon le désir des parties.

La présente convention pourra être rompue unilatéralement si l'une des clauses n'est pas respectée, ce qui signifierait qu'une des parties (ou les deux) :

- *trouve son salut dans la fuite ;*
- *se complaît dans ses patterns destructeurs ;*
- *s'enlise dans de stériles circonvolutions cérébrales ;*
- *prend pour elle chaque projection – ou défense – de l'autre ;*
- *fait preuve d'intolérance vis-à-vis de l'autre dans les moments difficiles ;*

- refuse de traverser ses émotions, et les peurs classiques : rejet, sentiment d'infériorité, angoisse du vide, etc. ;
- confond la convention de croissance mutuelle et individuelle avec une thérapie de couple, ou tente de changer l'autre au lieu de se centrer sur son ressenti.

Les clauses de la convention sont les suivantes :

Chaque partie s'engage, autant que possible :

(là, vous mettez vos clauses respectives)

par exemple :

- à être authentique, et responsable ;
- à explorer les vertus du plaisir, en respectant les limites de l'autre ;
- à apprendre du neuf sur elle-même, et sur la dynamique relationnelle ;
- à risquer l'intimité avec elle-même et avec l'autre ;
- à s'ouvrir à l'inconnu, et aux expériences agréables – ou désagréables – que cela implique ;
- à limiter les pollutions relationnelles (voir plus haut) ;
- à respecter l'autre, et à le traiter en bon compagnon de jeu.

Etc., etc.

Chaque partie a le droit :

par exemple :

- de faire respecter ses limites ;
- de préserver son jardin secret ;
- de rester silencieuse si elle en ressent le besoin ;
- de stopper – gentiment – les mécanismes destructeurs de l'autre ;
- de convenir de rendez-vous qui s'accordent avec son emploi du temps ;
- de proposer quelque chose qui lui ferait plaisir, sachant que l'autre a la possibilité de refuser ce qui lui est suggéré.

Etc., etc.

L'enjeu de la convention :

Au choix :

- vaincre l'envie de fuir ;
- torpiller les peurs et croyances négatives ;
- retrouver la joie, le plaisir, l'intimité avec soi et avec l'autre ;
- explorer des dimensions insoupçonnées de soi et de l'autre ;
- découvrir de nouvelles relations hétérosexuelles évolutives et expansives, débouchant – autant que possible ! – sur l'amour universel.

Etc., etc.

Étant entendu que la présente convention se résume à l'échange constructif entre deux parties X et Y, qui acceptent chacune leurs vécus, leurs deuils et leurs difficultés de base.

Étant entendu que la présente convention doit être considérée avant tout comme un jeu destiné à faire évoluer deux parties du genre «dures à cuire», dont les anciennes stratégies se solderaient immanquablement par un résultat à somme nulle.

Étant entendu que le jeu est aussi passionnant que difficile, que X et Y doivent parvenir à s'apprivoiser, à être complices avec loyauté et sans recourir à la ruse, sachant qu'en pénétrant trop vite la bulle de l'autre, ils risquent de «prendre ses protections à la figure «, et de fuir, l'un dans son arbre, l'autre dans sa tanière.

Étant entendu que X a choisi Y après longue observation et parmi toutes les espèces vivantes, sur base d'une liste serrée de critères qu'il – ou elle – juge indispensables chez un partenaire potentiel.

Étant entendu que cette convention est unique et sans précédent, et qu'elle constitue un merveilleux espoir pour les lecteurs de OSER... L'Amour dans tous ses états! qui participent activement à l'éclosion des nouvelles relations entre hommes et femmes.

Fait à ...., le ....

en deux exemplaires,
chacune des parties reconnaissant avoir reçu le sien

X _____ Y _____

Pierrette

À lire

Mille et une stratégies amoureuses, Marie Papillon, Éditions de l'Homme
Fantaisies amoureuses, Marie Papillon, Éditions de l'Homme

PETIT MÉMENTO

	RELATION SYMBIOTIQUE **(UN ; COUPLE FUSIONNEL)** L'un **égale** l'autre.
Relation :	• régressive ;
Basée sur :	• le besoin ; • le manque ; • la codépendance.
Partenaires :	• narcissiques ; • jaloux, possessifs ; • cantonnés dans un rôle ; • deux moitiés de personnes ; • polarisés (masculins ou féminins) ; • plus semblables que complémentaires.
Ciment :	l'insécurité intérieure.
Mobile :	« se caser » et procréer. Le partenaire est vu comme un substitut parental et un « remède » à l'angoisse.
Espace :	néant ; fermeture.
Fin :	quand un des partenaires évolue.

DE L'AMOUR

RELATION PARASITE (DEUX ; COUPLE CONFLICTUEL) L'un ou l'autre.	RELATION SYNERGIQUE (TROIS ; COUPLE ÉVEILLÉ) L'un et l'autre : le couple et la relation.
• défensive ; • vampirique ; • destructrice. • l'opposition ; • la différenciation ; • les jeux de pouvoir ; • le besoin de contrôle ; • l'acharnement à «changer l'autre» plutôt que se changer soi. • un des partenaires détient le pouvoir ; • deux ego plus opposés que complémentaires ; • égoïstes : partenaires qui «aiment trop», «ont peur d'aimer», mères nourricières, machos déclarés ou déguisés...	• dynamique ; • constructive ; • enrichissante. • la confiance ; • la cocréation ; • la liberté mutuelle ; • l'alternance du pouvoir ; • l'amour (de soi et de l'autre). • amis et amants ; • «doubles inversés» ; • solitaires et solidaires ; • heureux seuls et à deux ; • en recherche personnelle ; • explorant tous leurs pôles (masculins et féminins, lunaires et solaires) ; • à la fois semblables (même conception de la vie) et complémentaires (dans les besoins et les attentes).
souvent, «amour» à sens unique ; obsession de se trouver (en absorbant l'autre). Mécanisme interchangeable. le partenaire est vu comme solution pour régler un problème du passé.	le désir d'évoluer, et de créer.
démesuré pour l'un, néant pour l'autre. L'un fuit, l'autre est obsédé.	ouverture, ressourcement.
quand le parasite a obtenu ce qu'il désire, ou quand l'autre n'a plus que l'énergie de rompre.	**L'unité est retrouvée... mais elle vient d'une expansion, non plus d'une régression !**

Remarque : Notre évolution n'est pas linéaire, mais s'accomplit avec force courbes et régressions. Autrement dit, nous nous affranchissons rarement complètement d'une étape ; nous évoluons plutôt au travers des stades décrits ci-dessus, mais avec plus de légèreté et de détachement au fur et à mesure que nous grandissons. Comme dit Paule Salomon, qui distingue sept étapes dans la dynamique amoureuse : «Le couple éveillé est un peu comme une forme invisible, subtile, qui planerait au-dessus de tous les couples et s'incarnerait à des moments privilégiés. »

Les pièges de l'amour :

- le refus de lâcher prise ;
- l'amour revanche ;
- la fuite en avant ;
- l'attirance pour le feu ;
- l'évasion dans les excès ;
- les comparaisons ;
- laisser l'autre se comporter de façon destructrice ;
- poursuivre une relation destructrice ressemblant à celle de nos parents ;
- créer une relation directement opposée à celle de nos parents ;
- participer continuellement aux conflits ou les éviter à tout prix.

Ce qui sabote l'amour :

- la rivalité ;
- l'incompatibilité ;
- la crainte de souffrir ;
- l'évitement des conflits ;
- la peur de la dépendance ;
- les conceptions erronées ;
- les stratégies inconscientes pour fuir l'intimité ;
- les pièges : l'amour revanche, le refus de lâcher prise, les pollutions de la communication.

Quelques questions clés à se poser :

- de quoi ai-je peur ?
- quelle est ma croyance ?
- suis-je dans la fuite ? pourquoi ?
- suis-je sur la défensive ? pourquoi ?
- comment souhaiterais-je être aidé ?
- qu'arriverait-il si j'acceptais l'intimité ?
- suis-je en train de saboter ma relation ? pourquoi ?
- quel besoin en moi n'est pas satisfait ?
- comment puis-je prendre soin de moi ?
- quelle est mon angoisse fondamentale ?

- que dois-je comprendre dans cette situation?
- est-ce que je me laisse prendre au jeu de l'autre?
- que puis-je faire à mon niveau pour débloquer le conflit?
- quel conseil donnerais-je à un ami qui se trouverait dans mon cas?
- quel crime imaginaire vais-je commettre si je m'accorde le droit d'être heureux?
- est-ce que j'enfreins un message parental?

Pour rester amoureux... ce qu'il faut savoir :

- Les relations ne naissent pas toutes seules, nous en sommes les créateurs.
- L'amour peut s'assoupir, mais il ne meurt jamais.
- Un partenaire n'est pas une solution.
- Parler, c'est bien; agir, c'est mieux.
- Les relations stables se modifient toujours.
- Faire des reproches, c'est être irresponsable.
- Le don est contagieux.
- L'amour ne punit pas, il pardonne.
- Heureux ceux qui savent susciter le désir.
- Heureux ceux qui savent exprimer leurs émotions.
- Heureux ceux qui savent communiquer.
- Heureux ceux qui vivent l'intimité.
- Exposer ses faiblesses est une force.
- Le mélange force/vulnérabilité est irrésistible.
- L'intimité conduit à la «passion positive».
- Être amis et amants : voilà le secret des couples qui durent.

Ce qui tue l'amour, à coup sûr :

- Le besoin de dominer.
- Le mépris de soi et de l'autre.
- La fuite de l'intimité.
- La peur de l'engagement.
- L'illusion.
- Le don excessif.
- Les pollutions relationnelles.

Ce qui nous sauve : reconnaître les paradoxes :

Tout est connecté. Il y a «interrelation» constante entre l'«intérieur» et l'«extérieur». Ce qui donne des propositions opposées, pourtant aussi vraies les unes que les autres :

- je veux être capable de vivre en indépendance ;
- un lien amoureux engendre, forcément, une dépendance.

- je dois être capable de répondre à mes besoins ;
- j'ai besoin que mon partenaire prenne soin de moi.

- j'ai besoin de vivre en couple ;
- j'ai besoin de vivre pour une cause qui nous dépasse.

- je peux être heureux avec moi-même ;
- je vis le plein bonheur quand j'aime quelqu'un dont je suis aimé.

- je veux prendre soin de mon enfant intérieur ;
- mon conjoint devrait écouter les besoins de mon enfant intérieur.

- je dois vivre l'instant présent avec mon partenaire ;
- j'ai besoin de planifier un avenir exaltant avec mon partenaire.

- je veux me dévouer à la personne que j'aime ;
- je veux être capable d'aimer toutes sortes de gens.

- il faut travailler pour assurer le succès d'une relation ;
- travailler dur pour sauver une relation signifie que quelque chose cloche.

- je veux ressentir de la passion dans ma relation ;
- j'ai besoin de stabilité, de partage et de sécurité.

Notre équilibre réside dans la reconnaissance de la validité simultanée de vérités contradictoires. À nous de naviguer de façon créative entre les deux rives de ces contradictions, sachant que, si nous nous approchons trop près de l'une des rives, nous risquons de nous écraser sur les rochers.

«Parfois, l'un quémande explicitement et avec insistance des attentions, une reconnaissance, une complicité, une intimité qu'à la fois il redoute, refuse ou ne parvient pas à croire possible. Les attentes, les revendications et les plaintes officielles vont tourner autour du besoin d'être aimé, mais comme elles sont suivies en même temps de la hantise que l'abandon succède à l'amour, le désir implicite mais néanmoins le plus puissant sera en même temps de ne pas être aimé.»

(JACQUES SALOMÉ)

ÉPILOGUE

Voici venue la fin d'un périple,
Qui étrangement jamais n'aboutit.
Dans tous ses états, l'Amour s'est dit
Laissons les mots... osons le vivre !

Je nous souhaite d'aimer dans la joie
De tolérer chacun dans sa voie.

En chœur, divulguons ce secret :

Un geste aimant peut changer une vie,
Et libérer de belles, et fortes énergies.

Puissions-nous vivre libres...

PIERRETTE

La Belle
au bois dormait...

Peau d'Âne, Cendrillon, La Belle au bois dormant...
voilà que défile notre enfance,
et son cortège d'héroïnes qui, toutes,
trouvèrent leur prince charmant
et eurent beaucoup d'enfants. Version 2000, ça donne :
Peau d'Âne, Cendrillon
et la Belle au bois dormant se font du mouron pendant
que leur prince court les jupons.
Nul doute que ces épouses bafouées grossiraient le clan
des «femmes qui aiment trop»,
tandis que Prince charmant rejoindrait, allègrement,
la clique des Peter Pan.
Franchement, je les comprends : le rouleau à tarte
et les gémissements n'ont rien d'excitant.

Les contes nous cachent souvent ce qu'Ève, déjà, complotait avec Adam : cantonnées dans leur rôle nourricier, les femmes ont souvent «trop aimé» et les hommes les ont souvent trompées (l'inverse est vrai aussi : des pionnières ont, heureusement, exploré d'autres versants)*.

Bref, on oublie l'essentiel : par essence, les hommes sont polygames... et ainsi sont les femmes! En l'an 2000, la vérité éclate : l'homme et la femme sont multiples, et, pour évoluer, nécessitent, au moins, quelques figurants. Paule Salomon m'annonça ce «scoop», sans ménagement.

À mon grand soulagement. Car, comme Peau d'Âne, j'ai failli y laisser ma peau.

À six ans, j'étais déjà une «femme qui aime trop». Programmée par des siècles d'asservissement. J'avais choisi un homme inaccessible : Thierry-la-Fronde, héros d'un feuilleton, dont la cotte de mailles suscitait chez moi un vif émoi. Je tolérais même Isabelle, l'officielle, pourvu qu'elle reste à l'arrière-plan.

Mon fantasme : que Thierry-la-Fronde tombe de son cheval afin, qu'avec panache, je puisse le ramasser. J'étais, bien sûr, la seule à pouvoir le soulager. Alcool, compresses, bandelettes... me déguisant en infirmière, j'avais mainmise sur mon guerrier, qui m'observait fasciné.

Mon scénario s'arrêtait là ; pressentant la supercherie, je regardai plutôt autour de moi. Et ce que je vis me glaça d'effroi.

Partout, ce n'étaient que cendrillons, qui maniaient lavettes et torchons. Envolés, les carrosses... ou plutôt, redevenus citrouilles. Tandis que Peter Pan, dans les champs, courait le guilledou.

Trente ans plus tard, je pose la question à Paule Salomon : sommes-nous conçus pour cohabiter ? Que faire des «multifacettes» qui vivent en nous, et des multiples partenaires qui y font écho ?

Voici, succinctement, ce qu'elle me répond : «Nous sommes à l'aube d'une nouvelle ère. Alors que la femme se «solarise», l'homme se «lunarise» ; tous deux explorent leur féminin et leur masculin. Traversant sept étapes, ils arrivent au couple évolué, dans lequel les partenaires sont solitaires et solidaires, à la fois père, mère, amants, soeur et frère. Ils voyagent d'un rôle à l'autre, d'une étape à l'autre, sans en rester prisonniers. Tandis qu'Agapè reste à l'arrière-plan, la flèche d'Éros fiche le désordre, mais agrandit l'âme.»

Ce qui implique : qu'avant d'être fidèle au couple, on est fidèle à soi-même ; que l'on peut cohabiter avec l'un, et avoir, en toute légitimité, des amitiés amoureuses. Car le féminin et le masculin sont toujours en train de se chercher. La fidélité se choisit, et devient mortifère si elle est imposée.

Je crois bien, chers lecteurs, que le troisième millénaire nous réserve des surprises. Que Peau d'Âne, Cendrillon et Cie n'ont qu'à bien se tenir. Qu'une nouvelle race est née : celle des femmes qui en ont marre de «trop aimer». Et qu'une autre la suit de près : celle des hommes qui se fatiguent de les tromper.

PIERRETTE

---

* L'aspect généralisateur de cette phrase est à prendre avec une bienveillante ouverture : il s'agit ici, comme souvent, d'une caricature.

Nouveaux livres-magazines à paraître

OSER... LE SUCCÈS
Comment j'y suis arrivé ?

OSER... L'ENFANCE
Pour petits et grands : tout reprendre à zéro

OSER... LA SANTÉ
Un périple à voies multiples

OSER... LE PLAISIR
Les joies de la sensualité

OSER... LA BEAUTÉ
Au féminin et au masculin : l'esthétique revue et corrigée

OSER... LE DESTIN
Jouer avec les compagnons de l'invisible

OSER... LA VIE
Passeport pour une vie simple et essentielle

Le livre-magazine réunit une panoplie d'experts autour de thèmes choisis, présentés sous toutes leurs facettes, avec humour, sérieux et authenticité. Gens de renom et jeunes talents s'y côtoient, animés par la plume tonique et joyeuse d'une journaliste avertie. Le livre-magazine : une formule à découvrir, alliant le côté pratique du magazine, et l'âme d'un livre que vous conserverez avec plaisir.